HONEYMOON

Alex Cross
Slaap kindje, slaap
Tweestrijd
Cross Country
Ik, Alex Cross
Cross Fire
Kill Alex Cross
Ren, Alex Cross

The Women's Murder Club
Zevende hemel
Achtste bekentenis
Het negende oordeel
Het tiende jaar
Het elfde uur
De twaalfde van nooit

Private
Private
Private Games
De hoofdverdachte

Heks & Tovenaar
Heksenjacht
De gave
Het vuur

Overige titels
De affaire
Je bent gewaarschuwd
Bikini
Partnerruil
Ooggetuige
Moordweekend
Hitte

James Patterson
& Howard Roughan

Honeymoon

Vertaald door
Dennis Keesmaat

2013
DE BEZIGE BIJ
AMSTERDAM

Cargo is een imprint van uitgeverij De Bezige Bij, Amsterdam

Copyright © 2013 James Patterson
Published by arrangement with Linda Michaels Limited, International
Literary Agents
Copyright Nederlandse vertaling © 2013 Dennis Keesmaat
Oorspronkelijke titel *Second Honeymoon*
Oorspronkelijke uitgever Little, Brown and Company, New York
Omslagontwerp Marry van Baar
Omslagillustratie © Hybrid Images
Foto auteur Peter Jönsson
Vormgeving binnenwerk Peter Verwey, Heemstede
Druk Koninklijke Wöhrmann, Zutphen
ISBN 978 90 234 8540 7
NUR 305

www.uitgeverijcargo.nl

Voor mijn fantastische ouders,
John en Harriet Roughan. – H. R.

PROLOOG

Geluiden in het donker

EEN

Op een dag zou de jongen wereldberoemd zijn, maar dat kon hij zich nu absoluut niet voorstellen. Welk kind kon immers de toekomst voorspellen, of ook maar enigszins begrijpen? De zevenjarige Ned Sinclair kwam zijn slaapkamer uit en tastte in de duisternis naar de muur. Hij durfde het licht op de gang niet aan te knippen. Hij durfde geen geluid te maken. *Geen kik. Nog niet.*

Langzaam sloop Ned door de lange, smalle gang, en de kou van de hardhouten vloer in hartje winter in Albany kwam dwars door de sokken van zijn Supermanpyjama. Hij beefde van de kou en zijn tanden konden elk moment gaan klapperen.

Ned zocht naar de leuning aan de bovenkant van de trap en zijn arm zwaaide als een dun takje in de wind heen en weer. Hij voelde niets… nog steeds niets… en toen, *ja, daar had je het* – de soepele welving van het glanzende grenen tegen de topjes van zijn vingers.

Hij greep de leuning vast en liep met witte knokkels stapje voor stapje naar de begane grond.

Eerder die dag was Ned bijna vergeten hoe bang hij voor de nacht was. Zijn grote zus, Nora, was met hem naar een nieuwe film geweest, een vervolg: *Back to the Future Part II*. Hij was te jong geweest om vier jaar daarvoor het eerste deel te zien.

Met een grote emmer popcorn op zijn schoot en een cola werd Ned in het donker volledig betoverd door de film, en dan vooral door die DeLorean-auto.

Kon ik maar door de tijd reizen, bedacht hij na afloop. *Ik wil hier niet meer zijn. Ik vind het hier maar niks.*

Het zou hem niet uitmaken waar hij naartoe ging, als hij maar weg kon komen van zijn huis, en de vreselijke boeman die 's nachts rondspookte. Hij en Nora zouden wegvluchten en nog lang en gelukkig leven. Een nieuwe stad. Een nieuw huis. En in de tuin van het nieuwe huis? Alleen maar gele lelies, Nora's lievelingsbloemen.

Hij hield ontzettend veel van zijn zus. Als de kinderen uit de buurt hem uitlachten omdat hij stotterde – *Ne-Ne-Ne-Ned*, zeiden ze altijd pesterig – kwam Nora voor hem op. Ze had zelfs voor hem gevochten. Nora was net zo stoer als alle jongens. Misschien mocht je daar waar ze heen zouden gaan wel met je zus trouwen.

Maar voor nu zat hij nog vast in dit huis. Een gevangene. Opgesloten. Elke afschuwelijke nacht wakker, wachtend op het geluid waarvan hij vurig hoopte dat het nooit zou komen… maar dat altijd kwam.

Altijd, altijd, altijd.

De boeman.

TWEE

Ned ging onder aan de trap rechtsaf en met zijn handen voor zich uit begaf hij zich in het donker door de eetkamer en de studeerkamer met het beige tapijt. Bij de deur van de bibliotheek van zijn vader bleef hij staan. Daar mocht hij nooit komen.

Als aan de grond genageld bleef hij staan toen de plintverwarming murmelde en een paar keer kletterde, alsof er hard en snel met een hamer op werd geslagen. Het werd gevolgd door het geluid van een stroom water die door de oude, roestige pijpen raasde. Maar daar bleef het bij. Er klonken geen andere voetstappen, geen stemmen in huis. Alleen zijn eigen hart dat als een waanzinnige bonkte.

Ga terug naar bed. Je kunt niet met de boeman vechten. Misschien als je groter bent. Ga alsjeblieft, alsjeblieft, alsjeblieft terug naar bed...

Maar Ned wilde niet meer naar die stem in zijn hoofd luisteren. Er praatte nu een andere stem tegen hem, een veel sterkere. Moediger. Onverschrokken. Die zei dat hij verder moest gaan. *Niet bang zijn! Geen bangerik zijn!*

Ned liep de bibliotheek in. Bij het raam stond een mahoniehouten bureau. Dat werd verlicht door de wazige gloed van een elektrisch klokje, zo eentje met van die cijfers die omdraaien als op een ouderwets scorebord.

Het bureau was groot, te groot voor de kamer, met aan de linkerkant drie grote lades. De enige la die er echter toe deed, was de onderste. Die zat altijd op slot. Ned stak beide handen uit over het bureau en greep een oude koffiebeker vast die gebruikt werd om potloden, pennen, gummetjes en paperclips in te bewaren. Toen hij diep had ingeademd, alsof hij tot drie telde, tilde hij de beker op.

Daar had je hem! De sleutel. Precies zoals hij hem een paar weken eerder had aangetroffen. Omdat nieuwsgierige jongens van zeven bijna alles kunnen vinden, vooral als dat niet mag.

Ned pakte de sleutel tussen zijn duim en wijsvinger en stak hem in het slot van de onderste la.

Hij draaide de sleutel een eindje met de klok mee tot hij het geluidje hoorde. *Klik!*

Heel voorzichtig, om maar geen geluid te maken, trok Ned de la open.

En hij haalde het pistool tevoorschijn.

DRIE

Olivia Sinclair schoot zo snel overeind in bed dat ze er een beetje duizelig van was. Haar eerste gedachte was dat de verwarming was aangegaan, met het vreselijke kletterende geluid van de buizen dat het huis bijna deed schudden.

Daarom droeg ze altijd de oorwasbolletjes voordat ze naar bed ging, zodat ze overal doorheen kon slapen. Die wasbolletjes werkten altijd. Ze was nog nooit midden in de nacht wakker geworden.

Tot nu toe.

Als dat geluid niet van de verwarming en de buizen kwam, wat was het dan wel? Het moest toch iets zijn.

Olivia draaide zich naar links om te kijken hoe laat het was. Volgens de wekker op het nachtkastje was het twintig minuten na middernacht.

Ze draaide zich naar rechts en zag het lege kussen naast zich. Ze was alleen.

Olivia haalde de bolletjes uit haar oren en zwaaide haar benen op de vloer. Al snel vonden haar blote voeten haar slippers. Toen ze het licht aanknipte, schrok ze van nog een geluid. Dit geluid herkende ze meteen. Het was een vreselijke gil, echt afschuwelijk.

Nora!

Olivia stormde de slaapkamer uit en rende door de lange, smalle gang naar de kamer van haar dochter, waar het licht brandde.

Toen ze naar binnen ging, voelde ze zich meer dan duizelig. Ze was ronduit misselijk.

Er was overal bloed. Op de grond. Op het bed. Spatten op de roze muur, tussen posters van Debbie Gibson en Duran Duran.

Olivia's blik schoot door de rest van de kamer. Ze ademde in. De schoten hadden een sterke geur achtergelaten. Op dat gruwelijke moment besefte ze wat er had plaatsgevonden.

En wat er al meer dan een jaar plaatsvond.

O god! Mijn dochter! Mijn lieve, onschuldige dochter!

Nora zat als een piepklein balletje opgekruld bij het hoofdeinde van haar bed. Haar armen waren strak om haar knieën geslagen. Ze was naakt. Huilend keek ze naar haar broer.

Aan de andere kant van de kamer stond Ned als een standbeeld in zijn Supermanpyjama, net zo wit als de sneeuw buiten. Hij kon niet eens met zijn ogen knipperen.

Heel even stond Olivia ook aan de grond genageld, maar meteen daarna was het alsof ze zich opeens herinnerde wie ze was. Dit waren haar kinderen.

Zij was hun moeder.

Olivia rende naar Ned en knielde neer om hem stevig tegen haar borst te drukken. Hij begon iets te mompelen, telkens dezelfde woorden. Het klonk als 'de boeman'.

'Sst,' fluisterde Olivia in zijn oor. 'Stil maar. Stil maar, lieverd.'

En heel voorzichtig haalde ze het pistool uit zijn hand.

Langzaam liep ze naar de deur, en ze keek nog één keer achterom. Haar dochter. Haar zoon.

En de 'boeman' die dood op de grond lag.

Ze liep naar de telefoon in de gang. Een tijdje stond ze daar met de hoorn in haar hand, en toen draaide ze een nummer.

'Mijn naam is Olivia Sinclair,' zei ze tegen de telefonist van 911. 'Ik heb net mijn echtgenoot gedood.'

BOEK EEN

*De merkwaardige zaak
van de O'Hara's*

HOOFDSTUK 1

Ethan Breslow glimlachte toen hij de fles champagne van Perrier-Jouët uit de ijsemmer naast het bed pakte. Hij was nog nooit zo gelukkig geweest. Hij had nooit kunnen geloven dat je zo gelukkig kon zijn. 'Wat is het wereldrecord voor geen kleren dragen tijdens je huwelijksreis?' grapte hij. Zijn grote, gespierde lichaam ging maar net schuil onder een laken.

'Dat weet ik niet, dit is mijn eerste huwelijksreis,' zei zijn bruid Abigail, en ze ging tegen het kussen naast hem overeind zitten. Ze kwam nog op adem van de heftigste seks die ze tot dat moment hadden gehad. 'Maar als we zo doorgaan, heb ik absoluut te veel kleren meegenomen.'

Ze lachten terwijl Ethan champagne inschonk. Hij overhandigde Abigail haar glas en staarde diep in haar lichtblauwe ogen. Ze was echt prachtig en – ja, het was een cliché – vanbinnen was ze nog mooier. Hij had nog nooit iemand ontmoet die zo lief en innemend was. Met één eenvoudig woordje had ze van hem de gelukkigste man op de hele wereld gemaakt. *Neemt u deze man tot uw wettige echtgenoot?*

'Ja.'

Ethan hief zijn glas om te toosten, en de belletjes vingen door de gordijnen een Caraïbische zonnestraal op. 'Op Abby, het mooiste meisje op aarde,' zei hij.

'Jij mag er ook best zijn. Ook al noem je me een meisje.'

Ze tikten met hun glazen en nipten in stilte terwijl ze alles in hun bungalow aan het strand van de Governor's Club op de Turks- en Caicoseilanden in zich opnamen. Alles was perfect – de geur van wilde bloemen die aan hun kingsize hemelbed hingen en het zachte eilandbriesje dat door de openslaande deuren van de patio binnenwaaide.

17

Op een ander soort eiland – Manhattan – hadden de tabloids pagina na pagina aan hun relatie gewijd. Ethan Breslow, telg van de familie Breslow, die een participatiemaatschappij bezat en voormalig enfant terrible van de New Yorkse partyscene was, was eindelijk volwassen geworden dankzij een nuchtere kinderarts, Abigail Michaels.

Voordat Ethan haar had leren kennen, had hij zich overal aan gewaagd. Vrouwen. Drugs. Zelfs carrières. Hij had geprobeerd een nachtclub te openen in SoHo, had geprobeerd een wijntijdschrift van de grond te krijgen en had geprobeerd een documentaire over Amy Winehouse te maken. Maar het ontbrak hem aan passie. Bij alles. Diep vanbinnen had hij geen flauw idee wat hij met zijn leven wilde. Hij was de weg kwijt.

Toen had hij Abby gevonden.

Het was heel leuk met haar en ze was grappig, maar ze wist ook wat ze wilde. Haar toewijding aan kinderen raakte hem echt en inspireerde hem. Ethan maakte schoon schip, werd toegelaten tot Columbia Law School en studeerde af. Toen hij een week in dienst was van het Children's Defense Fund, knielde hij voor Abby neer en vroeg haar ten huwelijk.

En nu waren ze hier, pasgetrouwd, en ze probeerden zelf een kind te verwekken. Ze deden echt héél erg hun best. Het werd een grapje dat ze met elkaar deelden. Sinds John en Yoko had geen stel zoveel tijd in bed doorgebracht.

Ethan nam het laatste slokje Perrier-Jouët. 'Wat zeg je ervan,' zei hij. 'Zullen we het bordje met NIET STOREN even pauze geven en een stukje langs het strand gaan lopen? Misschien ergens lunchen?'

Abby schurkte nog dichter tegen hem aan en haar lange, kastanjebruine haar viel over zijn borstkas. 'Of we kunnen hier blijven en roomservice weer laten komen,' zei ze. 'Misschien als we eerst onze eetlust nog wat hebben opgewekt.'

Door die opmerking kreeg Ethan een interessant idee.

'Kom mee,' zei hij, en hij glipte uit het hemelbed.

'Waar gaan we heen?' vroeg Abigail. Ze glimlachte en was geïntrigeerd.

Ethan greep de ijsemmer en klemde hem onder zijn arm.

'Dat zul je wel zien,' zei hij.

HOOFDSTUK 2

Abby wist aanvankelijk niet goed wat ze moest denken. Ze stond naakt met Ethan in de grote badkamer en zette een hand op haar heup, alsof ze wilde zeggen: Dit is een grap, hè? Seks in een sauna?

Ethan wist echter hoe hij haar moest overhalen. 'Zie het maar als een yogales,' zei hij. 'Maar dan beter.'

Daarmee was de zaak zogoed als beklonken. Abby was gek op haar zweetyogalessen in Manhattan. Niets bezorgde je na een lange werkdag een beter gevoel.

Op dit na misschien. Ja, dit klonk veelbelovend. Iets waar ze nog jarenlang over konden gniffelen, een echte wittebroodsherinnering. Of in elk geval een fantastische manier om calorieën te verbranden!

'Na jou, schat,' zei Ethan, en hij opende de deur met opgewekte hoffelijkheid. Behalve de marmeren douche met zes koppen en een Japans bad stond de Governor's Club bekend om zijn grote badkamer.

Ethan legde een handdoek over het bankje langs de wand. Toen Abby ging liggen, voerde hij de temperatuur op en goot een beetje water over de stenen in de hoek. Sissend vulde de sauna zich met stoom.

Hij knielde op de cederhouten vloer voor Abby neer en reikte in de ijsemmer. Een beetje voorspel kon geen kwaad.

Met een ijsklontje tussen zijn lippen boog hij naar voren en trok met zijn mond langzaam een spoor over haar lichaam. Het klontje raakte amper haar hals en ging langs de welving van haar borsten, helemaal tot aan haar tenen, die zich nu krulden van genot.

'Dat is... heerlijk,' fluisterde Abby met haar ogen dicht.

Ze voelde nu de volle kracht van de hitte van de sauna, en er begon zweet uit haar poriën te komen. Het voelde opwekkend. Haar hele lichaam was nat.

'Ik wil je in me,' zei ze.

Maar toen Abigail haar ogen opende, sprong ze overeind van het bankje. Geschrokken staarde ze over Ethans schouder.

'Wat is er?' vroeg hij.

'Er is daar iemand! Ethan, ik zag iemand.'

Ethan draaide zich om naar de deur met het kleine raampje, dat niet veel groter was dan een ansichtkaart. Hij zag niets – niemand. 'Weet je het zeker?' vroeg hij.

Abby knikte. 'Ik weet het zeker,' zei ze. 'Er liep iemand voorbij. Echt.'

'Was het een man of een vrouw?'

'Dat kon ik niet zien.'

'Het was vast het kamermeisje,' zei Ethan.

'Maar het bordje met NIET STOREN hangt nog aan de deur.'

'Ik weet zeker dat ze eerst heeft geklopt en dat we haar niet hebben gehoord.' Hij glimlachte. 'En als je bedenkt hoe lang dat bordje er al hangt – ze vroeg zich waarschijnlijk af of we nog wel leefden.'

Abby kwam enigszins tot bedaren. Ethan had waarschijnlijk gelijk. Maar toch. 'Kun je niet even gaan kijken?' vroeg ze.

'Ja hoor,' zei hij. Voor de grap pakte hij de ijsemmer op en hield hem voor zijn kruis. 'Hoe zie ik eruit?'

'Heel grappig,' zei Abigail, en ze moest lachen. Ze stond op en gaf hem de handdoek aan.

'Ik ben zo terug,' zei hij, en hij sloeg de handdoek om zijn middel.

Hij pakte de deurkruk en trok die naar zich toe. Er gebeurde niets.

'Hij zit vast. Abby, hij gaat niet open.'

HOOFDSTUK 3

'Hoe bedoel je, hij gaat niet open?'

In een fractie van een seconde was de glimlach op Abby's gezicht verdwenen.

Ethan trok harder aan de deurkruk, maar de deur van de sauna gaf niet mee. 'Het is net alsof hij op slot zit,' zei hij. Alleen wisten ze allebei dat er geen slot op de deur zat. 'Hij zal wel vastzitten.'

Hij drukte zijn gezicht tegen het glas van het raampje om beter te kunnen zien.

'Zie je iemand?' vroeg Abigail.

'Nee. Niemand.'

Met een vuist bonkte hij op de deur en riep: 'Hé, is daar iemand?'

Er kwam geen antwoord. Stilte. Een vervelende stilte. Een griezelige stilte.

'Het kamermeisje was het dus niet,' zei Abby. Toen begon het tot haar door te dringen. 'Denk je dat we worden beroofd en dat ze ons hier hebben opgesloten?'

'Misschien,' zei Ethan. Hij kon het niet uitsluiten. Als de zoon van een miljardair maakte hij zich natuurlijk minder zorgen over een beroving dan over opgesloten zitten in een sauna.

'Wat doen we nu?' vroeg Abby. Ze begon bang te worden. Hij zag het in haar ogen, en dat joeg hem de stuipen op het lijf.

'Het eerste wat we gaan doen, is die kachel uitzetten,' antwoordde hij, en hij veegde het zweet van zijn voorhoofd. Hij drukte de uitknop op het bedieningspaneeltje in. Vervolgens pakte hij de lepel naast de stenen en hield hem op naar Abby. 'En ten tweede dit.'

Ethan stak de houten handgreep van de lepel als een koevoet in de deurstijl en leunde er met zijn volle gewicht tegenaan.

'Het werkt!' riep ze.

De deur verschoof aan zijn hengsels en kwam langzaam in beweging. Met nog een beetje inspanning zou Ethan – *Krak!*

De handgreep knapte als een lucifer en Ethan knalde met zijn hoofd tegen de muur. Toen hij zich omdraaide, zei Abby: 'Je bloedt!'

Er zat een snee boven zijn rechteroog en er sijpelde een rood straaltje over zijn wang. Al snel werd het een stroompje. Als arts had Abby op zo'n beetje elke denkbaar manier bloed gezien en ze wist altijd wat ze moest doen. Maar dit was anders. Dit was niet haar spreekkamer of een ziekenhuis, en ze had geen verbandgaas of zwachtels. Ze had niets. En dit was Ethan die bloedde.

'Hé, niks aan de hand,' zei hij in een poging haar gerust te stellen. 'Het komt allemaal goed. We bedenken wel iets.'

Ze was niet overtuigd. Wat aanvankelijk sexy had geleken, was nu vooral heet. Meedogenloos heet. Elke keer dat ze inademde, voelde ze hoe de hitte van de sauna de binnenkant van haar longen schroeide.

'Weet je zeker dat de sauna uit is?' vroeg ze.

Eerlijk gezegd twijfelde Ethan. De sauna leek eerder warmer te worden. Hoe was dat mogelijk?

Het kon hem niet schelen. Zijn troef was de buis in de hoek, met de noodafsluitklep.

Hij ging op het bankje staan en draaide de klep loodrecht op de buis om. Er volgende een luid sissend geluid. Nog luider was Abby's zucht van opluchting. Niet alleen viel de hitte weg, maar door het ventilatiegat in het plafond kwam er ook koele lucht binnen.

'Zo,' zei Ethan. 'Met een beetje geluk hebben we ergens een alarm geactiveerd. En ook als dat niet zo is, redden we het wel. We hebben genoeg water. Uiteindelijk vinden ze ons wel.'

Maar hij had de woorden amper uitgesproken of ze trokken allebei snuivend hun neus op.

'Wat is dat?'

'Dat weet ik niet,' zei Ethan. Wat het ook was, er klopte iets niet.

Abby hoestte en sloeg haar handen wanhopig om haar nek. Haar keel zat dicht en ze kreeg geen adem meer.

Ethan probeerde haar te helpen, maar binnen enkele tellen kreeg ook hij geen adem meer.

Het gebeurde allemaal heel snel. Ze keken elkaar met rode, tranende ogen aan, kronkelend van de pijn. Erger kon het niet worden.

Maar dat werd het wel.

Ethan en Abby vielen naar adem happend op hun knieën toen ze twee ogen door het kleine raampje van de saunadeur zagen kijken.

'Help!' wist Ethan met een uitgestoken hand nog net uit te brengen. 'Help ons alsjeblieft!'

De ogen bleven echter alleen maar staren. Zonder te knipperen en zonder enig gevoel. Ethan en Abby beseften eindelijk wat er gebeurde. Het was een moordenaar – en hij keek toe terwijl ze stierven.

HOOFDSTUK 4

Ik heb het al eerder gezegd en ik zal het nog een keer zeggen: niet alles is zoals het lijkt.

Neem bijvoorbeeld de kamer waar ik in zat. Als je naar de elegante meubels kijkt, de chique Perzische tapijten en de schilderijen in sierlijke lijsten, zou je denken dat ik een modelhuis van een ontwerper ergens in een voorstad was binnen gelopen.

Absoluut niet het kantoor van zomaar een man in de Lower East Side van Manhattan.

En dan heb je de man zelf die tegenover me zat.

Als hij nog relaxter was, zou hij van zijn stoel vallen. Hij droeg jeans, een poloshirt en een paar bruine Teva-sandalen. Je zou nooit bedenken dat hij een zielenknijper was.

Tot een week geleden leek ik ook heel relaxed. Je zou nooit hebben bedacht dat ik op het punt stond een redelijk veelbelovende carrière van elf jaar bij de FBI de vernieling in te helpen. Ik wist het goed te verbergen. Dat dacht ik in elk geval.

Maar mijn baas, Frank Walsh, dacht er anders over. En dan druk ik me natuurlijk nog mild uit. Frank hield me min of meer in een verbale houdgreep en zette een keel tegen me op met zijn schorre, twee-pakjes-per-dagstem, tot ik me overgaf. *Je moet naar een psych, John.*

Daarom had ik er dus mee ingestemd af te spreken met de relaxte dokter Adam Kline in zijn spreekkamer die doorgaat voor een woonkamer. Hij specialiseerde zich in mensen die lijden aan 'diepe emotionele stress als gevolg van persoonlijk verlies of trauma'.

Mensen zoals ik, John O'Hara.

Het enige dat ik zeker wist, was dat als deze vent me niet kerngezond verklaarde, ik het wel kan shaken bij de FBI. Dan kan ik wel inpakken. Dan ontslaan ze me.

24

Maar dat was niet echt het probleem.

Het probleem was *dat het me geen reet kon schelen.*

'Dus jij bent dokter Verdriet?' zei ik, en ik nestelde me in de leunstoel, die duidelijk tot doel had me te laten vergeten dat ik in werkelijkheid op 'De Bank' lag.

Dokter Kline knikte met een flauw lachje, alsof hij er al op had gerekend dat ik vanaf het begin geintjes zou maken. 'En als ik het goed heb begrepen, ben jij meneer Tijdbom,' kaatste hij terug. 'Zullen we beginnen?'

HOOFDSTUK 5

Hij liet er in elk geval geen gras over groeien.

'Hoe lang geleden is je vrouw gestorven, John?' vroeg dokter Kline zonder omwegen.

Ik zag dat hij geen schrijfblok en pen op zijn schoot had liggen. Er werd niets opgeschreven. Hij luisterde alleen maar. Eerlijk gezegd beviel die benadering me wel.

'Ze is ongeveer twee jaar geleden om het leven gekomen.'

'Hoe is het gebeurd?'

Enigszins verbaasd keek ik hem aan. 'Heb je er niks over in mijn dossier gelezen?'

'Ik heb alles gelezen. Drie keer,' antwoordde hij. 'Maar ik wil het van jou horen.'

Een deel van me wilde uit mijn stoel springen en de vent een rechtse hoek verkopen omdat hij wilde dat ik de ergste dag van mijn leven nog eens zou doorlopen. Maar een ander deel van me – het deel dat wel beter wist – begreep dat hij me niet vroeg iets te doen wat ik niet zelf al deed. Elke dag zelfs. Ik kon het niet loslaten.

Ik kon Susan niet loslaten.

Susan en ik waren allebei agent bij de FBI, hoewel ik toen we elkaar leerden kennen en met elkaar trouwden undercoveragent bij de politie van New York was. Een paar jaar later ging ik aan de slag bij de FBI, en ik kwam op een heel andere afdeling dan Susan te werken, de afdeling Antiterrorisme. Een paar uitzonderingen daargelaten is dat de enige manier waarop stellen bij de FBI kunnen werken.

Susan schonk het leven aan twee wolken van zoons en een tijdje was alles geweldig. Tot het voorbij was. Na acht jaar werd ons huwelijk ontbonden. De redenen zal ik je besparen, vooral omdat geen reden belangrijk genoeg was om ons uit elkaar te houden.

Ironisch genoeg was het een zaak met een moordenaar van weduwen die me bijna vergiftigde, die ervoor zorgde dat we dat allebei beseften. Susan en ik kwamen weer bij elkaar en samen met John junior en Max vormden we weer een gezin. Tot een middag zo'n twee jaar geleden.

Ik vertelde dokter Kline dat Susan naar huis was gereden van de supermarkt toen een andere auto door rood reed en haar met honderd kilometer per uur van opzij ramde. De toegestane snelheid op die weg was vijftig kilometer. Susan kwam ter plekke om het leven, terwijl de andere chauffeur amper een schrammetje had. Daar kwam nog bij dat die klootzak dronken was toen het ongeluk plaatsvond.

Een dronken advocaat, bleek later.

Door te weigeren het blaaspijpje te gebruiken en in plaats daarvan zijn bloed te laten prikken in een ziekenhuis, won hij een paar uur, waardoor hij nuchter genoeg was om net onder de wettelijke limiet te komen. Hij kreeg de minimumstraf voor doodslag door een auto-ongeluk.

Is dat gerechtigheid? Zeg jij het maar. Hij kan zijn kinderen weer zien, terwijl ik die van mij moest uitleggen dat ze hun moeder nooit meer te zien zouden krijgen.

Dokter Kline zweeg een paar seconden toen ik was uitgepraat. Zijn gezicht verried niets. 'Wat had ze gekocht?' vroeg hij ten slotte.

'Pardon?'

'Wat had Susan in de supermarkt gekocht?'

'Ik verstond je wel,' zei ik. 'Ik kan er alleen niet bij dat dat na alles wat ik je heb verteld je eerste vraag is. Wat doet dat ertoe?'

'Ik zei niet dat het ertoe deed.'

'Boter,' flapte ik er bijna uit. 'Susan ging koekjes bakken voor de jongens, maar ze had geen boter in huis. Ironisch, hè?'

'Hoezo?'

'Laat maar.'

'Nee, vertel,' zei dokter Kline.

'Ze was een FBI-agent, ze had tijdens haar werk vaak genoeg om kunnen komen,' zeg ik. En vervolgens is het alsof er een knop in me is omgezet. Of misschien uitgezet. Ik heb mezelf niet meer onder controle en de woorden stromen woedend naar buiten. 'Maar nee, het is een of andere dronken eikel die op de terugweg van de supermarkt zijn auto in die van haar boort!' Ik ben opeens buiten adem, alsof ik net een marathon heb gerend. 'Goed, nou tevreden?'

Dokter Kline schudde zijn hoofd. 'Nee, dat ben ik niet, John. Ik maak me zorgen,' zei hij kalm. 'En weet je waarom?'

Natuurlijk wist ik dat. Daarom had de FBI me tijdelijk geschorst. Daarom had mijn baas, Frank Walsh, erop gestaan om me na te laten kijken.

Stephen McMillan, de dronken advocaat die Susan had gedood, zou binnen een week vrijkomen.

'Je denkt dat ik hem ga vermoorden, hè?'

Kline haalde zijn schouders op en ontweek de vraag. 'Laten we zeggen dat mensen die heel veel om je geven zich zorgen maken over wat je misschien van plan bent. Dus zeg het maar, John. Hebben ze reden om zich zorgen te maken? Ben je van plan wraak te nemen?'

HOOFDSTUK 6

Riverside in Connecticut ligt op ongeveer een uur rijden van het centrum van Manhattan. Ik deed net alsof ik Mario Andretti was en legde de rit in precies veertig minuten af. Het enige dat ik wilde, was naar huis gaan en mijn jongens omhelzen.

'Jemig pa, wil je me pletten of zo?' zei Max vrolijk. Hij gooide net met een honkbal tegen een oefennet toen ik aan kwam rijden. Even zonder de vooroordelen van een vader: voor een knul van negen had hij echt een krachtige worp.

Na een tijdje liet ik hem toch maar los. 'Ben je klaar met pakken?' vroeg ik.

Het was al een week schoolvakantie. Max en zijn oudere broer John junior gingen de volgende ochtend een maand op kamp.

Max knikte. 'Ja, oma heeft me geholpen. Ze heeft zelfs met een stift mijn naam in al mijn onderbroeken geschreven. Raar hoor. Nou ja.'

Ik had niets anders verwacht van oma Judy. 'Zijn zij en opa er nog?'

'Nee, ze doen boodschappen,' zei Max. 'Opa wilde biefstuk op onze laatste avond samen.'

Toen Susan was omgekomen, hadden haar ouders, Judy en Marshall Holt, erop gestaan terug te komen uit Florida, waar ze na hun pensioen naartoe waren verhuisd. Ze zeiden dat ik de jongens onmogelijk alleen kon opvoeden terwijl ik voor de FBI werkte, en ze hadden gelijk. En daarnaast denk ik dat ze wisten dat Max en John junior om zich heen hebben de pijn van het verlies van hun dochter, hun enige kind, zou verzachten, al was het maar een beetje.

Ze waren echt geweldig geweest vanaf de dag dat ze waren aangekomen, en hoewel ik hun nooit helemaal duidelijk kon maken hoe dankbaar ik was voor hun tijd, liefde en alles wat ze zich ontzegden, kon ik ze op zijn minst een cruise van vier weken op de Middellandse Zee cadeau doen terwijl de jongens op kamp waren. Ik was blij dat ik die had betaald toen ik nog salaris kreeg van de FBI. Niet dat ik van gedachten zou zijn veranderd. Alleen zouden Marshall en Judy de reis anders nooit hebben geaccepteerd. Zo zijn ze.

'Waar is je broer?' vroeg ik aan Max.

'Waar denk je?' vroeg hij, en onder zijn petje van de Yankees rolde hij met zijn ogen. 'Op zijn computer, de nerd.'

Max ging verder met het uitgooien van denkbeeldige slagmannen van de Red Sox en ik ging het huis in en liep naar John juniors kamer boven. De deur zat natuurlijk dicht.

'Klop klop,' kondigde ik aan en ik liep zo naar binnen.

John junior zat – waar anders? – achter zijn bureau en zijn computer. Zodra hij me zag, gooide hij zijn handen in de lucht.

'Kom op nou, pa, kun je echt niet kloppen?' bromde hij. 'Heb je nooit van het recht op privacy gehoord?'

Ik gniffelde. 'Je bent dertien, jongen. Ik hoor wel weer van je als je je gaat scheren.'

Glimlachend wreef hij over het donslaagje op zijn kin. 'Dat is misschien wel sneller dan je denkt,' zei hij.

Hij had gelijk. Mijn oudste zoon groeide snel. Te snel misschien.

John junior was elf toen hij zijn moeder had verloren, een moeilijke leeftijd. In tegenstelling tot Max was John oud genoeg om alles te voelen wat een volwassene zou voelen – de pijn en het verdriet, het overweldigende gevoel van verlies. Maar toch was hij nog maar een kind. Dat maakte het zo oneerlijk. Het verdriet dwong hem volwassen te worden op een manier die geen kind ooit zou moeten meemaken.

'Waar werk je aan?' vroeg ik.

'Ik werk mijn Facebook bij,' antwoordde hij. 'Dat mogen we niet op kamp.'

Dat weet ik. Dat is een van de redenen waarom je gaat, jongen. Geen computerspelletjes, mobiele telefoons of laptops toegestaan. Alleen frisse lucht en Moeder Natuur.

Ik ging achter hem staan en wierp een blik op zijn MacBook. Hij ging meteen over de rooie en sloeg zijn handpalm tegen het scherm. 'Pa, dit is privé!'

Ik wilde nooit het soort vader zijn dat zijn kind bespioneerde en heimelijk inlogde op zijn computer om ervoor te zorgen dat hij niets zei of deed wat hij niet zou moeten zeggen of doen. Maar ik wist ook dat er niets 'persoonlijks' was aan internet.

'Als je eenmaal iets online zet, kan de hele wereld meekijken,' zei ik.

'Ja, en?'

'Dus je moet voorzichtig zijn, meer niet.'

'Dat ben ik ook,' zei hij, hoewel het gesprek duidelijk niet snel genoeg voorbij kon zijn. Hij keek weg.

Op zulke momenten miste ik Susan echt. Zij zou precies weten wat ze moest zeggen, en net zo belangrijk: wat ze níét moest zeggen.

'John, kijk me eens aan.' Langzaam draaide hij zich om. 'Ik vertrouw je,' zei ik. 'Je moet mij alleen ook vertrouwen. Ik probeer je alleen maar te helpen.'

Hij knikte. 'Pa, ik weet alles over de griezels en engerds die er zijn. Ik geef geen persoonlijke informatie of zo.'

'Goed,' zei ik. En daarmee was de kous af.

Dat dacht ik tenminste. Toen ik Johns kamer uitliep had ik geen idee, geen flauw benul, dat ik zojuist een van de grootste en meest gestoorde zaken uit mijn loopbaan had opgelost.

En nog voordat je 'aan tafel' kon zeggen, stond het op het punt allemaal te beginnen.

HOOFDSTUK 7

'Weet je hoe Italianen buiten eten noemen?' vroeg Judy, en ze keek naar haar twee kleinzoons alsof ze aan bureaus in een klaslokaal zaten in plaats van onze ronde tuintafel.

Susans moeder was achtentwintig jaar lerares op een basisschool geweest. Oude gewoontes zijn moeilijk af te leren.

'Laat die jongens nou even, lieverd,' zei Marshall, die zijn mes in een dikke biefstuk stak. 'Het is vakantie.'

Judy negeerde hem vrolijk. Ze waren nog langer getrouwd dan zij lerares was geweest. 'Al fresco,' vervolgde ze. 'Dat betekent in de frisse lucht.' Ze herhaalde de woorden langzaam, als op zo'n ouderwets cassettebandje met een taalcursus. 'Al fres-co.'

'Hé, wacht even, die ken ik!' zei Marshall, en hij knipoogde naar de jongens vanachter zijn ouderwetse bril. 'Al Fresco! Ik heb met hem in Vietnam gevochten. Die goeie ouwe Al Fresco. Wat een figuur.'

Max en John junior schoten in de lach. Dat deden ze altijd bij de grappen van hun opa. Zelfs Judy moest lachen.

En ik? Ik glimlachte ook. Ik keek de tafel rond naar een familie die was verwoest door een tragedie maar er op de een of andere manier in geslaagd was zich te hergroeperen en verder te gaan.

Gossie, enig idee hoe je jezelf kunt hergroeperen en verder kunt gaan, O'Hara? Er misschien voor zorgen dat je je insigne terugkrijgt? De draad van je leven weer oppakt? Ja? Nee?

Een paar minuten later deed Judy zelfs iets wat ze sinds Susans dood niet meer had gedaan. Ze had het over de dood van iemand anders. Een tijdje hoefde ze het woord maar te horen of ze huilde al.

'Ik heb iets vreselijks op het nieuws gezien,' zei ze. 'Ethan Breslow en de dokter met wie hij net was getrouwd, zijn tijdens hun huwelijksreis vermoord.'

Marshall schudde zijn hoofd. 'Ik had niet gedacht dat ik het ooit zou zeggen, maar ik heb met zijn vader te doen.'

'Wacht, wie is Ethan Breslow?' vroeg John junior.

'De zoon van een heel rijke man,' zei ik.

'Een ontzéttend rijke man,' voegde Marshall eraan toe. 'Warner Breslow lijkt heel veel op Donald Trump, hij is alleen minder bescheiden.'

Judy wierp hem een afkeurende blik toe, hoewel ze hem niet ging tegenspreken. Warner Breslow was wereldberoemd om zijn ego. Het had zelfs zijn eigen pagina op Wikipedia.

'Hebben ze de moordenaar al opgepakt?' vroeg ik.

'Nee,' zei Judy. 'Ze zeiden dat er geen getuigen waren. Ze waren op de Turks- en Caicoseilanden, geloof ik.'

'Waar?' vroeg Max, zich er duidelijk niet van bewust dat hij weer op een leermoment van zijn oma was gestuit.

'De Turks- en Caicoseilanden,' zei ze, 'een groep eilanden in het Caraïbisch gebied.'

Toen ze aan een korte geschiedenisles over Brits-West-Indië begon, hoorde ik binnen de telefoon gaan. Ik wilde net opstaan, maar Marshall was me voor. 'Ik ga wel,' zei hij.

Nog geen twintig seconden later kwam hij terug. Hij leek geschokt en in de war. Hij hield zijn hand over de telefoon.

'Wie is het?' vroeg ik.

'Warner Breslow,' zei hij. 'Hij wil je spreken.'

HOOFDSTUK 8

Toeval was het woord niet, het was eerder ronduit eng.

Marshall overhandigde me de telefoon. Ik liep naar binnen en ging in het kamertje naast de keuken zitten. Ik had Warner Breslow nog nooit ontmoet, laat staan met hem gesproken. Tot nu.

'Met O'Hara.'

Hij stelde zich voor en verontschuldigde zich ervoor dat hij me thuis belde. Ik luisterde naar elk woord, maar wat ik eigenlijk hoorde – wat me echt opviel – was zijn stem. Als ik op tv een interview met hem zag, klonk hij echt als de machtige alfaman die hij was. Iemand die de hele wereld aankon.

Nu klonk hij verslagen en misschien zelfs wel kwetsbaar.

'Ik neem aan dat je over mijn zoon en zijn vrouw hebt gehoord,' zei hij.

'Ja. Gecondoleerd.'

Er viel een stilte. Ik wilde nog iets zeggen, maar ik kon niets zinnigs of toepasselijks bedenken. Ik kende deze man niet en ik wist nog niet waarom hij belde.

Maar ik had wel een voorgevoel.

'Je bent me aanbevolen door een wederzijdse vriend,' zei hij. 'Denk je dat je me kunt helpen?'

'Dat hangt ervan af. Wat wilt u? Wat voor hulp hebt u nodig?'

'Ik kan niet rekenen op een stel palmboomagenten,' zei hij. 'Ik wil je inhuren om op onderzoek te gaan op de Turks- en Caicoseilanden, in je eentje, dus zonder de politie.'

'Dat wordt lastig,' zei ik.

'En daarom bel ik jou,' antwoordde hij. 'Moet ik je cv voorlezen?'

Nee, dat hoefde hij niet. Maar toch.

'Meneer Breslow, ik ben bang dat FBI-agenten niet mogen bijklussen.'

'En hoe zit het met geschorste FBI-agenten?' vroeg hij.

In gedachten ging ik als een gek mijn mentale Rolodex langs en probeerde te bedenken wie onze wederzijdse vriend bij de FBI kon zijn. Breslow had toegang tot iemand.

'Ik zou wel met m'n baas kunnen praten,' zei ik.

'Dat heb ik al gedaan.'

'Kent u Frank Walsh?'

'We zijn goede vrienden. Gezien de omstandigheden, zowel die van jou als die van mij, is hij bereid om in dit geval een uitzondering te maken. Je hebt groen licht van de FBI.'

En voordat ik zelfs maar adem kon halen, kwam Breslow ter zake. Hij was dan wel overmand door verdriet, hij was nog steeds een zakenman. Een ontzagwekkende zakenman.

'Tweehonderdvijftigduizend dollar,' zei hij.

'Neem me niet kwalijk?'

'Voor je tijd en je moeite. Plus onkosten natuurlijk. Je bent het waard.'

Toen ik niet meteen antwoordde, voerde hij de druk enigszins op. Of liet hij zijn macht gelden? 'Je moet het zeggen als ik het mis heb, John, maar je krijgt niet betaald tijdens je schorsing, toch?'

'U doet in elk geval uw huiswerk.'

'En hoe zit het met je jongens?' vroeg hij. 'Doen die hun huiswerk? Ik bedoel, doen ze goed hun best?'

'Tot nu toe wel,' zei ik met een lichte aarzeling. Hij betrok mijn kinderen hierbij. 'Waarom vraagt u naar mijn jongens?'

'Omdat ik het nog niet over de bonus heb gehad. Je moet weten wat die is voordat je me antwoord geeft,' zei hij. 'Die krijg je als je werk me de enige troost verschaft waar ik in deze situatie op kan hopen,' zei hij. 'Gerechtigheid.'

En toen vertelde Warner Breslow me precies hoeveel gerechtigheid hem waard was. Hij vertelde me wat de bonus precies inhield.

En ik moet zeggen: hij wist hoe hij een deal moest bezegelen.

HOOFDSTUK 9

Een kleine vijfduizend kilometer verderop, op de zevende verdieping van het psychiatrisch ziekenhuis Eagle Mountain in een buitenwijk van Los Angeles, lag de tweeëndertigjarige Ned Sinclair in zijn bed en telde voor de duizendste keer de witte tegels boven hem. Het was een geesteloze handeling uit zelfbehoud. Keer op keer de tegels tellen vormde zijn enige ontsnapping aan deze godverlaten plek.

Tot nu toe.

Ned hoorde de piepende wieltjes van het medicijnkarretje dat over het grijze linoleum van de gang reed voor wat de verpleegsters spottend de 'slaapmutsjes' noemden – de verdovende middelen die de psychiatrische patiënten 's nachts rustig hielden, als slechts het hoognodige personeel aanwezig was.

'Tijd voor je medicijnen,' zei een stem bij de deur. 'Ned. Geen geintjes vanavond.'

Ned keek niet om. Hij bleef de plafondtegels tellen. *Driehonderd-tweeëntwintig… drieëntwintig…*

Gedurende de vier jaar dat Ned in Eagle Mountain was, had dezelfde verpleegster op weekdagen dat karretje voor zich uit geduwd. Haar naam was Roberta en ze was ongeveer net zo vriendelijk en charmant als een ziekenhuismuur. En net zo stevig. Ze zei nauwelijks iets tegen haar collega's, en maakte al helemaal geen praatje met de patiënten. Ze deed alleen waarvoor ze betaald werd: medicijnen uitdelen. Meer niet. En dat vond Ned prima.

Maar twee weken geleden was Roberta ontslagen. Het gerucht ging dat ze pillen achterover had gedrukt. *Het zijn altijd de stillen.*

Ze was vervangen door een jongen die aangesproken wilde worden met zijn bijnaam, Ace. *Asshole* zou toepasselijker zijn geweest. Hij was luidruchtig, stierlijk vervelend en dom, en hij wist niet wanneer hij zijn mond moest houden. De kandidaten voor de nachtploeg lagen kennelijk niet voor het oprapen.

'Kom op, Ned, ik weet dat je me kunt horen in die verknipte kop van je,' zei Ace, en hij reed het karretje naar binnen. 'Zeg eens iets. Ik luister, jongen.'

Maar Ned had niets te zeggen.

Ace gaf zich niet gewonnen. Hij vond het maar niets om genegeerd te worden. Dat overkwam hem al vaak genoeg in de bars van LA waar hij met de finesse van een sloopkogel met vrouwen flirtte. Hij keek nijdig naar Ned en vroeg zich af wie die klootzak van een patiënt wel niet was om stommetje met hem te spelen.

'Weet je, ik heb eens naar je gevraagd,' zei hij. 'Ik heb begrepen dat je een of ander wiskundegenie was, een hoge pief aan een universiteit. Maar er is je iets ergs overkomen. Wat was dat? Heb je iemand iets aangedaan? Jezelf iets aangedaan? Zit je daarom hier op de zevende verdieping?'

De zevende verdieping van Eagle Mountain was gereserveerd voor patiënten die een gewelddadig karakter hadden. Ze mochten nooit iets in handen krijgen wat scherp was of scherp gemaakt kon worden. Ze mochten zichzelf niet eens scheren.

Ned bleef zwijgen.

'O, wacht, wacht, ik weet alweer wat het was,' zei Ace. 'Ze zeiden dat je bent doorgedraaid na de dood van je zus.' Hij lachte gemeen. 'Was ze lekker, Ned? Ik durf te wedden dat je een lekkere zus had. Nora, toch? Als ze hier was, zou ik lekker met haar van bil gaan. Maar ze is natuurlijk niet hier, hè? Nora is dood. Geen bil meer te bekennen!'

De verpleeghulp lachte om zijn eigen grapje en klonk net als de kinderen die Ned jaren geleden in Albany hadden gepest omdat hij stotterde.

Op dat moment draaide Ned zich voor het eerst naar Ace om.

Hij had eindelijk iets te zeggen.

HOOFDSTUK 10

'Mag ik alsjeblieft mijn pillen?' vroeg Ned kalm.

Ace' opgezwollen borst liep leeg als een springkasteel na een lange dag op de kermis. Na al zijn gesar en getreiter en onmiskenbare wreedheid kon hij er niet bij dat Ned niet met iets beters kwam. Niets. Die zogenaamde kei van een professor had geen enkele fut meer.

'Weet je wat ik denk? Dat je een watje bent,' snoof Ace, en hij pakte het bekertje met pillen van zijn wagentje.

De vorige avond was Ace er echter met zijn gedachten niet bij geweest. Hij was gevraagd in te vallen voor Eduardo, die alle patiënten hun avondmaaltijd bracht. Eduardo had zich ziek gemeld. Ironisch genoeg ging het om voedselvergiftiging, misschien omdat hij van een van de ziekenhuismaaltijden had geproefd.

Dus Ace had zijn ronde gemaakt en zonder op te letten in elke kamer van elke verdieping dienbladen afgeleverd. Inclusief de kamers op de zevende verdieping. Op dat moment was hij vergeten dat de patiënten daar een ander dessert kregen. Het was een eenvoudige vergissing.

Aan de andere kant: soms is het verschil tussen leven en dood net zo eenvoudig als het verschil tussen een dubbeldikke ijswafel en een waterijsje met kersensmaak.

Op een stokje...

'Hier, pak aan,' zei Ace met het bekertje met pillen in zijn hand.

Ned stak zijn hand uit, maar het was niet het bekertje dat hij pakte. Met een ijzeren greep klemde hij zijn hand om Ace' pols.

Hij rukte hem naar het bed alsof hij een grasmaaier aanzwengelde. In zekere zin deed hij dat ook. Hij zou er geen gras over laten groeien...

Ned hief zijn andere hand en haalde uit met het ijsstokje, dat hij aan de betonnen muur tot een mes had geslepen. Hij stak in Ace' borst, zijn schouder, zijn wang en zijn oor, en toen weer in zijn borst, keer op keer, en het bloed spoot als vuurwerk de lucht in.

Bij wijze van finale dreef Ned het stokje diep in de opgezwollen nek van de incompetente verpleeghulp en hij sneed diens halsslagader door alsof het een stuk rode drop was.

Hoe gaat-ie, Ace?

Niet best. Hij viel op de grond en probeerde om hulp te roepen, maar het enige dat er uit zijn mond kwam, was meer bloed. De man die zijn mond niet kon houden, kon opeens geen woord meer uitbrengen.

Ned stond op van het bed en keek toe hoe hij op de grond leegbloedde. Hij telde letterlijk de seconden tot hij dood was. Het was net als de plafondtegels, dacht hij. Bijna kalmerend.

Nu moest hij echter gaan.

Ned verzamelde de weinige spullen die hij van het ziekenhuis had mogen houden. Hij checkte uit. Stilletjes als een muis zou hij langs de nachtploeg glippen.

Of als een kleine jongen met het pistool van zijn vader.

Maar voordat hij wegging, wierp Ned nog een laatste blik op Ace, die dood op de grond lag. Hij zou er nooit achter komen waarom Ned hem had gedood, hij zou geen flauw benul hebben. Het deed er niet toe dat hij een gemene klootzak was. Dat kon Ned niet schelen.

Iets wat Ace op de eerste dag dat hij hier werkte had gedaan, had in de hersens van Ned iets vreselijks op gang gebracht.

Echt afschuwelijk, afgrijselijk…

Ace had Ned verteld hoe hij echt heette.

HOOFDSTUK 11

Een vlaag warme lucht waaide in mijn gezicht toen ik op het vliegveld van de Turks- en Caicoseilanden uit het privévliegtuig van Warner Breslow stapte. Het was er 35 graden en de temperatuur steeg nog.

Mijn spijkerbroek en poloshirt voelden meteen aan alsof ze met klittenband aan mijn huid vastzaten.

Breslows privévliegtuig, een Bombardier Global Express XRS, had plek voor maximaal negentien passagiers plus bemanning, maar deze vlucht had nauwelijks meer dan het minimum. Er waren slechts een piloot, één stewardess en ik. Over extra beenruimte gesproken...

Zodra ik een voet op het asfalt zette, werd ik benaderd door een jongeman – hij zal in de dertig zijn geweest – in een korte broek en een shirt van wit linnen.

'Welkom op de Turks- en Caicoseilanden, meneer O'Hara. Ik ben Kevin, hoe was uw vlucht?'

'Het was Al Gores ergste nachtmerrie,' zei ik, en ik schudde hem de hand. 'Maar verder was het een prima vlucht.' Hij glimlachte, maar ik wist bijna zeker dat hij de grap niet begreep. Humor over CO_2-voetafdrukken valt niet altijd even goed.

Ik weet niet wie Kevin was, maar de rest was tot op dat moment glashelder geweest. Ik had Frank Walsh van de FBI al gesproken, die had bevestigd dat hij er inderdaad mee had ingestemd dat ik voor Breslow zou gaan werken.

Over de aard van hun relatie wilde hij niet uitweiden. Als je Frank kende, wist je dat je niet moest aandringen, en dat deed ik dus ook niet.

Intussen had Breslow een van zijn dure advocaten 's ochtends naar mijn huis gestuurd om me een ondertekend contract te overhandigen. Het besloeg slechts twee pagina's, en het was duidelijk meer voor mij dan voor hem. Ik had niet gevraagd om een overeenkomst op papier, maar Breslow stond erop.

'Geloof me als ik zeg dat je nooit iemand op zijn woord moet geloven,' zei hij, met doelbewuste ironie.

Naast het contract kreeg ik een dichte envelop. 'Wat zit hierin?' vroeg ik.

'Dat zul je wel zien,' zei de advocaat met een glimlach. 'Het zou weleens van pas kunnen komen.'

Daar had hij gelijk in.

Het enige dat me die ochtend speet, was dat ik niet met Marshall en Judy naar de Berkshires kon rijden om Max en John junior af te zetten bij het kamp. Toen ik de jongens stevig had omhelsd voordat ze vertrokken, had ik beloofd dat ik hen over een paar weken zou zien, op de familiedag van het kamp.

Max, die ervoor wilde zorgen dat ik mijn woord zou nakomen, liet me driedubbel beloven dat ik zou komen. 'Echt komen, hè?' waarschuwde hij me, en John junior rolde met zijn ogen.

Ik miste hen allebei al vreselijk.

'Zullen we gaan?' vroeg Kevin, en hij gebaarde naar een zilveren limousine die achter hem geparkeerd stond. Toen ik heel even aarzelde, drong het tot hem door.

'O, neem me niet kwalijk, ik dacht dat u het wist. Ik werk voor het Gansevoort Hotel,' legde hij uit. 'Meneer Breslow heeft geregeld dat u tijdens uw verblijf bij ons kunt logeren.'

Ik knikte. Het mysterie van Kevin was opgelost. En niet zomaar. Ik had het Gansevoort gezien in de reisrubriek van *The New York Times* en het was een prachtig resort, echt eersteklas. Niet dat ik hier was om daarvan te genieten.

Nee, zodra ik mijn koffer had afgegeven en snel even had gedoucht, zou ik meteen naar de Governor's Club gaan om aan mijn onderzoek te beginnen.

Breslow was er aanvankelijk van uitgegaan dat ik daar zou willen slapen – de plaats van het misdrijf – maar ik zei tegen hem dat ik ergens in de buurt meer op mijn gemak zou zijn. En met gemak had ik het niet over de kwaliteit van de lakens.

Het zou anders zijn geweest als ik met een insigne te koop liep, maar hier was ik niet O'Hara de FBI-agent, maar gewoon John O'Hara. En vooralsnog wist ik dat ze zelfs dat niet wisten in de Governor's Club.

Hetzelfde gold voor de plaatselijke politie. Die zou ik binnenkort een beleefd bezoekje brengen en ik zou ervaringen uitwisselen met de rechercheurs die aan de zaak werkten, als ze daartoe bereid waren. Hopelijk wel. Tot die tijd zou ik zo incognito mogelijk zijn.

Maar voordat ik een stap in de richting van de limo kon zetten, zag ik vanuit mijn ooghoeken een lichtflits. Ik draaide me om en zag een witte sedan op ons af komen scheuren. En dan overdrijf ik niet. Als hij vleugels had gehad, zou hij zijn opgestegen.

De vraag was: had hij wel een rem?

Hij remde niet af. Sterker nog, hij ging alleen maar sneller.

Uiteindelijk stopte de auto pal voor ons met een manoeuvre die rechtstreeks uit *Starsky & Hutch* kwam, en de achterwielen schoten over het hete asfalt.

Op de zijkant van de wagen stond POLITIE VAN DE TURKS- EN CAICOSEILANDEN.

Ik wierp een blik op Kevin, die eruitzag alsof hij op het punt stond zijn linnen broek te besmeuren. 'Meneer Breslow heeft niet toevallig een escorte geregeld?' vroeg ik.

Kevin schudde zijn hoofd. 'Nee.'

Ik schudde slechts mijn hoofd.

Tot zover incognito. Kennelijk zou ik al iets eerder dan verwacht kennismaken met de politie.

Had ik al gezegd hoe warm het er was?

Welkom op de Turks- en Caicoseilanden, O'Hara.

HOOFDSTUK 12

Politiecommissaris Joseph Eldridge ging over elke vierkante centimeter van de veertig eilandjes en zandbanken die samen de Turks- en Caicoseilanden vormden. Hij zat achter zijn smetteloze bureau en stak een sigaartje op, blies een wolkje rook uit en staarde me aan alsof hij iets wist wat ik niet wist. Wat ongetwijfeld ook zo was. Namelijk waarom ik rechtstreeks van het vliegveld naar zijn kantoor was 'begeleid'.

Naast hem waren er nog twee mannen in de kamer, de minister van Toerisme en de plaatsvervangende politiecommissaris.

Hun namen wist ik niet, maar dat deed er niet toe. Ze zaten aan de zijkant en leken niet van plan iets te zeggen. Dit was een gesprek tussen mij en Eldridge.

'Ik wist niet wat ik moest verwachten van meneer Breslow,' begon Eldridge. 'Alleen maar dat ik iets moest verwachten. Of eigenlijk moet ik zeggen: iemand.'

Breslows rijkdom en reputatie gingen hem duidelijk voor. Ik glimlachte. 'Nou ja, het is altijd goed om iemand te zijn, hè?'

Eldridge leunde naar achteren in zijn stoel en lachte bulderend. Hij leek iets ouder dan Denzel Washington en klonk heel erg als James Earl Jones. Al met al leek hij best een geschikte vent.

Toch was er weinig verschil tussen wel of niet welkom zijn op deze eilanden, en ik verkeerde nog in een schemergebied.

'Wat ben je van plan terwijl je hier bent?' vroeg hij.

Als Eldridge slim genoeg was om te bedenken dat Breslow een privédetective zou inhuren en zo grondig te werk ging dat hij de passagierslijst van elk privévliegtuig dat landde doornam tot hij er eentje tegenkwam dat van Breslow was, was ik niet van plan hem om de tuin te leiden. Op mijn persoonlijke omstandigheden na was ik een FBI-agent 'met verlof' die een man probeerde te helpen die een zwaar verlies had geleden.

Dat vertelde ik hem, en ik voegde eraan toe: 'Ik ben hier alleen maar om ervoor te zorgen dat geen middel onbeproefd blijft in het onderzoek. Dat kan geen kwaad, toch?'

Eldridge knikte. 'Ben je gewapend?' vroeg hij.

'Nee.'

'Weet de FBI dat je hier bent?'

'Ja.'

'Werk je alleen?'

'Dat hangt ervan af.'

'Waarvan af?'

'Uw bereidheid informatie met me te delen,' zei ik. 'Wat heeft jullie onderzoek tot op heden aan het licht gebracht? Zijn er verdachten? Resultaten van de autopsie?'

Eldridge tikte zijn sigaartje af in een grote schelp op zijn bureau die dienstdeed als asbak. Hij moest een besluit nemen.

Aan de ene kant kon ik hem tot hulp zijn bij zijn onderzoek. De kans was klein dat er iemand met mijn achtergrond en ervaring voor hem werkte. Aan de andere kant hadden we elkaar net leren kennen. Misschien was ik wel hartstikke gestoord. O, en had mijn baas al gezegd dat ik geregeld een psycholoog zag, meneer de politiecommissaris?

Eldridge hield mijn blik even gevangen en keek toen naar de twee mannen die bij de muur zaten. Het was de eerste keer dat hij liet merken dat ze er überhaupt waren.

Misschien kwam het door de blik, of misschien was het al die tijd al de bedoeling geweest, maar de twee mannen stonden opeens op en verlieten de kamer alsof ze ergens dubbel geparkeerd stonden.

Ik had Eldridge nu helemaal voor mezelf.

Of misschien was het andersom.

HOOFDSTUK 13

Eldridge nam nog een trekje van zijn sigaar en de rook kwam in een volmaakt dun streepje tussen zijn lippen uit.

'O'Hara, wat zag je buiten toen je hier aankwam?' vroeg hij.

'Een meute verslaggevers,' antwoordde ik. 'Uit de hele wereld. Zelfs uit het Midden-Oosten.'

'En hoe zagen ze eruit?'

'Alsof ze honger hadden,' zei ik. 'Als een meute wolven die de laatste achtenveertig uur niet genoeg hebben gegeten. Die blikken heb ik eerder gezien.'

Hij glimlachte: 'Ja, precies. Dus vat het alsjeblieft niet persoonlijk op als ik tegen je zeg dat je geen details van het onderzoek naar buiten mag brengen. Al was het maar omdat ik hoop dat ik iets heb opgestoken van de fouten van anderen.'

Ik wist meteen waar hij het over had: Aruba.

Er was zoveel informatie, al dan niet juist, gelekt in de zaak van Natalee Holloway dat de Arubaanse autoriteiten een heel slechte indruk hadden gemaakt. Eldridge leek erop gebrand dat te voorkomen.

Maar toch had ik hier werk te doen, en dat wist hij.

'Kan ik in elk geval aannemen dat uw hele opsporingsdienst aan de zaak werkt? Iedere rechercheur, tot uw allerlaatste agent?' vroeg ik.

Ik had al wat huiswerk gedaan over hoe het er hier aan toeging. Rechercheurs van de politie in New York hadden drie rangen: eerste, tweede en derde. Op deze eilanden had de opsporingsdienst vier niveaus: inspecteurs en sergeanten, gevolgd door korporaals en agenten.

Wat mij betreft deed zelfs de portier moeite om de moordenaar te pakken te krijgen.

'Ja, je kunt meneer Breslow geruststellen: iedereen werkt aan de zaak,' zei Eldridge. 'En jij vanaf nu ook. Kan ik ervan uitgaan dat je zo snel mogelijk naar de Governor's Club gaat?'

Ik knikte. 'Ja.'

'Je weet vast wel dat de Governor's Club een privéresort is, en dat ze je kunnen aanklagen voor erfvredebreuk, als ze dat willen?'

Ik staarde weer naar Eldridge om hoogte van hem te krijgen. Het lukte me niet. Probeerde hij me nu echt te dwarsbomen?

'Denkt u echt dat daar kans op is?' vroeg ik. 'Ik bedoel, zouden ze mijn aanwezigheid daar echt opvatten als erfvredebreuk?'

'Dat is heel goed mogelijk,' zei hij. 'Ze richten zich op vooraanstaande klanten, mensen die goed op de hoogte zijn, en die zijn qua privacy heel erg gevoelig.'

Opeens besefte ik waar Eldridge mee bezig was. Hij probeerde me iets te vertellen, maar dan niet met zoveel woorden. Dit was off the record. Tussen de regels door. Geheimtaal.

Als ik maar slim genoeg was om het uit te vogelen.

'Ja, ik begrijp wat u bedoelt,' zei ik. 'Ik zou u niet graag in het nauw willen brengen met zoiets onbenulligs als een aanklacht wegens erfvredebreuk. Dan zou u me moeten arresteren, toch?'

'Ja, ik ben bang van wel,' zei hij. 'Zonder voorbehoud.'

Ik stond op en schudde hem de hand. 'Ik zal mijn best doen om u die moeite te besparen.'

HOOFDSTUK 14

Ik voelde me net een kind dat een geheime code had gekraakt. Eldridge was er heel slim in geslaagd me mee te delen dat hij geen enkel aanknopingspunt had en mijn hulp zou waarderen, maar via een omweg. De directie van de Governor's Club was kennelijk niet erg behulpzaam geweest, en hoewel ze zijn medewerkers de toegang niet konden ontzeggen, waren de gasten van het resort – mensen die goed op de hoogte waren – een ander verhaal.

En met dat gedoe over gearresteerd worden wegens erfvredebreuk adviseerde Eldridge me in feite om als gast in te checken. Ze zouden me wellicht in de smiezen krijgen en me eruit schoppen, maar het zou niet wegens erfvredebreuk zijn. Ze zouden geen aanklacht kunnen indienen.

Dus na een op uur op de Turks- en Caicoseilanden veranderden mijn plannen opnieuw.

'Wilt u roken of niet-roken, meneer O'Hara? Beide zijn beschikbaar.'

De beleefde en aantrekkelijke brunette achter de balie van de Governor's Club liet het niet merken, maar je hoefde geen raketgeleerde of zelfs een geschorste FBI-agent te zijn om te bedenken dat als er twee gasten worden vermoord in je resort, er misschien wel een paar reserveringen worden geannuleerd. Hoe kon je anders verklaren dat ik in juni – hoogseizoen voor huwelijksreizen – binnen kwam lopen en zonder reservering een kamer kon krijgen?

'Niet-roken alstublieft,' zei ik.

'Prima, meneer O'Hara.'

Ik verbleef in een bungalow met uitzicht op de tuinen, de goedkoopste die ze hadden, of beter gezegd: de minst dure. Hij kostte nog steeds 750 dollar per nacht. *Een koopje!* Het was maar goed dat Breslow al mijn onkosten vergoedde.

Ik nam een verkwikkende douche voordat ik me in mijn kleren hulde waarmee ik me die middag onder de gasten zou mengen: een zwembroek, een T-shirt en zonnebrandcrème factor 30. Ik was nu gewoon een geregistreerde gast op weg naar het zwembad en klaar om me onder de mensen te begeven. Discreet natuurlijk.

Had iemand iets vreemds opgemerkt voordat Ethan en Abigail Breslow waren vermoord?

Als iemand al iets was opgevallen, hing diegene helaas niet rond bij het zwembad. En over discreet gesproken: het was er zogoed als uitgestorven. De ene lege ligstoel na de andere.

Mijn volgende halte was het strand, een prachtige lap wit zand die zacht glooiend afliep naar een plek die Grace Bay heette.

Ik zag een paar gasten zonnebaden, maar ze lagen verspreid, wat niet echt bevorderlijk was voor het aanknopen van een gesprek.

Plan D. Als al het andere mislukt, ga dan drinken.

Ik liep naar de strandbar van het resort, een hutje met zes lege krukken en een barkeeper die zich zo te zien verveelde. Ik bestelde een Turks Head, lokaal bier, en probeerde te bedenken wat ik nu zou doen.

Ik bleek helemaal niets te hoeven doen.

Vijf minuten later kwam er een man die ergens halverwege de zestig leek te zijn naar de bar en bestelde een rumpunch. We knikten elkaar vriendelijk toe en ik zag dat zijn roodverbrande huid net bruin begon te worden.

Met andere woorden: waarschijnlijk was hij al meer dan een paar dagen op het eiland. Ik nam een slok van mijn Turks Head en draaide me in zijn richting. Ik had mijn openingszin al helemaal paraat. 'Dooie boel hier, hè?' zei ik.

De man onderdrukte een lachje. 'Zo zou je het kunnen zeggen.'

Ik sloeg me tegen mijn hoofd alsof ik een blunder had begaan. 'Jezus, inderdaad. Ik druk me ongelukkig uit,' zei ik. 'Ik ben vandaag aangekomen, maar ik heb er alles over gehoord. Eng, hè? Daarom zal het hier wel zo stil zijn.'

'Ja, veel mensen zijn er meteen toen het was gebeurd vandoor gegaan. Ik kan het ze niet echt kwalijk nemen.'

De man had een vleugje van een westelijk accent. Texas, of misschien Oklahoma. Eigenaar van een bedrijf, misschien een advocaat. Maar geen arts. Artsen dragen meestal geen gouden Rolex.

Ik glimlachte en wees naar hem. 'Maar jij hebt besloten te blijven, hè? Waarom?'

'Het is net als in die film,' zei hij. Hij dacht even na, en er trok een rimpel in zijn voorhoofd toen hij op de titel probeerde te komen. '*The World According to Garp*. Je weet wel, als het vliegtuig het huis binnen vliegt en Robin Williams het toch koopt?'

'O ja, dat weet ik nog,' zei ik. 'Hoe groot is de kans dat het nog een keer gebeurt, bedoel je?'

'Precies.'

'Ik ben trouwens John.'

'Carter,' zei hij, en hij schudde me de hand.

'Iedereen zou zich natuurlijk beter voelen als ze de moordenaar te pakken kregen. Heb je iets gehoord?' vroeg ik.

De barkeeper zette een rumpunch neer voor Carter, die meteen het schijfje sinaasappel en het parapluutje van de rand van het glas haalde, alsof die hem minder mannelijk maakten.

'Ik heb niks gehoord,' zei hij tussen twee vlugge slokken door. 'Het wordt allemaal heel erg in de doofpot gestopt. Het hotel, of wat zeg ik, het hele eiland, wil niet nog meer publiciteit.'

'En hoe was dat voor de moord?'

'Wat bedoel je?' vroeg Carter.

'Geen idee,' zei ik, en ik haalde mijn schouders op. *Rustig aan, O'Hara.* 'Heb je gezien dat die twee met iemand in het bijzonder praatten?'

'Nee,' zei hij. 'Ik heb ze maar één keer gezien. Ze aten laat in het restaurant hier. Ze hadden alleen oog voor elkaar en bemoeiden zich met niemand anders.'

Ik had een poging gewaagd met mijn nieuwe vriend, Carter, maar dat had nergens toe geleid, dacht ik. Maar toen zag ik hem weer fronsen. Deze keer hevig.

'Waar denk je aan?' vroeg ik.

'Ik herinner me opeens iets,' zei hij.

HOOFDSTUK 15

Zeg op, Carter.

'Ik heb ze nog een keer gezien,' zei hij. 'Nu ik erover nadenk.'

Carter zette zijn rumpunch neer – het glas zweette van de hitte – en beschreef dat hij Ethan en Abigail Breslow op het strand een wandeling in de zonsondergang had zien maken. Hij dacht dat het de dag voordat ze waren vermoord was geweest. Een man die hen tegemoetkwam, was blijven staan en had hen aangesproken.

'Heb je het gesprek gehoord?' vroeg ik, en ik probeerde nog steeds de indruk te wekken dat ik een nonchalant praatje maakte.

'Nee, ze waren bij het water en ik dronk hier een cocktail met mijn vrouw. Ze lachten alle drie, maar ik had het gevoel dat Breslow en zijn nieuwe bruid zich niet op hun gemak voelden.' Hij boog een stukje naar voren. 'En niet alleen omdat die andere man zo'n kleine Speedo-zwembroek droeg.'

'Hoe wist je dat ze zich niet op hun gemak voelden?'

'Lichaamstaal,' antwoordde hij. 'Ik kan mensen heel goed doorzien.'

'Speel je poker?'

'Ja, ik speel poker en *craps*. Sterker nog, daarom ben ik zo verbaasd dat ik was vergeten dat ze met die man hadden gepraat. Ik had hem eerder gezien… in het casino,' zei hij. 'Shit, ik moet hiermee naar de politie, hè?'

Ik zei niets. Dat dacht ik tenminste. Maar Carter maakte geen geintje, hij was heel goed in lichaamstaal.

Hij boog weer naar me toe, deze keer nog dichterbij. 'Wacht even, jij bent van de politie hè?'

'Zoiets,' zei ik.

Ik hoopte dat ik niet zou hoeven uitweiden. Misschien kwam het

door de snelheid waarmee ik nog een rumpunch voor Carter bestelde –
'laat dat fruit maar zitten' – want hij ging er niet op in. Ik vroeg of hij de
man kon beschrijven die hij bij de Breslows had gezien.

'Donker haar, niet onaantrekkelijk,' zei hij. 'Ergens achter in de dertig, denk ik.'

'Groot? Klein?'

'Gemiddeld. Geloof ik. Ongeveer even lang als Breslow. Hij was zo te
zien ook goed in vorm.'

'Denk je dat hij hier te gast is?'

'Dat weet ik niet. Zoals ik zei, ik heb hem verder alleen in het casino
gezien.'

'Welk?' Ik wist dat er een paar casino's op het eiland waren.

'Casablanca,' zei hij. 'Speedo en ik zaten aan dezelfde dobbeltafel,
ook al paste hij nooit. Hij zette heel veel in. En hij won ook veel.'

'Leek het alsof hij de dealers kende?'

'Bedoel je of hij misschien vals speelde?'

'Nee, eerder alsof hij misschien een vaste klant was, iemand die op
het eiland woont.'

'Nu je het zegt, de dealers leken hem te kennen, ja,' zei hij. 'Dat is
goed, toch? De kans is groot dat je hem daar kunt vinden.'

Ik nam mijn laatste slok Turks Head. Best lekker voor eilandbier.

Ik bedankte Carter voor zijn tijd en hulp, maar net toen ik van mijn
kruk wilde opstaan, zag ik hem grote ogen opzetten.

'Jezus, niet te geloven,' zei hij met een blik over mijn schouder.

Ik draaide me om. 'Wat?'

'Dat is hem. Die man! Hij komt aan op z'n jetski. Zie je hem? Daar.'

Ik hield mijn hand boven mijn ogen tegen het felle zonlicht. De man
voldeed in elk geval aan Carters beschrijving, tot en met de Speedo, of
zoals Susan die noemde: de bananenhangmat. 'Weet je zeker dat het
hem is?'

'Zo zeker als twee keer twee vier is,' zei hij.

Dat beschouwde ik als een ja.

HOOFDSTUK 16

Ik liep snel over het witte zand van Grace Bay Beach, en de verschillende studies en statistieken die ik in de loop der jaren had gelezen over criminelen die terugkeren naar de plek van het misdrijf schoten door mijn hoofd.

Inbrekers? Ongeveer twaalf procent.

Moordenaars? Bijna twintig. En het schiet omhoog tot zevenentwintig procent als de moord een seksueel element had.

Ik wilde niet dat de man zou denken dat ik rechtstreeks op hem af kwam, dus ik hield eerst voorzichtig mijn tenen in het water. Vanaf een meter of zes zag ik dat hij zijn jetski op het zand trok, zodat de golven hem niet zouden meesleuren.

'Zal ik je helpen?' vroeg ik, en ik kuierde in zijn richting.

'Nee, ik red me wel, dank je,' zei hij zonder zelfs maar naar me te kijken. Hij klonk niet Amerikaans. Meneer Speedo was monsieur Speedo. Een Fransman. Er waren nog twee jetski's – Yamaha Waverunners – die eigendom van het resort waren en een eindje verderop op het strand lagen.

'Hé, ik wilde het morgen eens proberen. Hoeveel vragen ze ervoor om ze te huren?' vroeg ik.

Speedo had echter geen Yamaha. Die van hem was een koningsblauwe Kawasaki, en echt een barrel. Of hij nu wel of niet van hem was, hij was in elk geval niet het eigendom van de Governor's Club.

Met andere woorden, ik hield me van de domme. Mijn echte vraag was: ben je te gast hier, Speedo?

'Ik ben hier op bezoek,' zei hij kortaf. 'Ik weet niet hoeveel ze kosten.'

'Ik vraag het wel aan hem,' zei ik, en ik wees naar een hutje voor wateractiviteiten naast de bar. De man die ervoor zat en zich met nul klanten bezighield, leek zich nog erger te vervelen dan de barkeeper. Het was hetzelfde verhaal. Niets is zo slecht voor zaken in een duur resort als een stel moorden.

Speedo draaide zich om en liep bij me vandaan, waarmee het cliché van Franse gastvrijheid tegenover vreemdelingen volledig intact bleef.

Wacht even, *mon frère*, ik was nog niet klaar met je. Sterker nog: ik begin nog maar net.

Hij liep naar het pad dat naar het zwembad liep. Ongeveer halverwege was ik bij hem.

'Sorry, ik wilde je nog iets anders vragen,' zei ik.

Hij keek ongelovig toen hij zich naar me omdraaide. *Sacrebleu!* Wat wil die domme Amerikaanse toerist nou weer van me?

'Ik heb het nogal druk,' zei hij.

'Ik ook,' kaatste ik terug. 'Ik probeer een moord op te lossen.'

Ik hoopte hem achteruit te zien deinzen. Dat deed hij niet. Zo koel als hij kon knikte hij alleen maar. 'Ja, de Breslows,' zei hij.

'Dus je hebt erover gehoord?'

'Natuurlijk. Het hele eiland praat over niks anders.'

'Grappig dat je dat woord gebruikt, "praat". Ik heb begrepen dat jij een dag of twee voordat ze werden vermoord hier op het strand met de Breslows hebt gepraat.'

'Ja, en?'

'Kende je ze?' vroeg ik.

'Nee.'

'Waar hadden jullie het over.'

Hij schuifelde heen en weer. 'Wie ben jij eigenlijk?' vroeg hij.

'Geef je een ander antwoord als ik je dat vertel?'

Speedo keek me even in de ogen en ik keek strak terug. 'Snorkelen,' zei hij uiteindelijk.

'Snorkelen?'

'Ja, ze vroegen me over Dead Man's Reef,' zei hij, en hij wees over mijn schouder.

Maar zodra ik me omdraaide om te kijken, wist ik dat ik een vergissing had begaan.

HOOFDSTUK 17

Qua buikstoten was dit best een goeie. Recht in m'n pens, hard en snel. Ongeveer net zoals ik neerging.

Ademhalen, O'Hara! Ademhalen!

Uitgesloten. Ik zat op mijn knieën, ineengedoken tot een hulpeloze bal, met mijn armen en benen in het zand.

In de tussentijd leek Speedo elk moment aan een triatlon te kunnen beginnen. Hij stoof over het strand en ging rechtstreeks op het water af. Maar ik wist dat hij niet zou gaan zwemmen. Shit!

Ik duwde mezelf overeind, zag dat hij zijn jetski de branding in sleepte en zette het onmiddellijk op een rennen... in de tegenovergestelde richting.

De man die over de wateractiviteiten ging, had nauwelijks tijd om met zijn ogen te knipperen.

'Ik ben zo terug,' zei ik tegen hem, en ik griste de sleutels van zijn balie. Met een beetje geluk zou hij gewoon zijn hand opsteken en me veel plezier wensen.

Mooi niet.

'Hé man!' hoorde ik achter me terwijl ik weer over het strand sprintte. Nu hadden we de poppen aan het dansen. Ik zat achter Speedo aan en de Gast Van De Wateractiviteiten zat achter mij aan. 'Hé, jij daar! Blijf staan!'

Op dat moment zag ik vanuit mijn ooghoeken mijn zuidelijke cavalerie. Carter was opgestaan van zijn barkruk en stoof als generaal Sherman door Georgia over het strand. Voor een oudere man was hij behoorlijk snel.

Terwijl ik een van de twee Waverunners zo snel als ik kon in het water sleepte, keek ik op en ik zag dat Carter de man van de activiteiten bijna tackelde. Jezus, wat een schouwspel. Zoveel actie had dit strand nog nooit gezien.

Carter probeerde de situatie vlug uit te leggen en ik probeerde me te herinneren hoe een jetski ook alweer werkte. Het was meer dan twintig jaar geleden dat ik er op eentje had gezeten.

Het is net als fietsen, toch?

Ik draaide de sleutel om, drukte de startknop in, trok aan de hendel en klemde me vast alsof mijn leven ervan afhing. Speedo had een voorsprong, maar hij was nog niet van me af.

'Zet hem op!' hoorde ik Carter roepen.

James Bond nog aan toe, hoe kom ik toch elke keer weer in zulke situaties terecht?

HOOFDSTUK 18

Ik zat in spreidstand op de jetski en wipte op en neer met de golven, waarbij ik veel meer lucht binnenkreeg dan me lief was. Elke keer dat ik neerkwam achter een witgekuifde golf, spatte het water in mijn gezicht en het zout prikte in mijn ogen. De motor draaide op het maximumtoerental. Mijn handen en voeten beefden zo erg door de vibraties dat ze bijna gevoelloos waren.

Hé, hebben jullie het naar jullie zin? Ik niet. Misschien had Speedo het naar zijn zin?

Terwijl ik achter de Fransman aan sjeesde, vroeg ik me af waar hij me naartoe bracht – had hij eigenlijk wel zo ver vooruit gedacht? Er zat een kleine honderd meter tussen ons, en ik probeerde de afstand vertwijfeld in te lopen.

Het zat er niet in.

Het leek er eerder op dat ik terrein verloor. Maar zolang ik hem nog kon zien, maakte ik een kans. Hij kon niet eeuwig blijven gaan, uiteindelijk zou hij terug moeten naar de kust. Ik zag me al achter hem aan rennen.

Toen zag ik iets anders.

In de verte stak een reeks rotsformaties uit het water. Ze zagen eruit als kleine zwarte bergen en lagen verspreid, als schaakstukken halverwege een wedstrijd.

Speedo ging er recht op af.

Voor ik het wist was hij verdwenen.

Hij maakte gebruik van het voordeel van een thuiswedstrijd, en ik had opeens het gevoel dat er een spelletje met me werd gespeeld. Er was echter geen tijd om af te remmen en alles eens te overdenken.

Ik hield het gaspedaal ingedrukt en bleef hem volgen, door de doolhof naar links zwenkend, naar rechts en weer naar links. Ik was doorweekt, uitgeput en kwam veel te dicht langs die rotsen. *Jetski's hebben geen airbags, toch?*

Eindelijk was ik weer op open water. Tot mijn verbazing had ik zelfs wat verloren terrein herwonnen.

Speedo was nu ongeveer vijftig meter verderop en keek nerveus over zijn schouder naar me om. Voor het eerst haalde ik een hand van het stuur.

En zwaaide.

Ik begon het onder de knie te krijgen en gebruikte de deining om nog meer vaart te maken. Bijhouden? Mooi niet, ik haalde hem in!

Toen maakte Speedo een ruk naar rechts.

Hij ging naar de kust. Ik keek voor me uit en zag een stuk strand bij een ander resort. Welke kant zou hij op gaan?

Al snel zag ik dat rennen niet bij z'n plan hoorde.

Opeens zag ik een reeks rode markeringen in het water, verspreid in een grote cirkel. Langs de rand bevonden zich de hoofden van mensen die snorkelden, hun felgekleurde luchtpijpjes op en neer deinend. In de cirkel bevond zich echter niemand.

Behalve Speedo.

En vervolgens ik.

Hij begon meteen weer te zwenken alsof we tussen die uitstekende rotsen waren, maar ik kon geen rotsen zien.

Tot het te laat was.

Knal! Beng!

Ik vloog omhoog van mijn jetski en zag het water onder me verdwijnen en worden vervangen door stenen en koraal. Dat verklaarde de bakens.

Mijn knieën bezweken toen ik neerkwam en de scooter schoot naar rechts terwijl ik me vast probeerde te houden. Het lukte me niet. Ik vloog over het stuur en buitelde door de lucht als Charlie Brown die een rugbybal probeert weg te schoppen.

Meer herinner ik me niet.

HOOFDSTUK 19

Het goede nieuws was dat ik niet dood was.

'En wil je nu het slechte nieuws?' vroeg Joe Eldridge. 'Want ik heb ook slecht nieuws.'

Hij stond aan het voeteneind van mijn bed en zijn uitdrukking hield het midden tussen medelijden en kwaadheid. De politiecommissaris had vast niet verwacht me zo snel alweer te zien, laat staan in het Grace Bay Medical Center met een stel gekneusde ribben en een lichte hersenschudding.

'Ik wil vooral meer pijnstillers,' zei ik.

Ik maakte niet eens een grapje. Mijn hoofd bonkte. Jezus, mijn hele lichaam bonkte. Het deed al pijn om met mijn ogen te knipperen.

Eldridge legde uit dat het slechte nieuws niet was dat Speedo was ontkomen. Het was dat zijn echte naam Pierre Simone was, en dat hij een oplichter was en vals speelde tijdens pokerwedstrijden.

Maar verder niets.

'Ik zou hem niet inhuren als babysitter,' zei Eldridge, 'maar hij is geen moordenaar. Hij is niet gewelddadig.'

'Hoe weet u dat zeker?' vroeg ik.

Hij sloeg zijn armen over elkaar. 'Geloof me. Ik ken hem.'

Ik zag dat Eldridge een envelop in zijn rechterhand hield, maar daar wilde ik nog niet over nadenken. De uitleg – 'geloof me' – had meer antwoorden nodig. Die Pierre had me immers bijna de dood in gejaagd. *Dus ik heb nog wel wat vragen, meneer de commissaris...*

'Waarom zou hij voor me wegvluchten?' vroeg ik.

'Er is een arrestatiebevel tegen hem uitgevaardigd in de States. Een paar geweigerde cheques in New York, geloof ik,' zei Eldridge. 'Jij had een Amerikaans accent en ik neem aan veel vragen voor hem. Hij raakte in paniek.'

'Paniek?'

'Je weet vast wel dat de Turks- en Caicoseilanden een uitleverings-verdrag met de Verenigde Staten en Groot-Brittannië hebben.'

'Dat weet ik niet alleen, ik ben van plan er gebruik van te maken,' zei ik, en Eldridge glimlachte. Ik staarde hem aan. 'Denkt u dat ik een grapje maak?'

Hij hield zijn handen op. 'Nee, sorry, dat is het niet. Niemand heeft het je nog verteld, of wel?'

'Heeft me wat verteld?'

'Je bent na je val out gegaan. Pierre is degene die je naar de kust heeft gebracht om hulp te zoeken. Hij zal zich wel schuldig hebben gevoeld.'

'Wacht. Hebben jullie hem in hechtenis?'

Eldridge gniffelde. 'Zo schuldig voelde hij zich nu ook weer niet,' zei hij. 'Hij ging ervandoor zodra er een ambulance was gebeld. Maar zoals ik al zei: hij is niet gewelddadig.'

Ik lag in bed naar Eldridge te luisteren, maar wat ik zag leek meer te betekenen. De commissaris had dezelfde blik als toen we elkaar voor het eerst hadden ontmoet in zijn kantoor. Hij wist iets wat ik niet wist.

Toen viel het kwartje.

'Shit, hij is een informant van u, hè?' vroeg ik.

Eldridge knikte. 'Pierre is in de loop der jaren heel behulpzaam ge-weest bij een paar zaken. In ruil daarvoor knijp ik soms een oogje toe bij hem. Maar dat is niet de reden waarom ik zeker weet dat hij geen verdachte is,' zei hij.

Met die woorden overhandigde hij me de envelop die hij in zijn han-den had. Mijn hele onderzoek stond op het punt te veranderen. De reis naar de Turks- en Caicoseilanden had zojuist iets opgeleverd.

HOOFDSTUK 20

'Hebt u iets aan te geven?' vroeg de douanebeambte op Kennedy Airport.

Nee. Wel iets mee te delen: ik hoop dat ik nooit meer een jetski onder ogen krijg. Is dat wat?

Warner Breslows piloot had me zijn telefoonnummer gegeven voor als ik klaar was om weer naar huis te gaan. 'Bel me maar, dan vlieg ik weer over om je op te pikken,' zei hij. Hij had verwacht dat ik minstens een paar dagen op de Turks- en Caicoseilanden zou zijn, zo niet langer. Ik ook.

Dat was voordat ik de envelop van commissaris Eldridge opende.

Rond twaalf uur de volgende dag landde ik in New York en reed ik naar het landgoed van Breslow in de wijk Belle Haven in Greenwich. Ik zag niet langer dubbel door het ongeluk. Ook de tjilpende vogels rond mijn hoofd waren verdwenen. En wat mijn gekneusde ribben betrof, dacht ik dat ik wel zou kunnen voorkomen dat ik nieste of de hik kreeg. Als ik ten slotte ook comedyclubs zou vermijden, zou ik me wel redden.

'Kom binnen,' zei Breslow, die me bij de voordeur begroette.

Het verbaasde me niet dat Breslows stem – en zijn hele houding – ingetogen was.

Het ontbrak zijn naar achteren gekamde zilvergrijze haar, waar hij bekend om stond, aan zijn gewoonlijke glans, en het licht in zijn ogen was ook gedoofd. In plaats daarvan waren die ogen bloeddoorlopen en hadden ze donkere kringen, ongetwijfeld omdat hij had gehuild en amper sliep. Zijn wangen waren hol en zijn schouders waren afgezakt.

Maar het ging er voornamelijk om wat ik niet kon zien. Wat er ontbrak. *Zijn hart.* Dat was uit zijn borst gerukt.

'Deze kant op,' zei hij toen ik hem de hand had geschud.

We gingen linksaf bij de Matisse, door een lange gang en rechts bij de Rothko, waarna hij me voorging naar wat hij zijn 'leeskamertje' noemde.

Lekker leeskamertje. De kamer, waarvan de wanden van boven tot onder waren gevuld met boeken, was enorm. Voeg er koffie, gebak en rondlummelende hipsters aan toe en het zou een filiaal van Barnes & Noble geweest kunnen zijn.

We gingen in twee leunstoelen met zacht leer bij het raam zitten, en Breslow keek me afwachtend aan. Het sprak voor zich dat hij me niet zo snel terug dacht te zien, dus dat zei hij niet. Hij ging er vast van uit dat er een goede reden voor was, en daar had hij gelijk in.

Ik draaide er niet omheen. 'We moeten het over uw vijanden hebben,' zei ik.

Breslow knikte, en zijn mondhoeken gingen nauwelijks merkbaar omhoog. Dichter bij een glimlach was hij waarschijnlijk de hele week niet geweest. 'Moet je niet eerst vragen of ik die wel heb? Dat doen ze in de film.'

'Met alle respect, als dit een film was, zou u nu een kat aaien,' zei ik. 'Niemand vergaart rijkdom als die van u zonder af en toe de schurk te zijn.'

'Denk je dat de moord op mijn zoon wraak was, iemand die me iets betaald wil zetten?' vroeg hij.

Ik luisterde naar zijn vraag, maar ik had meer aandacht voor zijn toon. Hij klonk verre van ongelovig. Ik vermoedde dat de gedachte al bij hem was opgekomen.

'Dat is een mogelijkheid,' zei ik.

'En hoe groot is die mogelijkheid?'

Ik aarzelde niet. 'Zo groot dat het waarschijnlijk beter is als u de opname van dit gesprek stopt.'

Hij vroeg me niet hoe ik dat wist, en ik was niet van plan het hem te vertellen. In plaats daarvan stak hij zijn hand uit en drukte op een knopje aan de achterkant van de lamp tussen ons in.

'Ik neem aan dat je mijn dossier hebt gelezen,' zei hij.

HOOFDSTUK 21

Eerlijk gezegd had ik zijn FBI-dossier niet gelezen. Nog niet.

Maar ik had de kranten gelezen, vooral een paar maanden eerder toen zijn bedrijf het Italiaanse farmaceutische bedrijf Allemezia Farmaceutici had gekocht, in een sfeer van argwaan en geheimzinnigheid die deed denken aan een film van David Lynch.

Het begon met een video die op de website van de vooraanstaande Italiaanse krant *Corriere della Sera* verscheen. In levendige kleuren was een Chinese man te zien die slechts gehuld in konijnenoren en een babyluier met een paar naakte Italiaanse prostituees rondhuppelde in een hotelkamer. Later in de video, na een trio waarvan Ron Jeremy nog zou blozen, snoof hij een dikke lijn cocaïne van de buik van een van de meisjes.

Oké, dit was misschien wel een gemiddelde nacht in Milaan, ware het niet dat de man Li Yichi was, de adjunct-directeur van Cheng Mie Pharmaceutical, de grootste producent van geneesmiddelen ter wereld. Li Yichi was in Milaan om de aankoop voor dertien miljard euro van Allemezia Farmaceutici af te ronden. De deal was zo goed als rond.

Maar twintig miljoen treffers op YouTube later was het hele verhaal voorbij. Het bestuur van Allemezia verwierp het bod van Cheng Mie, met als reden de reactie op de video.

Veel vragen bleven natuurlijk onbeantwoord, en dan vooral hoe Li Yichi zo nonchalant had kunnen zijn. En hoe zat het met de konijnenoren en luiers met die Italiaanse prostituees? *Molto* pervers, toch?

De belangrijkste vraag was echter wie zich achter de camera bevond – zowel letterlijk als figuurlijk. Was de getrouwde directeur erin geluisd? En door wie? Wie spon er garen bij?

Warner Breslow in elk geval wel.

Nu Cheng Mie Pharmaceutical buitenspel was gezet, maakte de koers van de aandelen Allemezia een vrije val, en het bedrijf wachtte wanhopig op een nieuwe kandidaat. Op dat moment had Breslow zich gemeld en hij kocht het bedrijf voor een miljard minder dan Cheng Mie had geboden. Over korting gesproken.

Maar dat is niet waarom ik me dat allemaal herinnerde, waarom ik online ging om alle artikelen nog een keer te lezen.

Het ging me om de nasleep.

Een dag nadat bekend was geworden dat Breslow Allemezia had gekocht, hing Li Kunlun, de ster van de video, zich op in zijn kantoor. Hij werd gevonden door zijn vader, Li Kunlun, de bestuursvoorzitter van Cheng Mie Pharmaceutical.

'Ik wil u iets laten zien,' zei ik tegen Breslow, en ik opende de envelop.

Het was het verslag van de lijkschouwing van Ethan en Abigail.

HOOFDSTUK 22

'Zoals u in het gedeelte over toxicologie kunt zien, zijn er bij zowel Ethan als Abigail sporen van het zenuwgas cyclosarine aangetroffen,' zei ik. 'Zodra ze gevangenzaten in die sauna, nam die moordenaar geen enkel risico. Hij heeft ze vergiftigd.'

Breslow keek op van het autopsierapport en kneep zijn ogen tot spleetjes. 'Met andere woorden, daarom ben je hier en niet daar. We zijn niet op zoek naar iemand op de Turks- en Caicoseilanden, hè?'

Ik schudde mijn hoofd. 'Cyclosarine is niet echt zonder recept verkrijgbaar.'

'Hoe kun je eraan komen?' vroeg hij.

'Dat hangt ervan af met wie je bij inlichtingendiensten praat en of dat al dan niet on the record is. Het enige land dat zonder enige twijfel in aanmerkelijke hoeveelheden cyclosarine heeft geproduceerd, is Irak. En hoog op de lijst met verdachte landen staat…'

'China,' zei Breslow. Hij wist waar ik op doelde.

Het gerucht ging dat Cheng Mie Pharmaceutical nauw met de Chinese regering had samengewerkt bij de ontwikkeling van chemische wapens. Li Kunlun, de president-directeur, was zelfs eerste luitenant in het leger van de Volksrepubliek China geweest.

'Dus hij geeft mij de schuld voor de zelfmoord van zijn zoon en vermoordt die van mij?' vroeg Breslow achterdochtig. 'Dat is niet echt Chinees.'

'Dat zijn konijnenoren en een luier dragen ook niet,' zei ik.

Dat beaamde Breslow met een kort knikje. 'En nu?' vroeg hij. 'Je kunt hem niet ondervragen.'

'Al zou ik dat kunnen, dan zou ik het nog niet doen,' zei ik. 'Niet zonder een link die de uitvoering koppelt aan een motief.'

'Zoals Chinese paspoorten die het eiland zijn binnen gekomen?'

'Om te beginnen,' zei ik.

'Moet ik de Amerikaanse ambassade in Beijing bellen? Misschien kunnen zij helpen.'

'Wie kent u daar?' vroeg ik.

'Iedereen,' antwoordde hij.

Waarom verbaasde me dat niet?

Toch zou ik liever niet de geschorste FBI-agent zijn die de relaties tussen de VS en China op scherp zette. In elk geval nog niet.

'Nee, laten we die troef pas uitspelen als we meer weten,' zei ik.

Ik rondde af en zei tegen Breslow dat ik hem op de hoogte zou houden. Hij liep met me mee naar de deur. Toen hij in de gang mijn hand schudde, merkte ik dat iets hem bezighield, misschien een vraag die onbeantwoord was gebleven.

Ik had gelijk. 'Waarom heb je het me niet gevraagd?' zei hij.

'Heb ik wat gevraagd?'

'Of ik die Italiaanse prostituees heb gehuurd en hun een videocamera heb gegeven.'

'Dat zijn mijn zaken niet,' zei ik.

'Wel als dat tot de moord op mijn zoon heeft geleid.'

Ik staarde Breslow aan en vroeg me af waar hij mee bezig was. Was het een biecht? Probeerde hij nog steeds hoogte van me te krijgen? Of was het iets anders?

Niet dat het er veel toe deed. De reden dat ik het hem niet vroeg, was dat ik het antwoord al wist. Het kwam rechtstreeks uit de boekenreeks *Encyclopedia Brown* die ik als kind had verslonden. Iets wat hij had gedaan, had hem verraden.

Je bent niet zo behoedzaam als je denkt, Warner Breslow.

HOOFDSTUK 23

Ik kon me niet herinneren wanneer ik voor het laatst voor mijn huis parkeerde in de wetenschap dat er niemand zou zijn. Of het nu Marshall, Judy, John junior of Max was, er was altijd wel iemand die zou antwoorden als ik binnenkwam en riep: 'Hallo! Is er iemand thuis?'

Voordat ze allemaal weggingen, had ik er niet zo bij stilgestaan dat ik alleen zou zijn. Nu was ik alleen en het was een beetje vreemd. Een beetje treurig zelfs. En een beetje griezelig.

Ik had de post gepakt voordat ik naar binnen ging en nam die door terwijl ik een Heineken Light uit de koelkast pakte. De jongens hadden op kamp nog maar net hun tassen uitgepakt, dus het was uitgesloten dat er een brief van hen bij zou zitten. In plaats daarvan was het een stel rekeningen, een paar folders, en...

Wat is dit?

Tussen het nieuwste nummer van *Sports Illustrated* en een catalogus van L.L. Bean zat een klein pakje, zo'n geelbruine envelop met bubbeltjesplastic aan de binnenkant. Hij was aan mij geadresseerd, met een zwarte stift, en dichtgeplakt met veel – en dan bedoel ik héél veel – doorzichtige tape. En dan heb ik het over een hele rol.

Wat er ook in zat, het zou er niet uit zichzelf uit komen.

Ik bestudeerde de tape zo uitgebreid dat iets me niet meteen opviel. Hoewel de poststempel van Park City in Utah was, was er geen afzender. Niet in de linkerbovenhoek, niet op de achterkant, nergens.

O, geweldig. Je zou er achterdochtig van worden...

Je moet het een FBI-agent maar vergeven dat hij een beetje... eh... schrikt als het aankomt op mysterieuze pakjes in de post. Herinner je je de Unabomber nog? Die enveloppen met antraxpoeder na 11 september? Sindsdien wordt elke envelop zonder retouradres die bij mij of welke agent op mijn kantoor dan ook wordt bezorgd, doorgelicht.

Maar dit was mijn kantoor niet. Dit was mijn huis, en ik had naast mijn oude gereedschapsset van Black & Decker in de kelder geen röntgenapparaat staan.

Op hoop van zegen dan maar.

Nadat ik als een kind op kerstochtend even met het pakje had geschud, pakte ik een schaar en knipte een van de uiteinden open. Tot nu toe ging het goed. Er zat geen verdacht poeder in, en het was zeker geen bom.

Het was een bijbel.

Echt? Een bijbel?

Mijn eerste gedachte was dat een of andere religieuze liefdadigheidsinstelling had besloten meer werk te maken van hun fondsenwerving. Maar er zat geen brief bij. Geen verzoek om geld. Alleen een bijbel.

Nee, wacht. Maak daar maar een gestolen bijbel van.

Ik sloeg hem open en op de eerste pagina was EIGENDOM VAN HET FRONTIER HOTEL, PARK CITY, UT gestempeld.

Frontier Hotel? Daar had ik nog nooit van gehoord, laat staan dat ik er was geweest. Ik was er vrij zeker van dat ik niemand in Park City kende. Ik heb jaren geleden eens geskied in Deer Valley, maar daar was het bij gebleven.

Ik nam het laatste slokje bier en wilde net mijn schouders ophalen en me bezighouden met belangrijker zaken – nog een biertje pakken, bijvoorbeeld – toen ik merkte dat een van de bladzijden een ezelsoor had.

Ik sloeg de bijbel op die plek open.

En voordat ik het wist, keerde ik zo'n beetje mijn hele huis ondersteboven.

HOOFDSTUK 24

Het ging niet om iets wat ik had gelezen.

Het ging om iets wat ik niet kon lezen.

Het ezelsoor bevond zich in een deel van het Oude Testament, 'Het lied van Mozes', een deel van Deuteronomium. Er ontbrak een passage – hij was letterlijk weggesneden uit het midden van de pagina, pal tussen Deuteronomium 32:24 en 32:26.

Hoe luidde 32:25?

Als ik beter had opgelet tijdens de zondagsschool toen ik misdienaar was in de St. Augustine-kerk, zou ik het misschien hebben geweten. Maar ik was de jongen achter in de zaal die naar de klok staarde en de minuten telde tot de limonade en de koekjes werden geserveerd.

Daar ging ik dus, als een tornado van kamer tot kamer.

Ik wist dat ik ergens een bijbel had liggen. En nog een mooie ook. In leer gebonden, voorzien van goud op snee. Hij was van Susan geweest. John junior had er op haar begrafenis uit voorgelezen. Ik weet nog hoe dapper hij was en tegen de tranen vocht zodat hij het fragment uit kon lezen. 'Mama zou niet willen dat ik huilde,' zei hij na afloop tegen me.

Daar keek ik als eerste, in zijn kamer. De boekenkast naast zijn bureau lag te zeer voor de hand. Ik bedoel: welke jongen van dertien legt iets waar het hoort? Na een vluggeblik langs de planken keek ik in zijn klerenkast. Daarna op het tafeltje naast zijn bed en ten slotte onder zijn bed.

De kamer van Max? Ik liep de gang door en ging hetzelfde rijtje af. Ik voelde me zo'n ouder in een waargebeurd televisiedrama die de kamer van zijn kind overhoophaalt, op zoek naar weed. Max was natuurlijk nog maar negen. Er was niet eens ergens een *Playboy* verstopt.

En ook geen bijbel.

Ik bleef zoeken, vastberaden hem te vinden. Dit was immers vreemd. Iemand probeerde me iets duidelijk te maken en had het leuk willen maken.

Was leuk wel het woord? Dat hing van het bericht af, hè?

Ik doorzocht de hele logeerkamer, ook wel bekend als de kamer van Marshall en Judy. Ik ging weer naar beneden en keek in de zijkamer. Opeens wist ik het weer. *Duh!*

Ik was degene die hem had.

Ik had hem in een doos met Susans spullen gestopt die ik onder ons bed bewaarde, de kant waar zij sliep nog wel. Daar zou dokter Kline ongetwijfeld van smullen.

Ik haastte me naar mijn slaapkamer. Ik trok de doos tevoorschijn en zette emotionele oogkleppen op. Ik wilde niet worden meegesleept door de andere voorwerpen in de doos, de herinneringen. Voor je het wist was ik een huilend hoopje ellende.

Gelukkig lag de bijbel bovenop. Graven was niet nodig. Ik ging op het bed zitten, zocht Deuteronomium op en 'Het lied van Mozes'.

Met mijn wijsvinger ging ik de pagina af en ik stopte bij de ontbrekende passage, 32:25. Ik las hem één keer en toen nog een keer.

> *Buiten eist de oorlog zijn tol,*
> *binnen heerst de angst voor de dood.*
> *Niemand wordt ontzien,*
> *man noch vrouw, jong noch oud.*

Ik las het nog een paar keer, hoewel ik niet wist waarom. Misschien hoopte ik dat ik iets over het hoofd zag, dat er een andere interpretatie mogelijk was.

Dat was niet het geval.

Hoe je het ook wendde of keerde, ik werd bedreigd. Iemand had het op me gemunt.

Ik geloof dat ik dat tweede biertje nodig heb.

HOOFDSTUK 25

Ned Sinclair zat achter het stuur van zijn gestolen Chevy Malibu en zag aan de andere kant van de straat John O'Hara thuiskomen.

Hij zag O'Hara de post pakken. Hij zag hem naar binnen gaan.

Al snel zou de zon ondergaan, en onder dekking van de duisternis zou Ned doen waarvoor hij was gekomen. Hij kon niet wachten.

Buiten de open raampjes van de Malibu hoorde hij het geluid van een tuinsproeier op een nabijgelegen gazon die in een trage maar gestage cirkel water rondspoot.

Klik, klik, klik, klik...

Het was hetzelfde geluid, keer op keer. Meedogenloos. Monotoon.

Het klonk hem als muziek in de oren. Net zo mooi als een concert van Brahms.

Neds herinneringen aan zijn carrière als docent wiskunde op de universiteit van Californië waren afgenomen tot zo nu en dan een flard. Het weinige wat hij zag, was bijna altijd hetzelfde. Vergelijkingen. Overal vergelijkingen. Prachtige patronen van getallen die het hele oppervlak van een bord vulden, de ene regel na de andere.

En altijd beende hij heen en weer voor ze – hij besloop ze eigenlijk – met het krijtje in zijn hand. Hij loste de ene vergelijking op en richtte zich op de volgende, en de volgende, en de volgende.

Elke viel ten prooi aan zijn genie.

Even na negen uur was er geen daglicht meer en Ned stapte uit de auto. Hij sloot het portier zachtjes en keek naar links en rechts om er zeker van te zijn dat hij alleen was en niet werd geobserveerd. De trottoirs waren leeg en er kwamen geen auto's aan. In de verte brandden een paar lichten op veranda's, maar dat was het wel. Ned was zogoed als onzichtbaar.

Alsof hij er niet eens was.

Langzaam liep hij over O'Hara's pad naar de zijkant van het huis en een klein stukje gras tussen een houten hek en een paar hortensia's.

Hij keek onderweg in een erker om te zien of er nog iemand thuis was, maar hij was er vrij zeker van dat O'Hara alleen was.

Ned had de hele dag voor het huis geparkeerd gestaan. Hij zag niemand anders komen of gaan, en dat was precies wat hij wilde.

Alles was prachtig op zijn plek gevallen. Perfect. Precies zoals hij het zich al die dagen en nachten in het ziekenhuis had ingebeeld.

Ned bereikte de achtertuin en hoorde zacht ergens muziek vandaan komen. Hij herkende het liedje meteen. Hoe zou hij het niet kunnen herkennen? Zijn vader luisterde vroeger altijd naar Sinatra.

'The Best Is Yet to Come'? 'Strangers in the Night'?

Ned glimlachte. Nee.

Het was 'Call Me Irresponsible'.

Hij keek om de hoek en daar wachtte hem een aangename verrassing. Hij zou geen moeite hoeven doen het huis binnen te gaan. O'Hara zat buiten op zijn terras. Hij dronk een biertje.

Ned liep een paar passen naar hem toe en stapte uit de duisternis in de wazige gloed van de nabijgelegen lamp.

'Ben jij John O'Hara?' vroeg hij.

Hij wist dat hij John O'Hara was, maar hij wilde het zeker weten. Het was net een vergelijking. *Controleer altijd je werk. En controleer het dan nog een keer. Hij mocht geen fouten maken.*

O'Hara schrok en schoot overeind in zijn stoel. Hij hield een hand boven zijn ogen om zijn ongenode gast beter te kunnen zien. Ned Sinclair staarde in die ogen.

'Ja,' zei O'Hara. 'En wie ben jij?'

Ned trok een pistool uit zijn windjack. Het glimmende metaal van het handvat voelde in zijn hand als een groot en prachtig stuk krijt.

'Ik ben Ned,' zei hij, en hij richtte op O'Hara's hoofd. 'En jij bent dood.'

Hij haalde de trekker over en doodde John O'Hara.

BOEK TWEE

Wat zegt een naam nu helemaal?

HOOFDSTUK 26

De woorden speelden voortdurend door het hoofd van FBI-agent Sarah Brubaker. 'Er is er nog eentje, en je zult haar nooit vinden,' had die gestoorde klootzak gezegd. 'Dat arme meisje, ze heeft niet lang meer. Ze zal net als de anderen sterven. Waarschijnlijk is ze al dood.'

Brubaker reikte omhoog onder haar van zweet doordrenkte blouse. Met een padvindersmesje sneed ze de bandjes van haar beha door. Ze haakte het gespje aan de voorkant los en trok de beha onder haar blouse vandaan. Met het mes stak ze hem in haar sportbroek.

'Wat doe je in godsnaam?' vroeg Doug Trout, commandant van het politiebureau van Tallahassee.

'Ik heb twee elastiekjes nodig,' zei Sarah, die zijn vraag negeerde, en ook zijn vlugge blik op haar borsten, die tegen de blouse drukten.

Ja, ze wist precies waar ze mee bezig was.

Trout verdween in een magazijn een paar meter verderop en Sarah bond haar roodbruine haar, dat tot haar schouders kwam, in een staart. Ze voelde de seconden wegtikken in haar hoofd.

Op de twee agenten aan weerszijden van de gang na was het bureau boven de terminal van het regionale vliegveld van Tallahassee ontruimd. Het was alleen toegankelijk voor noodzakelijk personeel.

Wat de enige die niet tot het personeel behoorde betrof: die zat aan de andere kant van de dichte deur achter haar, met handen en voeten vastgebonden aan een tafel en stoel. Een kleine, raamloze vergaderkamer. Een tijdelijke gevangeniscel.

De afgelopen zeven maanden had een klootzak die Travis Kingslip heette de Florida Panhandle geterroriseerd. In een straal van honderdvijftig kilometer rond Tallahassee had hij vijf jonge meisjes ontvoerd, verkracht en vermoord.

Sarah was op de zaak gezet toen het vierde meisje was verdwenen en had dag en nacht geprobeerd erachter te komen wie hij was. Ze hoopte dat hij ergens een vergissing zou begaan, maar dat deed hij niet.

In plaats daarvan deed een of andere domme dief dat voor hem. Een junk.

Een buurman had de politie gebeld toen hij een man het kelderraam van Kingslips bungalow met twee slaapkamers in het stadje Lamont in had zien gaan, zo'n veertig kilometer van het vliegveld.

Toen agenten in het huis waren aangekomen, pakten ze niet alleen de dief op, ze forceerden ook een enorme doorbraak in een moordzaak.

Overal in Kingslips slaapkamer bevonden zich van dichtbij genomen foto's van borsten van minderjarige meisjes – zelfgemaakte printjes – in elke denkbare hoek en zodanig bijgesneden dat er nooit een gezicht te zien was. Het was alsof je probeerde een mannequin te identificeren.

Ze hadden in elk geval met een kinderpornograaf te maken. Maar toen kwam Sarah aan en haar viel de moedervlek in de vorm van een kidneyboon op een van de foto's op. Die kwam overeen met de beschrijving die de ouders van een van de verdwenen meisjes hadden gegeven.

Binnen een uur stormden Sarah en de helft van het politiekorps van Tallahassee bij bijna veertig graden over het asfalt van het vliegveld. Kingslip, een bagagemedewerker, had ter plekke opgebiecht. 'Jullie hoefden het alleen maar te vragen,' had hij gezegd.

En meteen nadat hij op zijn rechten was gewezen, was hij in lachen uitgebarsten. Het was de verknipte en gestoorde lach die Sarah al veel te vaak had gehoord bij het opsporen van seriemoordenaars.

Kingslips lach was misschien wel de ergste van allemaal.

'Er is er nog eentje en je zult haar nooit vinden,' zei de zieke klootzak. 'Dat arme meisje, ze heeft niet lang meer. Ze zal net als de anderen sterven. Ze is waarschijnlijk al dood.'

Commandant Trout kwam weer tevoorschijn met twee elastiekjes en een vragende blik. 'Hier,' zei hij.

Sarah pakte de elastiekjes en maakte snel twee vlechten achter haar oren. Trout keek naar haar en knikte. Hij snapte het.

'Ik ga niet met je mee naar binnen, hè?' vroeg hij.

Maar hij vroeg het niet echt. Het was een retorische vraag. Hij had

Sarah een beetje leren kennen sinds ze uit Quantico was gekomen, ge-noeg om één ding zeker te weten. Of twee dingen.

Hij kende niemand die zo vastberaden was als Sarah Brubaker.

En Travis Kingslip was helemaal van haar.

HOOFDSTUK 27

Sarah deed de deur achter zich dicht en pakte een van de stoelen in de vergaderkamer. Ze rolde hem tot vlak voor Kingslip en ging zitten. Hun knieën raakten elkaar bijna. Ze wilde niet zo dicht bij hem zijn, maar het was nodig. Het zou zelfs een kwestie van leven of dood kunnen zijn.

Hij droeg een blauwe overall die twee maten te groot was en naar sigaretten, zweet en vliegtuigbrandstof stonk. Zijn haar kwam onder zijn pet vandaan als plukjes zwart touw die in vet waren gedoopt. Zijn tanden zagen eruit als rotte maiskorrels.

Zijn blik ging meteen naar haar borst. Het was geen heimelijke blik maar schaamteloos staren. Hij hoefde niet te zeggen wat hij op dat moment met haar wilde doen. Zijn donkere, kille, zielloze blik liet er weinig twijfel over bestaan.

Een goed begin, dacht Sarah.

Er was geen tijd voor een praatje of om het ijs te breken. Geen tijd om zijn vertrouwen te winnen. Hij moest haar leuk vinden en dit was de snelste manier. *Vergeef me, feministen.*

Kingslip rammelde met zijn handen en voeten. 'Waarom doe je die handboeien niet af, lieverd. Ik beloof dat ik niet zal bijten,' zei hij. 'Kom op, doe ze af.'

'Misschien doe ik dat wel,' zei Sarah. 'Maar eerst moet jij iets voor mij doen.'

Kingslips woorden buiten op het vliegveld gingen door Sarahs hoofd, één zin in het bijzonder. *Dat arme meisje, ze heeft niet lang meer.*

Hij hield haar ergens verstopt, dat moest wel. Ging ze al dood? Had hij haar iets aangedaan? Haar vermoord?

Sarah kon de klok luider horen tikken, maar ze wist dat ze dit niet kon afraffelen. Ze schatte dat ze slechts één kans had en ze moest het helemaal goed doen.

'Waar is ze, Travis?' vroeg ze, haar stem kalm maar ferm. 'Vertel op. Vertel me gewoon de waarheid.'

'Dat vertel ik je nooooit,' antwoordde hij op een zangerige toon, echt huiveringwekkend.

'Is ze in de buurt van waar je woont?'

Hij bleef naar haar borsten staren. 'Je bent knap, weet je dat?'

Dat wist Sarah. Dat was in haar leven zowel een zegen als een vloek geweest, vooral in haar loopbaan. Op dit moment moest het echter een zegen zijn.

'Is ze in de buurt van waar je woont, Travis?' herhaalde ze.

Elk hoekje van zijn huis in Lamont was al doorzocht. Er waren geen geheime kamers, geen verborgen zolders of putten in de kelder, niets in de vrieskist. Dit was niet Buffalo Bill uit *The Silence of the Lambs*.

Kingslip gaf geen antwoord. Niet dat Sarah een antwoord van hem nodig had. Ze keek meer dan ze luisterde. Een huivering, een zenuwtrekje, een oogopslag – iets wat haar een aanwijzing gaf over wat hij dacht.

Ze ging door. Ze moest wel. 'Is ze in de buurt?' vroeg ze. 'Ergens bij het vliegveld?'

Bingo.

Het was zijn wenkbrauw. Precies bij het woord 'vliegveld' krulde de linker omhoog. Een fractie van een seconde – een fractie van een centimeter – maar voor haar was het glashelder.

Sarah boog nog dichter naar hem toe. Hij rook zo weerzinwekkend dat ze wilde overgeven. 'Ze is in de buurt van het vliegveld, hè Travis? Kan ik naar haar toe lopen of moet ik met de auto?'

Op vrolijke toon zei hij weer: 'Dat vertel ik je nooooooit.'

Maar hij had het al verteld. Het was de wenkbrauw weer, deze keer bij het woord 'auto'.

Maar ze had zijn auto op de parkeerplaats al doorzocht en voor zover ze wisten had hij in Jefferson County maar één voertuig op zijn naam staan.

Tenzij het niet zijn auto was.

'Is ze in een auto. Travis? Hou je haar vast in iemands auto? Van wie is die auto?'

Hij zag er opeens uit als de sul aan de pokertafel die niet begreep waarom iedereen doorhad dat hij blufte. *Hoe weet ze dat? Hoeveel weet ze?*

In een oogwenk werd hij kwaad. 'Jullie vinden haar nooit,' zei hij. Hij vond haar opeens een stuk minder leuk, maar dat gaf niet. Sarah had nog een ingeving.

'Waarom zal ik haar niet vinden?' vroeg ze.

'Gewoon, daarom.'

'Dat is geen goeie reden. Hoe weet je dat zo zeker?'

'Zomaar.'

'Kom op, Travis. Hier ben je te slim voor.'

'Inderdaad,' zei hij met een uitdagend knikje.

Sarahs glimlach verdween. Het was haar beurt om een spelletje met hem te spelen. 'Of nee, je bent helemaal niet slim. Je was dom genoeg om opgepakt te worden.'

'Val dood.'

'Dat zou je wel willen, hè, Travis?' Ze keek naar haar borst. 'Wil je een foto van me maken. Hier lekker dichtbij komen?'

Kingslip schoof ongemakkelijk heen en weer in zijn stoel en de handboeien om zijn polsen en enkels kletterden tegen de stoel en tafel alsof hij een eenmansaardbeving was. Zijn plotselinge woede tegenover Sarah botste met zijn zieke, perverse aantrekking tot haar.

'Val dood!' Deze keer riep hij het.

'Waarom kan ik haar niet vinden, Travis?'

'VAL DOOD!'

'Waarom? Vertel me waarom!'

'OMDAT ER TE VEEL ZIJN, TRUT! JE DENKT DAT JE SLIM BENT! ZO SLIM BEN JE NIET!'

Sarah sprong op van haar stoel en schoot de kamer uit.

Haar voorgevoel was juist.

HOOFDSTUK 28

'Kom mee! Kom op, kom op!'

Sarah riep het tegen elke agent in de gang die ze tegenkwam, de trap af naar de bagagebanden, en door de dubbele deur de verstikkende hitte in. Zelfs politiecommissaris Trout wist niet waar ze heen ging.

Maar toch volgde hij haar en baande zich een weg tussen de toeristen door, zo snel als hij kon met zijn lichaam van een voormalige lijnverdediger van Florida State.

Negen, misschien tien agenten volgden Sarah over de strook voor taxi's en limousines voor de aankomsthal.

Auto's kwamen piepend tot stilstand en de chauffeurs toeterden heftig. Omstanders bleven staren of schoten opzij.

'Tering...' mompelde de jongen bij het parkeerterrein van Avis die amper oud genoeg leek om te rijden. Een groep mensen kwam zijn kantoortje binnen vallen, met voorop een knappe vrouw die, nou ja, zo te zien geen beha droeg.

'De kofferbakken!' riep Sarah en ze zwaaide met haar insigne. 'Open elke kofferbak op het hele terrein!'

'Wat?' vroeg de jongen. Hij was ronduit verbijsterd. 'Dat kan ik niet doen.'

Sarah stoof langs hem en rukte een groot prikbord van de muur waaraan alle sleutels van de huurauto's hingen. Na een paar keer schudden vielen ze allemaal op de grond voor de balie.

Trout was nu helemaal bij.

'Jullie twee, hier blijven!' blafte hij en hij wees naar twee van zijn agenten. 'Controleer elke kofferbak. De rest van jullie komt met mij mee!'

Sarah was al vooruitgegaan naar het terrein van Hertz. Ze greep een paar sleutels en begon overal om zich heen kofferbakken te openen.

'Wat zoeken we?' vroeg een van de medewerkers.

Ze bleef niet rondhangen om antwoord te geven. Het was een klassiek geval van 'je weet het wel als je het ziet'. Een meisje in de kofferbak, waarschijnlijk vastgebonden en gekneveld.

God, zal ze nog in leven zijn, vroeg Sarah zich af. Laat haar alsjeblieft nog in leven zijn.

Onmiddellijk probeerde ze het beeld van het meisje uit haar hoofd te krijgen. Zorg dat je nooit een band met het slachtoffer krijgt, had ze geleerd. Dat verpest je concentratie.

Het was een zware les geweest, en zeven jaar later was ze er nog niet helemaal.

Floep! Floep-floep-floep!

In de hele rij, van Thrifty tot Enterprise en van Budget tot National, gingen de kofferbakken open. Goedkope auto's, zuinige, wagens in de premiumklasse, zelfs de suv's.

De agenten waren verspreid en het personeel van elk verhuurbedrijf rende rond met sleutelhangers in de hand, verwoed met hun duimen op knopjes drukkend.

Floep! Floep-floep!

Sarah rende van auto naar auto en keek overal. Langs de ene rij en terug langs een andere. Leeg… leeg… leeg…

'Verdomme! Verdomme! Verdomme!'

Iedereen deed nu mee, alle agenten en medewerkers, zelfs de huurders. Een zakenman die dwars door zijn overhemd en het jasje van zijn lichtbruine pak zweette, rende van kofferbak naar kofferbak.

Het was een chaos, maar een goed soort chaos. Iedereen werkte samen.

'Elke auto! We controleren elke auto!' riep Sarah, en ze ging naar het volgende terrein, waar een plaatselijk bedrijf, Sunshine Rentals, was gehuisvest.

Op dat moment zag ze iets vanuit haar ooghoek.

Er was één puzzelstukje dat niet paste.

HOOFDSTUK 29

In de zee van mensen die samenwerkte met één enkel doel vormde hij de onderstroom.

Eén man, een monteur, die wegliep – of eerder wegsloop – van alle actie en over zijn schouder keek terwijl hij ogenschijnlijk zijn best deed onzichtbaar te zijn. Dat viel echter niet mee in zijn felgele overall van Sunshine Rentals.

Sarah kon maar net voorkomen dat ze naar hem riep.

In plaats daarvan volgde ze hem, geholpen door de commotie om haar heen. Als deze man meer gemeen had met Travis Kingslip dan een overall, ging het er vooral om waar hij haar heen zou kunnen brengen.

'Hé!' hoorde ze opeens.

Ze draaide zich om en zag de commissaris, Trout, een meter of twintig verderop, naar haar kijken. Zijn blik zei: wat is er aan de hand?

Sarah drukte haar wijsvinger op haar lippen – *Sst!* – en wees toen naar de monteur die naar de hoek van het terrein liep waar Sunshine de auto's repareerde en waste.

Trout knikte en liep linksom in de richting van de man. Ze naderden hem in een brede v-vorm.

Achter hen bevond zich nog steeds een hele rits auto's met dichte kofferbakken en nog een paar andere verhuurbedrijven. Maar toen Sarah nog een paar stappen deed, werd haar aandacht getrokken door een witte Chrysler Sebring bij een laag betonnen muurtje. De convertible stond schuin omhoog in de lucht. Onder de linkervoorband bevond zich een krik, of tenminste, daar waar de voorband zich had moeten bevinden.

De monteur liep er recht op af.

Sarah en Trout wisselden een blik van verstandhouding. Deze man kon misschien wel helpen ervoor te zorgen dat elke auto gecontroleerd werd, maar er was iets aan de manier waarop hij liep – en aan de manier waarop hij over zijn schouder had gekeken. Als hij al iemand probeerde te helpen, was het misschien alleen zichzelf, dacht Sarah.

Voorzichtig nu. Blijf in de buurt maar niet te dichtbij. Als een schaduw...

De monteur, een schriele man van gemiddelde lengte, liep naar de witte Sebring. Maar niet naar de kofferbak. Hij opende het portier aan de chauffeurskant en bukte met zijn rug naar Sarah toe. Zij had dekking.

Trout niet.

'Pistool!' riep hij opeens.

Sarah greep naar dat van haar terwijl de monteur zich omdraaide en de loop van een pistool recht op haar borst richtte. Het was kruis of munt wie er eerst zou vuren. In plaats daarvan...

Knal!

Trout dook door de lucht en de voormalige lijnverdediger smeet zijn volle gewicht tegen de monteur. Hij was op hem af gesprint en had de monteur met een harde klap getackeld voordat hij de trekker kon overhalen.

De twee vielen met een vreselijke, verpletterende klap op de grond, en de monteur kwam veruit het ongelukkigst terecht. Hij lag plat op de grond, zijn hoofd bloedde en er ontbrak minstens één voortand. Maar zijn pistool had hij nog steeds in zijn hand, en hij krabbelde overeind.

Trout tuimelde voorbij de monteur en landde op zijn rug. Meteen rolde hij op zijn buik, klaar om zijn SIG-Sauger P229 af te vuren.

Hij was alleen te laat. De monteur had hem in het vizier.

KNAL!

De monteur bleef even als aan de grond genageld staan, zijn vinger stijf om de trekker. Het enige dat bewoog, was het bloed dat uit zijn nek gutste.

Sarah vuurde een tweede schot en eindelijk liet de monteur zijn pistool vallen. Het viel op de grond, en hij deed hetzelfde.

Travis Kingslip had een partner.

Sarah liep langs de monteur zonder te kijken of zijn hart nog klopte. Ze herkende de dood als ze die zag.

'Dank je,' zei Trout, die naar haar toe kwam bij de Sebring. 'Je maakte me bang.'

'Nee, jij bedankt,' zei Sarah.

Trout opende het portier aan de chauffeurskant en drukte op het knopje aan de linkerzijde van het dashboard om de kofferbak te openen.

Floep!

Daar was ze. Precies zoals Sarah zich had ingebeeld voordat ze zichzelf eraan herinnerde ervoor te zorgen dat het nooit persoonlijk werd. *Krijg ik die regel ooit onder de knie? Wil ik dat wel?*

In de kofferbak lag een meisje van dertien, vastgebonden en gekneveld, dat die ochtend als vermist was opgegeven. De zon had van de kofferbak praktisch een oven gemaakt. Ze was nauwelijks bij bewustzijn en had duidelijk een hitteberoerte.

Maar ze leefde.

Het zou goed komen met haar. Misschien wel omdat Sarah het persoonlijk had gemaakt.

HOOFDSTUK 30

Het bordje met NIET STOREN hing de volgende ochtend vrij laat nog aan de deur van Sarahs hotelkamer in Tallahassee. Laat maar hangen.

Na lekker uitgeslapen te hebben ging ze vijf kilometer rennen, keerde terug om uitgebreid te douchen en werkte vrolijk alle calorieën die ze had verbrand weer naar binnen met de kazigste kaasomelet van de roomservice. Met bacon en geroosterd brood. Jammie.

Ze keek hooguit een minuut naar CNN voordat ze naar MTV zapte om naar een paar clips te kijken. Ze kon zich niet herinneren wanneer ze dat voor het laatst had gedaan.

De meeste nummers kende ze niet, en ze vond ze eerlijk gezegd ook maar niks. Ze zette het volume evengoed harder, en al helemaal toen ze een oude clip van Guns N' Roses lieten zien, 'November Rain'. Ze was gek op dat nummer. Het deed haar denken aan haar tienerjaren in Roanoke in Virginia. In die tijd was ieder meisje verliefd op de gitarist, Slash, of je vond hem vies. Sarah bevond zich absoluut in het kamp dat verliefd was.

Wat de plannen voor de rest van de dag betrof – dat was eenvoudig. Die waren er niet.

Misschien zou ze bij het zwembad gaan liggen en wat lezen. Sarah was gek op biografieën en had er eentje bij zich over de illustrator Al Hirschfield, waar ze nooit tijd voor leek te hebben. Nu had ze die wel.

Wel vierentwintig uur, berekende ze.

Dit was haar dag om haar gedachten op orde te krijgen, wat de hoogste tijd was. En hoewel de nasleep van het inrekenen van Travis Kingslip een hele berg papierwerk behelsde, was ze niet van plan daar meteen mee te beginnen. Uitgesloten.

Morgen zou inspecteur Brubaker terugkeren naar haar werk in

Quantico. Vandaag had Sarah Brubaker een spijbeldag.

En het voelde ronduit fantastisch. Tot het moment waarop ze haar handdoek op een stoel bij het zwembad legde, ging liggen en de biografie van Hirschfield opensloeg.

Toen ging haar telefoon.

O nee. Alsjeblieft, nee...

Het was niet haar eigen telefoon. Die had ze kunnen negeren. Dit was haar beveiligde satelliettelefoon, eigendom van de FBI.

Aan de andere kant van de lijn was Dan Driesen, en hij belde niet om een praatje te maken. Hij had haar per mail al gefeliciteerd met de arrestatie van Kingslip. Dit was iets anders.

'Sarah. Ik heb je hier nodig voor een briefing,' zei hij. 'Snel. Vandaag.'

In het echt was Driesen vrij relaxed en geduldig. Over bepaalde onderwerpen – bureaucratie, vliegvissen en klassieke auto's bijvoorbeeld – kon hij je de oren van het hoofd praten.

Maar aan de telefoon was het alsof je tegen een telegram praatte.

'Drie moorden in drie verschillende staten toegevoegd aan VICAP,' vervolgde hij. 'Ze wijzen alle drie op een rondtrekkende seriemoordenaar.'

VICAP stond voor het Violent Criminal Apprehension Program, de nationale database van de FBI voor elke daad van geweld die in de Verenigde Staten werd gepleegd.

'Over wat voor periode hebben we het?' vroeg Sarah.

'Twee weken.'

'Dat is snel.'

'Supersnel.'

'Drie moorden?'

'Ja.'

'Drie verschillende staten?'

'Tot nu toe,' zei Driesen.

'Wat is het verband?'

'De slachtoffers,' antwoordde hij. 'Ze hebben alle drie dezelfde naam. O'Hara. Ik heb nog nooit zoiets raars gehoord.'

HOOFDSTUK 31

De sandwiches waren een weggevertje.

Sarah had talloze briefings onder leiding van Dan Driesen bijge-woond en nooit had hij op de tafel ook maar iets eetbaars neergezet. Geen muffins of bagels, geen koekjes of iets anders om van te snoepen. Zeker geen sandwiches, nooit. Dat was gewoon zijn stijl niet. *Wil je een briefing met catering? Ga dan maar voor Martha Stewart werken.*

En toch lagen ze daar. Sandwiches.

Nadat ze de eerste vlucht terug uit Tallahassee had genomen, een taxi vanaf Reagan National naar Quantico had gepakt, haar koffer in haar kantoor had gezet en rechtstreeks naar het zaaltje was gelopen waar ze een paar seconden voordat Driesens briefing van vier uur begon bin-nenkwam, was dat het eerste wat haar opviel. Een schaal met sand-wiches. Nooit had een verscheidenheid aan vleeswaren zoveel onder-liggende betekenis gehad.

Dit was geen gewone briefing.

Belangrijker nog: Driesen had niet helemaal de leiding. Hij werkte voor iemand anders.

Sarah schatte dat ze snel genoeg meer te weten zou komen. Driesen was er nog niet.

In de tussentijd accepteerde ze de felicitaties voor haar werk in Tal-lahassee van de rest van de aanwezigen – een mix van agenten en ana-listen, maar meer analisten. Bij de afdeling Gedragsanalyse ging het vooral om het verzamelen en interpreteren van informatie. Voor iedere agent die op pad was, waren er op kantoor drie analisten.

'Goed, wat is hier aan de hand?' vroeg Ty Agosta, de forensisch psy-chiater van de afdeling en misschien wel de laatste man op aarde die regelmatig een corduroy jasje met elleboogstukken droeg. En dat niet alleen, het stond hem nog goed ook.

'Ik hoopte dat jij dat wist,' zei Sarah.

'Driesen zit al een uur op zijn kamer,' zei Agosta. 'Meer weet ik niet.'

'Met wie?'

Hij knikte naar de deur. Kijk maar.

Sarah draaide zich om en zag Dan Driesen met zijn typische lange passen de kamer in komen lopen. Hij werd vergezeld door drie mannen in pak. Ze droegen bezoekerspasjes en hadden het stijve postuur dat meestal het gevolg was van een hele dag een schouderholster dragen.

Een van hen kwam haar bekend voor. Sarah had hem eerder gezien, maar ze kon het gezicht niet helemaal plaatsen. Driesen zou hem en zijn twee trawanten ongetwijfeld voorstellen.

Dat deed hij echter niet. In plaats daarvan begon Driesen gewoon aan de briefing. De drie mannen gingen op de rij stoelen aan de zijkant van de kamer zitten, alsof ze er alleen waren om te observeren.

Maar eerst pakten ze een sandwich.

'Nevada, Arizona en Utah,' begon Driesen, en de lichten in de kamer werden gedempt door Stan, de audiovisuele technicus die de toevoerkanalen naar de monitoren voor in de kamer bediende.

De grootste van de flatscreens achter Driesen lichtte op terwijl hij verderging en details toevoegde aan de samenvatting die hij Sarah die ochtend over de telefoon had gegeven.

Drie verschillende staten.

Drie dode mannen.

Allemaal in een periode van twee weken.

En allemaal met dezelfde voor- en achternaam.

Het scherm werd even wit achter Driesen voordat in grote letters het laatste punt verscheen. DE JOHN O'HARA-MOORDENAAR, stond er.

HOOFDSTUK 32

'Jezus, er moeten honderden John O'Hara's zijn,' zei Eric Ladum, een technisch analist die tegenover Sarah zat. Als hij niet achter zijn keyboard zat, draaide hij altijd met een pen, om zijn vingers bezig te houden.

'Maak daar maar duizend van,' antwoordde Driesen. 'Ongeveer.'

Sarah keek naar de Bende van Drie die langs de muur zat. Ze hadden geen woord gezegd. Ze waren niet eens voorgesteld. Maar Sarah wist nu waarom ze hier waren. Ze wist wie ze waren.

Driesen ging verder en beschreef het politieonderzoek naar de eerste twee slachtoffers. Ze waren allebei gedood met een .38 kaliber pistool, twee schoten. Eén door het hoofd, de andere door de borst. Er waren geen verdachten of duidelijke aanwijzingen, en de lichamen waren allemaal 'schoon', wat inhield dat er geen enkel bewijs in de vorm van sporen of iets anders was achtergelaten.

'En dan nu de derde O'Hara,' zei Driesen. 'Een skileraar uit Park City in Utah. Hij is gisteren gevonden op het terras achter zijn huis.'

Op het scherm verscheen een foto van de man op de plaats delict. Hij lag met zijn gezicht, of wat ervan over was, naar boven gekeerd, in een poel van opgedroogd bloed. De randen daarvan hadden spetters die wezen op een schot van dichtbij. Het zou absoluut een gesloten kist worden.

Tijdens haar eerste jaar bij de eenheid had Sarah zich altijd even afgewend als tijdens briefings het bloederige handwerk van seriemoordenaars op het scherm verscheen. Het was een instinct. Een manier om dat het hoofd te bieden. Zo reageerden haar hersens op de aanblik van iets wat verwarrend was en afweek van de norm.

Nu knipperde Sarah nog amper met haar ogen.

'In de rechterzak van een windjack dat het slachtoffer droeg zat een paperback van James Joyce' *Ulysses*,' zei Driesen. Hij zweeg even alsof hij hengelde naar vragen.

Eric Ladum, die nog steeds met zijn pen draaide, hapte maar wat graag toe.

'Denk je dat de moordenaar die daarin heeft gedaan?' vroeg de analist.

Driesen knikte. 'Ja.'

'Was er iets gemarkeerd? Een passage? Een paar woorden?' vroeg Ladum.

'Nee,' zei Driesen. 'Elke pagina was intact. Nog geen ezelsoor.'

'Ho, wacht even,' zei Sarah. 'We hebben het hier over een man die O'Hara heet, toch? *Ulysses* is voor Ieren praktisch een tweede Bijbel.'

'Dat is zo, maar deze O'Hara woont in Utah en het boek kwam uit Bakersfield in Californië,' zei Driesen. 'Het is een bibliotheekboek.'

'Was het uitgeleend?' vroeg ze.

'Helaas.'

'Hebben we al contact opgenomen met de bibliotheek om...'

Driesen onderbrak haar. 'Ja, de bibliotheek heeft één exemplaar dat zoek is.'

'Sinds wanneer?'

'Sinds...'

'Gefeliciteerd!' klonk een stem van de zijkant van de kamer. Het was een van de Bende van Drie, degene die Sarah niet helemaal kon plaatsen. Met een enkel woord was hij erin geslaagd een vervelende combinatie van ongeduld, arrogantie en sarcasme uit te stralen.

Iedereen draaide zich naar hem om en hij stond op. 'We kunnen deze man niet alleen oppakken om drie moorden, we hebben hem ook betrapt op het stelen van een bibliotheekboek. Goed werk, mensen! Echt fantastisch.'

Ty Agosta leunde naar voren en plaatste zijn elleboogstukken op de tafel. De forensisch psychiater besloot dat het geen misdaad was om een eenvoudige vraag te stellen.

'Sorry, maar wie ben jij?' vroeg hij.

Maar het was net alsof Agosta zijn mond nooit had geopend of zelfs maar aanwezig was. Hij werd ronduit genegeerd.

'Luister, misschien probeert de moordenaar ons iets duidelijk te maken en misschien niet,' zei de geheimzinnige gast. 'Maar wat ik van jullie wil horen, is hoe jullie van plan zijn deze psychopaat te pakken te krijgen.'

En op dat moment gingen er bij Sarah twee belletjes rinkelen.

Het eerste was de naam van de man. Jason Hawthorne. Hij was adjunct-directeur van de geheime dienst. Hij was hier niet namens zijn baas, of de baas van zijn baas, de directeur van de binnenlandse veiligheidsdienst.

Jason Hawthorne en zijn sandwiches etende entourage waren in de deze kamer namens de baas van iederéén.

De president.

Dat was het tweede belletje dat bij Sarah ging rinkelen.

De zwager van de president heet John O'Hara.

HOOFDSTUK 33

'Sarah, kan ik je even spreken op mijn kamer?' vroeg Driesen toen de vergaderkamer na de briefing leegliep. Hij schudde net de hand van Hawthorne, duidelijk niet met wederzijdse bewondering.

'Ja hoor,' antwoordde Sarah alsof het niets voorstelde. Maar het stelde heel veel voor. Er vonden op de afdeling Gedragsanalyse twee soorten briefings plaats. Beide waren geheim, maar slechts een ervan was onder vier ogen. Dat was de briefing die plaatsvond in het kantoor van Driesen.

Dat was de bijeenkomst waarbij hij je zijn ongezouten mening gaf.

Nu Hawthorne weg was, liep Sarah achter Driesen aan langs zijn secretaresse, Allison, en naar zijn hoekkantoor, dat uitkeek over een groot exercitieterrein van de marine.

'Doe de deur achter je dicht,' zei hij, en hij liep om zijn bureau heen.

Ze ging op een van de twee stoelen tegenover hem zitten. Hij staarde haar een tijdje aan. En vervolgens liet hij zich even gaan en grinnikte.

Sarah deed hetzelfde.

Er was niets grappigs aan een seriemoordenaar en aan het feit dat er drie onschuldige mensen dood waren, maar soms was galgenhumor de enige manier om niet gek te worden. In dit geval ging de impliciete grap over de president. En dan met name wat hij wellicht dacht – gedachten die absoluut off the record moesten blijven – toen hij te horen kreeg over de John O'Hara-moordenaar.

Ik heb één gratis doelwit voor je, vriend. Ga je gang, je mag hem hebben...

John O'Hara, de zwager van de president, was een enorme kluns. Als hij niet werd betrapt door de cameraploeg van een roddelprogramma terwijl hij om drie uur 's ochtends een bar in Manhattan uit kwam strompelen, speelde hij wel de hoofdrol in zijn eigen infomercial waarin hij presidentiële lakens en kussenslopen verkocht. 'Precies als in de slaapkamer van Lincoln!'

Waarschijnlijk omdat hij ze had gestolen.

De man was ongeveer net zo gênant als Billy Carter. En een droom voor cabaretiers.

'Denk je dat het op de een of andere manier met hem te maken heeft?' vroeg Sarah. 'Ik kan me niet voorstellen...'

Driesen haalde zijn schouders op. 'Het zou niet erg logisch zijn. Maar goed, rondtrekken en mensen met dezelfde naam vermoorden is ook niet echt het hoogtepunt van logica, of wel?'

'Maar van alle namen die je kunt kiezen...'

'Ik weet het. Zoals je hebt gezien, is Hawthorne al in opperste paraatheid. Hij heeft gisteravond een team op de zwager gezet.'

'Heeft O'Hara ook te horen gekregen waarom hij beveiliging kreeg?' vroeg Sarah. Ze dacht dat ze al wist wat het antwoord was.

'Nee. Dat is het andere lastige aan deze hele zaak,' zei Driesen. 'Buiten O'Hara's grote mond gerekend moet dit onder ons blijven. We kunnen niet hebben dat iedere stakker die John O'Hara heet in paniek raakt, nog niet in elk geval.'

'Is dat de reden waarom Hawthorne en niet Samuelson hier is?' vroeg Sarah.

Driesen glimlachte alsof hij wilde zeggen: goed zo. Hij kon het wel waarderen dat zijn jonge agent er bedreven in was geraakt politieke gevolgen te herkennen. Cliff Samuelson, Hawthornes baas, was directeur van de geheime dienst.

'Ik heb het niet gevraagd, maar daar kunnen we wel van uitgaan. Ze moeten zo ver mogelijk bij de president vandaan blijven,' zei Driesen.

'God, ik zie de krantenkoppen al voor me. *President beschermt zwager O'Hara, maar geen van de anderen.*'

'Het spreekt voor zich dat die kop nooit geschreven mag worden.'

'Maar op een bepaald moment...'

'Ja, op een bepaald moment moeten we de moorden bekendmaken, het van de daken schreeuwen. Maar tussen de eerste en de derde dode O'Hara waren er op de kaart nog veertig John O'Hara's die de moordenaar niet heeft gedood. Het punt is: we moeten niet denken dat we ze allemaal kunnen beschermen.'

'En in de tussentijd?'

'Wordt je werk alleen maar moeilijker,' zei hij.

Sarah hield haar hoofd schuin. 'Míjn werk?'

'Je denkt toch niet dat je hier bent om te horen dat ik dit weekend ga vliegvissen? Je vertrekt morgenochtend.'

Sarah hoefde niet te vragen waar hij haar heen stuurde. De eerste regel als je een seriemoordenaar te pakken wilt krijgen? Begin altijd met het warmste lijk.

'Ik hoor dat het rond deze tijd van het jaar lekker weer is in Park City,' zei ze met een uitgestreken gezicht.

Hij glimlachte. 'Luister, ik besef dat je net terug bent uit Florida en dat je koffer nog in je kamer staat. Dus neem vanavond maar vrij, goed? En daarmee bedoel ik niet dat je naar huis moet gaan om een wasje te draaien.'

'Oké, geen wasje,' zei ze met een lach.

'Ik meen het,' antwoordde hij. 'Ga iets leuks doen, vermaak jezelf. God weet dat je dat waarschijnlijk wel kunt gebruiken.'

Daar had hij gelijk in.

'Heb je nog ideeën?' vroeg ze.

'Nee, maar ik weet zeker dat je wel iets bedenkt.'

HOOFDSTUK 34

Sarah belde nog een keer aan bij Ted. Ze wachtte in de gang bij het penthouse van de Piermont Residences in het centrum van Fairfax en vroeg zich af waarom hij niet opendeed. Ze wist dat hij er was.

Een paar minuten eerder had ze hem vanuit haar eigen appartement vier verdiepingen lager gebeld, waarbij ze haar nummer had afgeschermd.

Het was allemaal heel grappig, dacht ze, en ze kon er wel om lachen. De laatste keer dat ze een jongen had gebeld en had opgehangen zodra hij antwoordde, had ze waarschijnlijk nog op de basisschool gezeten en had ze op haar Sony-walkman naar Bananarama geluisterd en gebleekte Guess-jeans gedragen.

Nu luisterde ze of ze Ted achter de deur hoorde terwijl ze een lange, marineblauwe regenjas droeg. En verder niets. Eronder was ze spiernaakt.

Iets leuks doen? Plezier maken? Driesen zou me eens moeten zien. Bij nader inzien is dat waarschijnlijk geen goed idee…

Als Ted nou maar open zou doen. *Kom op, lieverd, het tocht onder deze jas. En ik begin me een beetje te generen…*

Ze hadden immers nog maar vijf maanden iets met elkaar. Dat was echter twee maanden langer dan haar vorige relatie, en drie maanden langer dan die daarvoor.

Maar met Ted leek alles anders. En veel beter. Hij was een succesvol advocaat – 'hij staat in hoog aanzien en heeft een nog hoger uurtarief', aldus een artikel over hem in *The Washington Post* – en hij wist alles over de lange werktijden en de spanningen die een succesvolle carrière meebracht. Ja, hij had misschien wel een paar machofoto's te veel van zichzelf in het appartement hangen – wildwatervaren, skiën in de Back

Bowls van Vail – maar Sarah was bereid een vleugje ijdelheid over het hoofd te zien. Hij was niet bezitterig, en dat was fijn, heel fijn.

Dat hij woest aantrekkelijk was, was natuurlijk een prettige bijkomstigheid.

Sarah drukte haar oor stevig tegen de deur. Ze dacht dat ze muziek uit het appartement kon horen komen, maar het leek ook weer niet zo hard dat hij de bel niet kon horen.

Toen begon het haar te dagen. Het was maar een voorgevoel, maar haar voorgevoelens waren de laatste tijd vrij goed. Sarah draaide zich om en reikte onder de kast met de brandblusser aan de muur tegenover Teds deur. Op de tast zocht ze naar een klein magnetisch doosje.

De definitie van vertrouwen in een verse relatie? Als hij je vertelt waar hij zijn reservesleutel bewaart.

Misschien zou ze hem na vanavond vertellen waar ze die van haar bewaarde.

HOOFDSTUK 35

Sarah ging het appartement binnen en bleef even in de hal staan om te luisteren uit welke richting de muziek kwam. Die kwam uit Teds slaapkamer aan het einde van de gang.

Je kon haar nauwelijks een jazzkenner noemen, maar binnen twee stappen herkende ze de baritonsaxofoon van Gerry Mulligan. Ted was een enorme fan en luisterde bijna vroom naar Mulligans muziek, vooral de live-cd's. Carnegie Hall, Glasgow, de Village Vanguard.

'Mully is een god,' zei hij vaak tegen haar, meestal wanneer ze op de bank de tweede fles bordeaux soldaat hadden gemaakt.

Een paar stappen verder hoorde Sarah nog iets anders. Stromend water. Precies wat ze al dacht.

En ja hoor, toen ze Teds slaapkamer bereikte, zag ze dat de deur naar zijn badkamer dicht was. Hij nam een douche. Er glipte zelfs een beetje stoom onder de onderkant van de deur door.

Ze glimlachte. *Perfect.* Ze kon niet wachten om de blik op zijn gezicht te zien.

De enige beslissing die ze nog moest nemen, was wanneer ze de regenjas uit zou doen.

Voorzichtig deed Sarah de deur van de badkamer open en op haar tenen liep ze over de tegels. De stoom wolkte dik als mist in San Francisco om haar heen. Ted was gek op douchen – heet douchen. Ze zou straks vast een suffe grap maken dat ze deze douche nog heter zou maken.

Op hoop van zegen. Niet te geloven dat ik dit doe...

De regenjas viel op de grond toen Sarah de beslagen deur van de douche opende. Ze spreidde zelfs haar armen uit, alsof ze wilde zeggen: 'Ta-daa! Hier ben ik dan!'

Verrassing, lieverd!

Het was inderdaad een verrassing voor Ted. Een ongelooflijke.

Hetzelfde gold natuurlijk voor de vrouw die bij hem onder de dou-che stond.

HOOFDSTUK 36

Het duurde een paar seconden voordat het helemaal tot Sarah doordrong – een paar lange, kwellende en uiterst vernederende seconden
die een eeuwigheid leken te duren.

Dit gebeurt echt, hè? En ik sta hier ook nog eens poedelnaakt...

'Sarah, wacht!' zei Ted.

Maar ze wachtte niet. Wie zou dat wel doen? Sarah pakte haar regenjas op en bedekte zichzelf er in allerijl mee voordat ze de badkamer uit
rende. Alsof het niet erger kon worden gleed ze uit op de natte tegels. Ze
viel bijna en verdraaide een enkel.

'Krijg de klere, Ted!'

Teds slaapkamer was een waas terwijl ze erdoorheen hobbelde, maar
toch ving ze nog aanwijzingen op die ze op de een of andere manier
over het hoofd had gezien. Niet één, maar twee kussens die waren gebruikt op het onopgemaakte bed. De twee wijnglazen op het tafeltje ernaast. *Was het een bordeaux, klootzak?* Hoe had ze dat allemaal over het
hoofd gezien?

Ze wist al waarom. Omdat ze hem had vertrouwd.

Een deel van haar wilde zich omdraaien, het ter plekke uitvechten
met Ted waar die 'andere vrouw' bij was, wie ze ook mocht zijn.

Maar dat deel van haar maakte geen schijn van kans tegen de onver-
draaglijke pijn die ze voelde. In de paar seconden dat ze bijna als ver-
lamd voor de douche had gestaan, had ze zich overgegeven aan haar
instincten, en die instincten hadden haar opgedragen weg te rennen.
Vlucht! Maak dat je wegkomt! Ze kon er niets tegen doen.

En dat deed Sarah nog meer pijn.

In haar werk slaagde ze er altijd in de moed, de durf en het lef op te
roepen om ongeacht de situatie stand te houden. Maar hier – zonder

haar insigne en zonder haar kleren – kon ze alleen maar wegrennen. Ze voelde zich hulpeloos, belachelijk en beschaamd.

'Sarah, blijf staan! Alsjeblieft!' riep Ted. Hij rende achter haar aan terwijl hij een handdoek om zijn middel probeerde te knopen. Hij was drijfnat.

Sarah bleef in de gang staan. Ze wilde niet dat dit zich afspeelde voor zijn appartement en misschien wel in het bijzijn van een buurman of buurvrouw. Daarnaast had ze nog steeds alleen de regenjas, die ze tegen haar lichaam gedrukt hield.

'Draai je om,' zei ze.

Ted knipperde verbaasd. 'Wat?'

Ze wierp een vlugge blik naar beneden. Hij ging haar niet naakt zien, niet nu. Nooit meer.

Het kwartje viel bij hem. 'O.'

Sarah trok de regenjas aan terwijl Ted de andere kant op keek. 'Ik wil het alleen maar uitleggen,' zei hij over zijn schouder.

'Uitleggen? Wat valt er uit te leggen? Je hebt een grote fout gemaakt en ik heb een nog grotere gemaakt door te denken dat je niet als al die andere players in Washington was.'

Hij draaide zich weer om. 'Ik ben geen player, Sarah. Wat doe je hier eigenlijk? Je had me moeten vertellen dat je naar huis kwam.'

'Waarom? Zodat je tegen me kon blijven liegen?'

'Ik heb nooit echt gelogen.'

'Dit is geen rechtbank, Ted. Je bent nu even geen advocaat.'

'Dat zou ik ook over jou kunnen zeggen.'

'Hoe bedoel je?'

'Ik bedoel dat je altijd bent wat je bent.'

'Gaat dit hierover? Mijn baan? Je had het tegen me moeten zeggen als je er een probleem mee hebt dat ik bij de FBI werk.'

'Ik dacht dat ik daar geen probleem mee had,' zei hij.

'Goed, dat meisje in de douche, wat doet zij?'

Hij wilde geen antwoord geven, maar Sarah staarde hem aan tot hij het ten slotte toch deed.

'Ze werkt op mijn kantoor,' zei hij.

'Is zij ook advocaat?' Maar Sarah wist al dat ze dat niet was.

'Ze is assistent,' zei hij schaapachtig.

'Je bedoelt dat ze voor jou werkt. Je houdt toezicht op haar.'

'Dus je bent nu ook psycholoog? Prima!' zei hij verontwaardigd. 'Nu ga je me vast vertellen dat ik me bedreigd door je voel.'

'En is dat zo?'

'Weet je wat? Ik kwam achter je aan om sorry te zeggen, maar je kunt in de stront zakken, ik heb er geen spijt van.'

'Dat zie ik. Ik snap het, Ted. Geloof me maar, ik snap het.'

'Ik ben een man, Sarah. Een man die er niet van houdt dat zijn vriendin…' Hij zweeg.

'Wat? Wat wilde je zeggen?' vroeg ze. 'Ik kan het kennelijk wel aan.'

'Hoe denk je dat het voelt om te weten dat mijn vriendin me met haar FBI-training alle hoeken van de kamer kan laten zien?' flapte hij eruit.

Sarah schudde haar hoofd. 'Ten eerste is het ex-vriendin, of wat ik ook voor je was. En ten tweede, wat betreft hoe het voelt… dat weet ik niet,' zei ze. 'Maar misschien voelt het ongeveer zo.'

Ze balde haar vuist en vloerde hem met zo'n harde zwaaistoot dat hij tegen de muur sloeg. Een ingelijste foto van hem op zijn Harley-Davidson viel kletterend op de grond en het glas spatte alle kanten op.

Kalm en zonder nog een woord te zeggen draaide Sarah zich om en liep het appartement uit. Haar werk zat erop.

Toch kon Sarah het niet laten. Ze draaide zich om naar Ted, die nog steeds op de grond zat.

'En? Hoe voelt het om in elkaar geslagen te worden door een meisje? Zo groot ben ik niet eens, Ted.'

HOOFDSTUK 37

Misschien was het gewoon toeval, of misschien was het karma, maar het nummer op Sarahs iPod toen het vliegtuig de volgende middag aan zijn afdaling naar Salt Lake City begon, was 'A Change Will Do You Good' van Sheryl Crow.

Ze kon alleen maar hopen dat verandering haar goed zou doen. Duimen maar. Maar daar kwam nog iets bij: ze vond het vreselijk dat het voorbij was met Ted. Echt vreselijk. Het was gênant, echt afschuwelijk. En ook treurig. Ze dacht dat ze van hem had gehouden.

De rit van het vliegveld naar Park City was een goed begin. Met overal brede wegen en aan de horizon bergen die zich verhieven, was het net alsof ze een halfuur diep inademde. Een convertible zag er nooit goed uit op het onkostenoverzicht, maar Sarah haalde alles uit het schuifdak van de Chevy Camaro 2ss die ze had gehuurd.

Soms voelt het gewoon verdomd goed om met honderd kilometer per uur een hand in de lucht te steken en de koele lucht langs je vingertoppen te voelen zwiepen.

Sneller dan ze mogelijk had geacht was ze op het politiebureau van Park City.

'Mevrouw Brubaker, ik ben Steven Hummel, aangenaam,' zei de plaatselijke hoofdcommissaris.

In plaats van zijn secretaresse of de een of andere assistent te sturen begroette hij haar persoonlijk bij de voordeur van het bureau. Dat was altijd een goed teken. Er volgde meestal een goede verstandhouding.

Commissaris Hummel bleek inderdaad een nuchter type te zijn, wat logisch was voor een stad die een levende reclame was voor een winkel die buitensportspullen verkocht. Park City is in de zomer een paradijs voor wandelaars en afgezien van de twee weken waarin zielloze types uit Hollywood de stad in januari innemen voor het Sundance Film Festival is het in de winter een paradijs voor skiërs.

Hummel mocht dan wel een dichtgeknoopt overhemd onder zijn politie-uniform dragen, met zijn bruine, verweerde gezicht en warrige peper-en-zoutkleurige haar kon Sarah zich hem makkelijk voorstellen in zijn vrije tijd. Spijkerbroek, ruitjeshemd en waarschijnlijk een koud, plaatselijk gebrouwen pilsje in zijn hand.

'Kom, we gaan naar m'n kamer,' zei hij. 'We zijn klaar voor je.'

Halverwege liepen ze een kauwgum kauwende jonge hengst van een agent tegen het lijf die hen 'toevallig' tegemoetkwam. Hij wilde duidelijk worden voorgesteld.

'Mevrouw Brubaker, dit is rechercheur Nate Penzick,' zei Hummel.

Penzick stak zijn borst naar voren, gevolgd door zijn hand. 'Welkom in Park City,' zei hij.

Niets aan zijn toon gaf Sarah echter het gevoel dat ze welkom was. Ze wist meteen dat Penzick de agent was die op de moordzaak van O'Hara was gezet.

Dat gebeurde soms als ze aankwam in een dorp of stad – een agent, of misschien wel twee, die niet van een of andere FBI-agent wilden horen hoe ze hun werk moesten doen. Niet dat Sarah ooit van plan was dat tegen hen te zeggen. Maar het vooroordeel was hardnekkig bij de Penzicks van deze wereld. Iedere agent van de FBI denkt dat hij helemaal het mannetje is.

'Dank je,' zei Sarah met een glimlach, en ze negeerde zowel Penzicks toon als zijn kungfuachtige handgreep. 'Aangenaam.'

Overstelp ze met vriendelijkheid, was haar motto. Hoewel het op deze middag en na de nacht die ze gehad had een beetje extra wilskracht kostte om deze man niet bij zijn gesteven revers te pakken en uit te leggen dat zogenaamde macho's op dit moment niet hoog op haar lijstje met favorieten stonden. *Dus laat die arrogante houding maar achterwege, oké?*

Penzick kneep zijn ogen halfdicht. 'De commissaris heeft niet veel losgelaten over de reden waarom je hier bent, maar ik gok dat het met de moord op O'Hara te maken heeft,' zei hij.

'Inderdaad,' zei Sarah. Het had geen zin om tegen deze man te liegen.

Penzick kauwde zo hard op zijn kauwgum dat je zijn kaak kon horen kraken. Als commissaris Hummel zo relaxed was als een zondagmiddag, was deze vent het spitsuur op maandagochtend.

'Vanwaar die geheimzinnigheid?' vroeg hij. 'Ik bedoel, we horen allemaal bij hetzelfde team, toch?'

Sarah wierp een blik op Hummel, die fronste en zo te zien meteen spijt had van de introductie.

'Nee, maar serieus, hoe zit dat?' drong Penzick aan. 'Wat heeft de regering deze keer te verbergen?'

Hummel kwam eindelijk tussenbeide. 'Je moet het Nate maar vergeven,' zei hij. 'Hij is er nooit overheen gekomen dat ze *The X-Files* van de buis hebben gehaald.'

Zo, die zat.

'Heel grappig,' zei Penzick. Maar het hoefde hem niet nog een keer gezegd te worden. *Kappen, cowboy.* Hij wendde zich tot Sarah en gebruikte de beleefdste toon die hij kon veinzen. 'Ik kijk ernaar uit met u samen te werken, mevrouw Brubaker.'

'Het is al goed, Nate,' zei Hummel met een blik op zijn horloge. 'Sterker nog, het zou me verbazen als mevrouw Brubaker over een uur nog in Park City was.'

Sarah draaide zich naar hem om. Dit kwam volledig uit de lucht vallen. *Huh? Ik ben er net. Waar denk je dat ik heen ga?*

Hummel liet niets merken, in elk geval niet waar zijn jonge rechercheur bij was. 'Zoals ik al zei, laten we maar naar mijn kantoor gaan.'

HOOFDSTUK 38

Door de manier waarop Hummel zich gedroeg toen hij de deur van zijn kamer had dichtgedaan, dacht Sarah dat zijn opmerking dat ze binnen een uur weer weg zou zijn uit de stad wel een grap moest zijn. Dat, of de man leed aan ernstig geheugenverlies. Ze was een beetje beduusd, maar ook nieuwsgierig.

Hummer verklaarde zich niet nader. In plaats daarvan liep hij rechtstreeks naar een la achter zijn bureau, waar hij twee latex handschoenen en een zakje voor bewijsmateriaal met de paperback van *Ulysses* erin uit haalde.

'Eerst wil je dit zien,' zei hij.

Sarah trok de handschoenen aan en bladerde het boek door. Het was precies zoals ze had gehoord, een bibliotheekboek waarin niets was gemarkeerd, er waren geen aantekeningen, en zoals Driesen al had gezegd: nog geen ezelsoor.

Hummel leunde naar achteren in de stoel aan zijn bureau, en sloeg zijn handen achter zijn hoofd. 'Ik weet nog dat ik het op de universiteit moest lezen,' zei hij. 'Jezus, ik kon amper wijs worden uit de samenvatting.'

'Ik weet wat je bedoelt,' zei Sarah. 'Het is niet echt een vakantieromannetje.'

'Maar één ding kan ik je wel vertellen.'

'Wat?'

'Het was niet van het slachtoffer.'

'Oké. Hoe weet je dat?'

'Omdat ik John O'Hara kende,' zei hij. 'Hoe gaat het gezegde ook alweer? Mannen willen hem zijn, vrouwen willen bij hem zijn? Hij was een goeie vent, maar wat hij niet was…' Hummel zweeg even en zocht naar de juiste, of eerbiedigste manier om het uit te drukken. 'Laten we zeggen: het enige dat ik John ooit heb zien lezen, was een menukaart.'

'Voor alles is een eerste keer.'

'Geen boek van negenhonderd pagina's vol Iers dialect dat leest als stroop,' zei hij. 'Klassieker of geen klassieker. John was geen fan van James Joyce. Hij was nog niet eens fan van Stephen King.'

Sarah knikte. Dat klonk redelijk.

Net als Hummel had ze *Ulysses* op de universiteit gelezen. Dat was meer dan tien jaar geleden. Voordat ze die ochtend in het vliegtuig was gestapt, had ze het gedownload op haar e-reader en ze was er na het opstijgen weer aan begonnen. Ergens boven Kansas gaf ze zich gewonnen en had ze haar toevlucht gezocht bij haar iPod.

Waarom kon de moordenaar niet het laatste boek van Patricia Cornwall hebben achtergelaten?

'Als we ervan uitgaan dat de moordenaar het boek heeft achtergelaten, heb je dan enig idee wat dat te betekenen heeft?' vroeg Hummel.

'Nog niet. Jij?'

Hij glimlachte. 'Grappig dat je dat vraagt. Ik denk het eerlijk gezegd wel.'

HOOFDSTUK 39

Hummel was de opmerking die hij op de gang had gemaakt niet vergeten. Hij stond op het punt het uit te leggen.

'Elke stad in het land meldt zijn misdrijven aan VICAP,' begon hij. 'En zo'n beetje elk dorp ook. Maar niet echt elk dorp, toch?'

'Inderdaad,' zei Sarah. 'Meestal omdat ze niets bij te dragen hebben – zo laag zijn hun misdaadcijfers, of ze hebben écht helemaal niks. Wat goed is.'

'Dus laten we zeggen dat er in een van die kleine dorpjes een moord plaatsvindt, dan komt het misschien niet eens bij de politie op om het aan VICAP te melden. In elk geval niet meteen.'

'Ik weet zeker dat dat wel is gebeurd,' zei ze. 'Waarschijnlijk wel meer dan een paar keer.'

'Dat dacht ik ook,' zei Hummel. 'Maar de vraag is natuurlijk: hoe kun je dat zeker weten? De enige manier zou zijn om elk dorp voortdurend in beeld te houden.'

'Wat nou net de reden achter VICAP is: dat niemand dat zou hoeven doen. Maar goed, zoals je al zei, sommige misdrijven ontsnappen aan de aandacht.'

'Tenzij je precies weet waar je moet zoeken,' zei hij, en hij wees op het exemplaar van *Ulysses*.

Sarah vroeg wat hij bedoelde.

'Ben je ooit in Bloom in Wisconsin geweest?'

Nu snapte ze hem. Leopold Bloom was de hoofdpersoon van het boek. 'En daar woont een John O'Hara? In Bloom?'

'Ja, maar misschien is de locatie niet gebaseerd op een personage,' zei hij. 'Hoe zit het bijvoorbeeld met Joyce in Washington?'

'Bestaat dat echt?'

'Ja, en daar wonen zelfs twee John O'Hara's.'

Sarah bewoog haar hoofd naar achteren en weer naar voren terwijl ze dit overdacht. 'De moordenaar, die nu bij slachtoffer nummer drie in drie verschillende dorpen is, besluit ons een cadeautje te geven en te onthullen waar hij hierna toe gaat slaan.'

'Of waar hij al heeft gemoord,' zei Hummel. 'Dit zijn kleine dorpjes.'

'In tegenstelling tot bijvoorbeeld... Dublin in Ohio.'

Hummel wees naar haar als de presentator van een spelprogramma na een goed antwoord.

'Precies,' zei hij. 'Redelijk grote stad en dus melden ze alles aan VICAP. Maar er staan daar drie John O'Hara's geregistreerd, dus ik heb toch maar gebeld.'

'Wacht, heb je al telefoontjes gepleegd?'

'Ja.'

'Maar je hebt toch niet...'

Geamuseerd hield Hummel zijn handen omhoog. 'Maak je geen zorgen, ik heb niet gevraagd of er ook dode John O'Hara's zijn. Alleen of er de afgelopen vierentwintig uur iemand vermoord is.'

'En?'

'Nee. Niet in Dublin, niet in Joyce, niet in Bloom.'

Sarah keek Hummel ontmoedigd aan. Zijn theorie was een tien waard voor verbeelding, maar een dikke onvoldoende voor het resultaat. *Waarom vertelt hij me dit allemaal? Er moet een reden voor zijn. En hopelijk een goede... Nu praat hij alleen maar om zichzelf te horen.*

'Zijn er nog andere dorpen?' vroeg ze. Ze wist dat Blooms vrouw in de roman Molly heette. 'Is er bijvoorbeeld een Molly in Nebraska? Een Molly in Wyoming?'

'Nee, maar er is wel een Bloomfield in New Mexico,' zei hij.

Sarah fronste haar wenkbrauwen. 'Is dat niet een beetje vergezocht?'

'Ja, het was maar een geintje. Maar er woont wel een John O'Hara, dus ik heb toch gebeld en ik heb Cooper Millwood gesproken, de hoofdcommissaris daar. Er blijkt daar al zeventien jaar niemand vermoord te zijn. Maar toen zei hij dat het grappig was dat ik belde.'

'Grappig?'

'Nou ja, niet om te lachen,' zei Hummel. 'Millwood zei tegen me dat hij net zijn neef had gesproken, de sheriff van Candle Lake, een nabijgelegen dorp. Daar is al eenentwintig jaar niemand vermoord, maar die ochtend hadden ze een melding gekregen dat er iemand werd vermist.'

Sarah ging rechter in haar stoel zitten. 'Dat meen je niet...'

'Inderdaad, hoe groot is de kans? John O'Hara uit Candle Lake is meer dan vierentwintig uur geleden voor het laatst gezien.'

Hummel had gelijk. Sarah was alleen maar op doortocht. De eerste regel als je een seriemoordenaar wilt vangen? Ga naar het warmste lijk.

Tot ziens, Park City. Hallo, Candle Lake.

En alles dankzij de tweede regel over het vangen van een seriemoordenaar.

Dwing als het maar enigszins kan een mazzeltje af.

HOOFDSTUK 40

Gate B20, weggestopt in een hoekje van Delta's terminal voor internationale vluchten op JFK Airport, zat propvol toeristen die stuk voor stuk eindeloos wachtten op hun vlucht naar Rome die op die zondagmiddag twee uur vertraagd was en vervolgens nog een uur.

De temperatuur liep steeds hoger op.

Intussen liepen batterijen leeg. Geen wonder dat bij elk stopcontact van het gratis oplaadstation in de hoek een wirwar van snoeren van een massa telefoons en muziekspelers hing. De een of andere kilowatts verslindende dwaas had zelfs zijn eigen stekkerdoos meegenomen, zodat hij genoeg stopcontacten had voor vijf iPads, eentje voor elk lid van zijn familie.

Misschien wel de enige twee passagiers die zich niets aantrokken van de vertraging, waren pas getrouwd. Scott en Annabelle Pierce zaten heel knus aan een van de kleine tafeltjes bij de Starbucks op een steenworp afstand van de gate.

De cafeïnejunks hadden elkaar zelfs leren kennen bij een Starbucks. Het was die op East 57th Street en Seventh Avenue in Manhattan. Niet te verwarren met de Starbucks aan de andere kant van de straat.

Annabelle dacht dat ze haar chai latte met extra schuim had gepakt, maar kwam er toen achter dat ze per ongeluk Scotts extra warme skinny cappuccino mee had gegrist.

'Ik probeer die van jou als jij die van mij probeert,' zei Scott.

Annabelle glimlachte en bloosde zelfs een beetje. 'Afgesproken.'

Het was liefde bij het eerste slokje geweest, en binnen een paar minuten hadden ze telefoonnummers uitgewisseld en beloofden ze elkaar te bellen. Bijna twee jaar later beloofden ze elkaar eeuwige trouw.

En de dag erna stonden ze op het punt om aan hun huwelijksreis naar Rome te beginnen. *Wat deed het ertoe dat de vlucht vertraagd was? Wat doen een paar uur ertoe als je jong en zalig verliefd bent?*

'Laten we ze nog een keer bekijken!' zei Annabelle dweperig. Ze gloeide nog na van de huwelijksvoltrekking en de receptie in de New York Botanical Garden. 'Begin bij het begin.'

Ze hadden talloze cadeaus gekregen, en veel ervan waren belachelijk duur, dankzij de vrienden van hun welgestelde ouders, maar het beste cadeau van allemaal was een kleine digitale camera geweest. Een gebruikte nog wel.

Maar hóé hij was gebruikt...

Edwards getuige – Phil Burnham, afgekort tot 'Phil B.' – had een nieuwe Canon PowerShot ingewijd door er de hele dag foto's mee te maken. Na de receptie knoopte hij een strik om de camera en gaf hem aan Scott en Annabelle toen ze in hun limousine stapten. Echt slim.

Goed getimed ook. Terwijl de officiële huwelijksfotograaf pas over een paar weken haar chique zwart-witfoto's in een album zou bezorgen, konden Scott en Annabelle voorovergebogen over het schermpje van zeven bij zeven centimeter hun grote dag al opnieuw beleven, keer op keer.

Dat wil zeggen, tot alles opeens alle kanten op vloog. Hun tafeltje, hun instapkaarten, hun twee koffies. Alles kletterde en spetterde op de grond.

'O god!' zei de klunzige vreemdeling die was gestruikeld over een koffertje dat tegen een stoel vlakbij stond. 'Sorry!'

'Het geeft niet,' zei Scott, en hij trok het tafeltje overeind. Annabelle controleerde of ze geen koffie op haar witte pantalon had geknoeid.

'O, en kijk, ik heb jullie koffie omgestoten,' zei de vreemdeling. 'Laat me alsjeblieft nieuwe voor jullie kopen.'

'Echt, het geeft niet, maak je geen zorgen,' zei Scott, die een beetje op Colin Hanks leek, de zoon van Tom Hanks.

'Nee, ik sta erop. Dat is wel het minste wat ik kan doen.'

Scott en Annabelle wisselden een blik alsof ze elkaar vroegen: 'Hoe zullen we dit aanpakken?' Een van de slimste dingen van hen als stel, iets wat hun vrienden in elk geval hadden opgepikt, was dat ze hele gesprekken konden voeren zonder ook maar een woord te zeggen.

Scott trok een wenkbrauw op. Annabelle tuitte haar lippen. Ze knikten allebei in overeenstemming.

'Oké, als je erop staat,' zei Scott beleefd tegen de vreemdeling. 'Bedankt.'

'Nee, jullie bedankt. Zeg maar wat jullie dronken.'

Dat deed Scott, zich er niet van bewust dat hij en zijn prachtige bruid op het punt stonden een van de waardevolste levenslessen te leren.

Laat nooit een seriemoordenaar koffie voor je kopen.

HOOFDSTUK 41

'Oké, kijk eens aan, gloednieuw... één grote chai latte met extra schuim en één grote skinny cappuccino, extra warm,' zei de vreemdeling, die in de ogen van Scott en Annabelle heel snel en soepel veranderd was van klunzig tot een kei. 'Maar ik moet het vragen: hoe kunnen jullie dit drinken als het zo heet is?'

'Ik zal wel een hoge pijngrens hebben,' grapte Scott toen hij zijn nieuwe cappuccino aangereikt kreeg. Alsof hij zichzelf uitdaagde, nam hij prompt een slokje en glimlachte.

O, wat een ironie.

De vreemdeling lachte terug – breed, heel breed – en wendde zich tot Annabelle. 'En jij? Heb je genoeg schuim?'

'Even kijken,' zei ze, en ze bracht de rand van haar chai latte naar haar mond. Ze stak haar duim op. 'Schuim genoeg.'

'Weet je het zeker, lieverd?' vroeg Scott met een uitgestreken gezicht.

Annabelle had een snoezig schuimsnorretje. Ze zag eruit als een reclame voor een melkcampagne.

'Neem me niet kwalijk,' zei Scott tegen de vreemdeling. Hij boog voorover en kuste het snorretje van Annabelles bovenlip. Zij bloosde, hij lachte.

De vreemdeling knikte veelbetekenend en wees naar hen. 'Dat dacht ik al. Jullie zijn net getrouwd, hè? Ik had al zo'n voorgevoel. Heb ik het goed?'

'Helemaal,' zei Scott. 'We zijn gisteren getrouwd.'

'En met een beetje geluk vertrekken we in ons eerste jaar nog op huwelijksreis,' grapte Annabelle.

'Zit jij ook op deze vlucht?' vroeg Scott aan de vreemdeling. 'Ga je naar Rome?'

'Ja,' loog de vreemdeling. 'Als we ooit…'

'Wacht,' zei Annabelle, en ze strekte haar hals om naar de gate te kijken. 'O, kijk nou! Ik geloof dat we eindelijk aan boord kunnen.'

Delta vlucht 6589 naar Rome stond eindelijk op het punt te vertrekken.

'Ik zie jullie wel aan boord,' zei de vreemdeling. 'Ik moet nog even wat kauwgum kopen voor m'n oren. Die gaan altijd dicht als ik vlieg.'

'Ik weet wat je bedoelt. Die van mij ook,' zei Scott. 'Hé, nogmaals bedankt voor de koffie.'

'Geen dank.' *Nee, echt. Graag gedaan.*

Scott en Annabelle pakten hun koffertjes en liepen met hun koffie naar de rij bij de gate. Na nog een paar slokjes draaiden ze zich naar elkaar toe. Scott kneep zijn ogen halfdicht. Annabelle trok haar neus op. Ze staken allebei hun tong uit.

'Inderdaad,' zei Scott, en hij keek naar zijn skinny cappuccino, extra warm. 'Die van jou smaakt ook raar, hè?'

'In het begin niet. Misschien merkte ik het niet door het extra schuim. Maar nu…'

'Laten we ze weggooien.'

'Dat kunnen we niet maken.' Annabelle wierp een blik over haar schouder. Ze hield altijd rekening met manieren en etiquette. 'Niet hier.'

Scott begreep wat ze bedoelde. Hij draaide zich om en zag de vreemdeling bij de kiosk van Hudson staan en een stukje kauwgum uit het papiertje halen.

'We gooien ze wel weg in het vliegtuig,' fluisterde hij.

'Goed idee,' fluisterde Annabelle terug.

'Dit is de laatste oproep voor vlucht 6589 naar Rome,' klonk een stem bij de gate.

Annabelle sloeg haar arm in die van Scott. 'Wat gaan we het eerst doen als we daar aankomen?' vroeg ze.

'Nadat we het bed hebben ingewijd, bedoel je?'

Speels porde ze hem in zijn ribben. 'Ja, daarna.'

'Dat weet ik niet, misschien kunnen we het Colosseum inwijden.'

Annabelle wilde hem nogmaals porren toen ze opeens een gil slaakte. Scott was voorovergebogen en er spoot braaksel uit zijn mond als in een scène uit *The Exorcist*. Alleen was het niet groen als erwtensoep maar helderrood. Hij braakte zijn eigen bloed, met emmers tegelijk.

'Lieverd, wat is…'

Verder kwam Annabelle niet voordat ze op de grond zakte, met de knieën van haar witte pantalon – *splet!* – in haar eigen braaksel.

Hulpeloos keken ze elkaar aan. Ze zeiden geen woord. Ze konden geen woord uitbrengen. Ze gingen dood. Heel snel. Ongelooflijk snel.

Terwijl Scott voor het laatst naar adem hapte, draaide hij zich om en trof de blik van de vreemdeling die het zilverpapiertje van een plakje Juicy Fruit verfrommelde.

Hoe gaat het met die hoge pijngrens van je, vriend?

De vreemdeling glimlachte – breed, heel breed – en zwaaide het pasgehuwde stel van vlucht 6589 naar Rome na.

Sogni d'oro! Arrivederci!

HOOFDSTUK 42

'Kijk eens wie we daar hebben,' zei dokter Kline toen ik zijn kantoor in hartje Manhattan binnenkwam. 'Je leeft nog.'

Niet dat hij ooit had gedacht dat ik dood was. Waarom zou ik dood zijn? Dit was zijn manier waarop hij me een standje gaf voor het feit dat ik onze vorige sessie had gemist, een beetje zoals mijn footballtrainer op de middelbare school als ik ook maar heel even te laat aankwam voor een training zei: 'Fijn dat u kon komen, meneer O'Hara!'

Het verschil was dat Kline niet op het punt stond te blaffen dat ik me twintig keer moest opdrukken. Ik hoopte in elk geval dat hij dat niet ging zeggen.

'Je hebt Frank Walsh gesproken, toch?' vroeg ik, en ik ging tegenover hem op 'De Bank' zitten.

Mijn baas bij de FBI speelde nu ook mijn moeder. Ik voelde me net het kind op de kleuterschool bij wie een briefje op zijn jas zat gespeld. *Beste dokter Kline, Johnny kon helaas niet op zijn vorige afspraak komen omdat hij een boef op de Turks- en Caicoseilanden probeerde te vangen.*

'Ja, Walsh heeft me bijgepraat over je bemoeienis met Warner Breslow,' zei Kline. 'Daarna zei hij dat ik alles moest vergeten wat hij had gezegd.'

Echt iets voor Frank Walsh.

'De FBI is officieel niet bij de zaak betrokken,' legde ik uit. 'Daarom zei hij dat.'

'Dat snap ik, en maak je geen zorgen. Deze kamer is nog beter dan Vegas. Wat hier gebeurt, móét hier blijven.'

'Met één belangrijke uitzondering,' zei ik.

Kline glimlachte. 'Inderdaad, je hebt gelijk. Tenzij je me gaat vertellen dat je iemand gaat vermoorden.'

Deze man wist hoe hij een gesprek moest sturen.

'Ik zal het je makkelijk maken,' zei ik. 'Frank had gelijk. Vanaf het moment dat ik de zaak-Breslow heb aangenomen, heb ik geen moment meer aan Stephen McMillan gedacht. Niet één keer. Ik meen het.'

'Dat is goed,' zei hij.

Dat was het ook. Dat betekende niet dat ik die klootzak niet nog steeds wilde vermoorden om wat hij mijn gezin had aangedaan. Het betekende alleen dat ik er niet dag en nacht over nadacht hoe ik dat zou doen.

Rustig aan, O'Hara, rustig aan…

Ik zag dat Kline in tegenstelling tot onze eerste sessie een schrijfblok op zijn schoot had liggen. Hij noteerde iets.

'Mag ik vragen wat je opschrijft?'

'Ja hoor,' antwoordde hij. 'Ik maakte een aantekening voor mezelf over iets wat je net zei, een bepaald woord om precies te zijn.'

'Welk woord?'

'Je noemde je betrokkenheid bij de moord op Ethan Breslow en zijn nieuwe bruid een zaak. Dat vind ik interessant.'

Ik was me er niet eens van bewust dat ik dat had gezegd. 'Is dat een soort freudiaanse verspreking?'

Kline grinnikte. 'Freud was een dronkenlap en een notoire rokkenjager met een moedercomplex.'

Ja, maar wat vind je écht van hem, dokter?

'Goed, we laten Sigmund buiten beschouwing,' zei ik. 'Maar wat is er bijzonder aan dat ik het over een zaak heb?'

'Het duidt op je motivatie,' legde hij uit. 'Waarom je voor de kost doet wat je doet, en de rol die je beroep speelt in je privéleven.'

Tijd voor scepsis. 'En dat allemaal door één woord?'

'Zaken zijn persoonlijk, John. Als je elke zaak persoonlijk maakt, wat gebeurt er dan als iets echt persoonlijk is, zoals de man die verantwoordelijk is voor de dood van je vrouw?'

'Dan eindig ik hier bij jou, dat is wat er gebeurt,' zei ik, en ik sloeg mijn armen over elkaar. 'Ik snap waar je heen wilt, maar misschien ben ik daardoor wel goed in wat ik doe. Dat ik het heel persoonlijk opvat.'

Hij boog naar voren en staarde recht in mijn ogen. 'Maar niemand heeft iets aan je als je geen baan hebt. Of erger nog, achter de tralies zit.'

Hmmm.

Ik heb een hekel aan mensen die 'touché' zeggen als ze iets moeten toegeven, maar als er ooit een moment voor mij was om het te zeggen, was dit het wel. Kline vertelde me eigenlijk niets wat ik diep vanbinnen niet al wist. Hij bracht het alleen aan het oppervlak op een manier waarop ik dat zelf niet zou kunnen of willen.

Plotseling keek ik niet meer naar Kline. Ik staarde misschien wel terug naar hem, maar in plaats van hem zag ik mijn jongens. Hoezeer ze me nodig hadden.

En hoe egoïstisch ik was geweest.

Hadden ze niet al genoeg meegemaakt? Was ik zo blind? Zo dom?

Ik was er zo op gebrand geweest de dood van hun moeder te wreken dat ik had verzuimd haar leven – ons leven – met onze zoons te vieren. Wat een enorme, gigantische, kolossale vergissing.

'Vind je het erg als we iets vroeger met deze sessie stoppen?' vroeg ik.

Ik rekende erop dat hij verbaasd zou zijn, misschien zelfs een beetje kwaad. Onze vorige sessie had ik gemist en nu probeerde ik me zo snel mogelijk uit de voeten te maken. Ik zat net.

Maar Kline glimlachte slechts. Hij wist wanneer er vooruitgang werd geboekt. 'Ga maar doen wat je moet doen,' zei hij.

HOOFDSTUK 43

Edward Barliss, manager van Camp Wilderlocke, keek me aan alsof ik van Mars kwam. Nee, erger nog. Hij keek me aan alsof ik een helse vader was.

Na een rit van drie uur uit Manhattan was ik onaangekondigd zijn kleine kantoor – ruikend naar dennenhout – op het zes hectare grote terrein in Great Barrington binnen gekomen. Had ik al gezegd dat het onaangekondigd was?

'Meneer O'Hara, wat doet u hier?' vroeg hij.

'Ik ben hier om mijn kinderen te zien.'

'Maar de bezoekdag voor familie is volgende week pas.'

Daar was me ik van bewust. Ik was me er ook van bewust dat ik de regels van Camp Wilderlocke overtrad, en dat Edward Barliss en zijn mede-Wilderlockianen hun regels heel ernstig namen. Naast het verbod op de elektronische gadgets – waar ik vierkant achter stond – mochten de kinderen pas na tien dagen van hun vierweekse verblijf naar huis bellen. Dat was een regel waar ik minder enthousiast achter stond.

'Ik weet dat het geen bezoekdag is, en het spijt me,' zei ik. 'Maar dit kon niet wachten. Ik moet ze zien.'

'Is er een noodgeval in de familie? Is er iemand gestorven?' vroeg hij.

'Nee, er is niemand gestorven.'

'Maar is het een noodgeval?'

'Ja, dat zou je kunnen zeggen.'

'Is het medisch?'

Hij staarde me aan in zijn roodgeruite overhemd en wachtte op mijn antwoord. Ik staarde terug en vroeg me af hoe lang we dit vraag-en-antwoordspel moesten spelen. Als je een blik door zijn kantoortje liet gaan – de keurig opgestapelde dossiers, de manier waarop de punaises in een rechte lijn op zijn prikbord zaten – wist je meteen dat Barliss een man was die er trots op was georganiseerd te zijn, overal bovenop te zitten. Als ongenode gast was ik ongeveer net zo welkom als een wandluis in een van zijn hutjes.

Wacht maar tot je de rest hoort, vriend. Zet je maar schrap, oké?

Als het hem niet aanstond dat ik hier was om Max en John junior te zien, zou wat ik met hen van plan was hem nog minder zinnen.

Ik had geen zin om eromheen te draaien en flapte het eruit.

'Wát bent u van plan?' vroeg hij. Het was volkomen ongeloof. Alsof ik een kind zojuist had verteld dat de Kerstman en de paashaas niet bestonden terwijl ik van zijn Halloweensnoepgoed at.

'Zie het maar als een uitstapje,' legde ik uit. 'Ik beloof dat ik ze over een paar uur weer terugbreng.'

'Meneer O'Hara, ik ben bang…'

Ik onderbrak hem. Ik moest wel. Barliss was precies wat je wilde van iemand aan wie je je kinderen toevertrouwde… tot op zekere hoogte. Maar uiteindelijk was hij toch een kampleider, niet Herr Direktor, en ik had deze hele rit niet gemaakt om weer om te draaien en naar huis te gaan. Moeilijke tijden vragen om drastische maatregelen. Het was tijd om zijn punaises opnieuw te rangschikken.

'Bang? Niet bang zijn, Ed,' zei ik. 'U hoeft zich helemaal geen zorgen te maken over het feit dat ik net van de psych kom waar ik van mijn baas bij de FBI heen moet omdat hij bang is dat ik helemaal losga op iemand. En als u dat toch doet, kunt u gerust zijn: mijn wapen is afgepakt, in elk geval het wapen waar ze over weten. Kunt u nu iemand mijn jongens laten halen?'

De arme man. Langzaam pakte hij een walkietalkie en zei tegen een paar begeleiders dat ze Max en John junior moesten gaan zoeken. Al die tijd hield hij me in de smiezen om te kijken of ik geen onverwachte beweging maakte.

Twee minuten later kwamen de jongens binnen. Ze waren bruin en zweterig in hun korte broek en T-shirt, met schrammen op hun knieën en vegen in hun nek en ellebogen. Ze zagen eruit en roken als… nou ja, als kamp.

Max' gezicht klaarde op, hij was blij me te zien. J.J.? Minder. Hij had dezelfde openingsvraag als manager Barliss.

'Pa, wat doe je hier?'

'Ik moet jullie ergens mee naartoe nemen, een plek die jullie moeten zien.'

'Nu meteen?'

'Ja, nu meteen. Ik beloof dat het niet lang duurt. Ik breng jullie allebei voor het eten weer terug.'

J.J. keek me aan zoals alleen een jongen van dertien dat kan als hij zich doodschaamt dat hij hetzelfde DNA als jij heeft.

'Ben je gek?' vroeg hij.

'Nee,' zei ik. 'Ik ben je vader. Kom op, we gaan.'

HOOFDSTUK 44

Toen we tien minuten onderweg waren, gaven de jongens zich eindelijk gewonnen en ze vroegen niet meer waar we heen gingen. Ik moet hebben geklonken als een plaat die blijft hangen. 'Ik leg het wel uit als we er zijn,' zei ik steeds.

Na nog eens twintig minuten waren we er eindelijk.

'Een hotel? Neem je ons mee naar een hotel?' dreinde John junior terwijl hij opkeek naar het bord van de Poets Inn in het stadje Lenox in Massachusetts.

'Ten eerste is het geen hotel. Het is een herberg,' legde ik kalm uit, en ik knikte naar het majestueuze negentiende-eeuwse gebouw, inclusief een torentje en een galerij die om het hele gebouw liep. 'Ten tweede: ja, dit is waar ik jullie mee naartoe neem.'

'Ik dacht dat je zei dat we voor etenstijd weer terug zou zijn,' zei Max met een blik van afkeuring. 'Vanavond eten we pizza peperoni, mijn lievelingseten.'

'Maak je geen zorgen, we blijven niet slapen.' Ik parkeerde de auto en draaide me om naar de achterbank. Ze zaten daar als twee chagrijnige zoutzakken. 'Vertrouw me nou maar, jongens, oké? Kunnen jullie dat? Alsjeblieft?'

Met tegenzin sjokten ze mee naar binnen en ik zei dat ze bij de ingang moesten wachten terwijl ik even met de eigenaar, Milton, ging praten, die achter de balie stond. Toen ik hem had gebeld voordat we uit Manhattan waren vertrokken, had ik maar twee vragen voor hem gehad, en één ervan betrof een gunst.

'Is de Robert Frost-kamer bezet?' en: 'Mag ik hem een paar minuten lenen?'

'Hij is vrij,' antwoordde Milton op de eerste vraag, gevolgd door 'ga je gang' op de tweede. Over gastvrijheid gesproken. Milton was nog net zo aardig als toen ik hem voor het eerst had ontmoet... vijftien jaar geleden.

'Kom mee, jongens,' zei ik tegen de jongens toen ik de sleutel had gekregen. Ja, een echte sleutel. Geen kaartje met een magneetstrip of een rood lichtje dat tijdens je eerste zeven pogingen vervelend knipperde.

We namen de drie trappen naar de bovenste verdieping, naar de Robert Frost-kamer. Het tapijt in de gangen was versleten, de verf bladderde een beetje bij het lijstwerk, maar het voelde eerder knus dan afgeleefd aan. Precies zoals ik het me herinnerde.

'Ben je hier eerder geweest, pa?' vroeg Max, een beetje kortademig omdat hij twee treden tegelijk had moeten nemen om zijn oudere broer en mij bij te kunnen houden.

'Ja,' zei ik. Ik deed de deur open en we liepen naar binnen. 'Eén keer.'

John junior keek om zich heen naar het hemelbed en de fluwelen gordijnen, heel iets anders dan zijn kamphut. 'En waarom zijn we teruggekomen?' bromde hij.

'Omdat ik jullie iets verschuldigd ben,' zei ik. 'En het begint hier.'

HOOFDSTUK 45

We stonden midden in de kamer, halverwege tussen het bed en de grote open haard met de mantel van kersenhout. Max en John junior stonden naast elkaar en staarden me aan. Op dat moment zag ik hen allebei weer voor me als baby in Susans armen.

Ik ademde diep in en langzaam weer uit.

'Toen jullie moeder was gestorven, praatte ik niet meer over haar tegen jullie,' begon ik. 'Ik hield me voor dat jullie haar daar alleen maar meer door zouden missen. Maar dat was een vergissing. Ik was degene die bang was dat ik haar meer zou missen. Ik besef nu dat ze er niet meer is, maar ze is nog wel jullie moeder, en dat zal ze altijd blijven. Daar kan niks iets aan veranderen. Dus als ik niet over haar praat en de verhalen en herinneringen aan onze relatie niet met jullie deel, ontzeg ik jullie iets heel belangrijks. En dat wil ik niet, niet meer. Daarom zijn we hier.'

Max keek me vragend aan. Ik wist dat dit voor een jongen van negen veel was om te bevatten, maar hij zou niet altijd negen zijn. 'Ik snap het niet, papa,' zei hij.

John junior duwde tegen zijn schouder. 'Hij bedoelt dat hij hier met mama heeft geslapen.'

Ik glimlachte en de herinneringen spoelden nu over me heen. 'Vijftien jaar geleden lag er een halve meter sneeuw buiten en jullie moeder en ik zaten voor die open haard en dronken een fles champagne,' zei ik. 'En toen deed ik het verstandigste wat ik ooit heb gedaan. Ik vroeg haar ten huwelijk.'

'Echt? Hier in deze kamer?' vroeg Max.

'Ja, echt,' zei ik. 'Ik kan het zelfs bewijzen.' Ik liep naar de kast naast een dressoir en opende hem. 'Kom hier, jongens.'

Ze liepen naar me toe en keken. Er waren maar een paar hangertjes. 'Hij is leeg,' zei John junior.

'Dat denk je maar.' Ik tilde Max op en hees hem op mijn schouders. 'Zie je die laatste plank daar in de bovenkant?' vroeg ik. 'Duw er maar tegen.'

Max stak zijn arm uit naar de laatste plank voor de achterwand van de kast. 'Hé, wauw,' zei hij toen zijn kleine vingers hem omhoogduwden.

'Ga nu maar helemaal naar links,' zei ik.

Hij voelde even. 'Er ligt niks,' zei hij iets te snel. 'Wat zoek ik?'

'Zoek verder,' zei ik. 'Het is klein, maar ik weet zeker dat het er nog ligt.' Ik had de woorden amper uitgesproken of ik hoorde hem opgewonden 'hebbes!' roepen.

Ik zette Max op de grond. Hij draaide zich om en opende zijn hand. Afgezien van het laagje stof zag hij er precies zo uit als ik hem vijftien jaar geleden had achtergelaten: de kurk van de fles champagne die Susan en ik die avond hadden gedronken.

John junior boog naar voren om beter te kijken. Hij zei geen woord.

'Kunnen jullie het lezen?' vroeg ik.

Max plaatste de kurk tussen zijn duim en wijsvinger en draaide hem rond tot hij de datum kon zien. '14 januari 1997' had ik er met een zwarte viltstift op geschreven. Gevolgd door: 'Ze zei ja!'

Toen zag Max wat Susan had geschreven. 'Is dat mama's handschrift?' vroeg hij.

Ik knikte.

'Ha kids!' las hij hardop. Zijn mond viel open van ongeloof.

'Het was haar idee om op een dag onze kinderen hier mee naartoe te nemen,' zei ik. 'Het leek haar cool om jullie dit te laten zien.'

Ik keek naar John junior, die nog steeds geen woord had gezegd. Maar nu kon hij dat ook niet. Hij had het te druk met doen alsof het geen traan was die net uit zijn rechteroog was gevallen. Hij veegde hem zo snel weg dat alleen ik het kon zien, niet zijn kleine broertje.

Zonder zelf een woord te zeggen, omhelsde ik hem. Ik kneep hard. Hij kneep nog harder terug. Dat was voor het eerst.

'Wat zullen we hiermee doen, pa?' vroeg Max. 'Mogen we hem houden?'

Zo ver had ik niet vooruitgedacht. 'Ja hoor,' zei ik. 'Jullie kunnen hem bewaren, oké?'

'Of misschien kunnen we hem terugleggen,' zei John junior zacht. 'Waar hij altijd heeft gelegen.'

Ik draaide me om naar Max, die leek te twijfelen. Hij beet op zijn onderlip.

'Dat is misschien best een goed idee van je broer,' zei ik. 'Het heeft iets troostrijks als je weet dat de kurk hier altijd zal liggen, een mooie herinnering die je altijd kunt koesteren.'

Ik zag Max' gezicht plotseling opklaren. Nu was het mijn beurt om te huilen.

'Ja,' zei hij. 'Net als mama zelf, hè?'

HOOFDSTUK 46

Zoals ik had beloofd, waren Max en zijn broertje op tijd terug in het kamp voor hun pizza. Ik had zelf ook een stuk mee moeten grissen, want ik was nog niet halverwege, of ik had al razende honger. *Wie had kunnen bedenken dat je van al dat louterende gedoe zo'n honger kon krijgen?*

De redding kwam al snel, in de vorm van een tent langs de Taconic State Parkway die de Heavenly Diner heette. Op een met de hand beschilderd bord in het raam stond: ZONDAARS OOK WELKOM! Goeie.

Ik bedankte voor een van de bankjes van blauw kunststof en koos een plek aan de toonbank, waar ik meteen de Cholesterol Special bestelde: een cheeseburger met bacon, patat en een chocolademilkshake, extra dik.

'Komt eraan,' zei de geroutineerde serveerster van wie de blonde pruik een klein rukje naar links nodig had, om het beleefd uit te drukken.

Ze schuifelde weg en ik pakte mijn mobieltje om mijn mail te checken. Niks dringends, of je moet de dode oom meetellen die ik kennelijk in Nigeria had en die me vijfendertig miljoen dollar had nagelaten.

Ik wilde de telefoon net weer in mijn zak steken toen hij overging. Er verscheen geen naam in het schermpje, maar ik herkende het nummer. Het was commissaris Eldridge op de Turks- en Caicoseilanden.

'Ha, Joe,' zei ik.

We spraken elkaar nu bij de voornaam aan. Sterker nog: hij kwam de laatste keer dat we elkaar spraken zelfs met een 'Johnny-O'. Dat was toen ik vroeg of hij erachter kon komen hoeveel Chinese paspoorten de afgelopen weken zijn land waren binnen gekomen.

De resultaten waren binnen.

'Zeven,' zei Eldridge.

Een miljard Chinezen op aarde en maar zeven waren er afgereisd naar de Turks- en Caicoseilanden. Vreemd genoeg klonk dat wel aannemelijk.

'Viel iemand ervan je op?' vroeg ik.

'Wat zegt die Sarah Palin van jullie ook alweer? Nou en of.'

Er waren drie Chinese stellen geweest die op drie verschillende dagen waren aangekomen, legde hij uit. In elk geval was het hotel dat ze hadden genoteerd op het formulier van de douane het hotel waar ze ook echt verbleven. Dat had hij laten natrekken.

'Niet dat de moordenaar per se in hetzelfde resort als Ethan en Abigail Breslow verbleef,' gaf hij toe. 'Maar raad eens voor wie dat wel gold?'

Inderdaad. Kandidaat nummer zeven.

'En wie is dat?' vroeg ik.

'Hij heet Huang Li,' zei hij. 'Hij checkte twee dagen voor de moorden in bij de Governor's Club.'

'Wanneer is hij uitgecheckt?'

'Twee dagen later.'

'Weten we nog meer?' vroeg ik.

'Niet echt. Een jongen die bij het zwembad werkt, weet nog dat hij hem zag, maar meer niet. Ik moet deze gesprekken buiten het terrein voeren, als je begrijpt wat ik bedoel.'

'Ik zal die man hiervandaan ook natrekken, ik zie wel wat ik boven tafel kan krijgen.'

'Hopelijk meer dan ik,' zei hij. 'Ik ga er dan natuurlijk wel van uit dat het algemeen bekend is waar de Breslows hun huwelijksreis vierden, toch?'

Ik gaf geen antwoord. Eerlijk gezegd hoorde ik hem nauwelijks. Hij had net zo goed de leraar in een *Peanuts*-cartoon kunnen zijn.

'John?' vroeg hij. 'Ben je er nog?'

En of ik er was. Maar door wat ik vanuit mijn ooghoek zag, besefte ik opeens dat ik ergens anders moest zijn.

'Joe, ik moet je terugbellen,' zei ik.

'Alles goed daar?'

'Dat weet ik niet.'

HOOFDSTUK 47

De patholoog nam niet eens de moeite op te kijken van zijn lunch. 'Jij bent een vriend van Larry, toch?' vroeg hij aan me.

Om eerlijk te zijn had ik geen flauw idee wie Larry was, maar ik kende de vrouw bij de antiterreureenheid die met Larry bij de havenautoriteit van New York werkte en van wie de broer bij het forensisch laboratorium van de New Yorkse politie de vriend was van de lijkschouwer die nu achter zijn bureau tegenover me zat, met een blikje perziksap in de ene hand en een half opgegeten volkorenbroodje ham in de andere.

Noem het maar Six Degrees of O'Hara Heeft Een Gunst Nodig.

En het was allemaal begonnen met drie woorden die ik op de televisie zag die boven de toonbank van de Heavenly Diner hing. Een verslaggever van CNN stond bij JFK Airport. Het geluid stond uit, maar de kop in grote witte letters boven schreeuwde het uit, in elk geval wat mij betrof: PASGETROUWD STEL DOOD.

Zodra ik Joe had opgehangen, deed ik direct een beroep op mijn voormalige collega's van de New Yorkse politie. Ik had details nodig. Ik moest toegang krijgen.

Misschien was dit echtpaar dat zo snel na de Breslows was omgekomen slechts toeval, maar toen ik de vreselijke details te horen kreeg over wat er was gebeurd in die terminal van Delta, dacht ik meteen het tegendeel.

Het moeilijkst zou zijn om bevestiging te krijgen. En snel.

De volkomen ongeïnteresseerde patholoog-anatoom – officieel de plaatsvervangend lijkschouwer – keek eindelijk naar me op in zijn overvolle kantoor in Queens. Hij heette dokter Dimitri Papenziekas, een Griek met de houding van een echte New Yorker. 'Hé, ik ben verdomme Superman niet,' deelde hij mee.

Ja, en ik ben de Green Hornet niet. Dus nu we dat hebben vastgesteld…
'Hoe snel?' vroeg ik. 'Meer hoef ik niet te weten.'

Hoe snel kon hij een onderzoek afronden om te bepalen of er cyclosarine aanwezig was in de lichamen van het stel op JFK?

'Morgenmiddag,' zei hij.

'En vanavond?'

En wat dacht je ervan om erin te zakken? zei zijn uitdrukking. Maar dan nog iets grover.

'Oké, oké… morgenochtend dan,' zei ik, alsof ik degene was die hem de gunst deed.

Dimitri nam een hap van zijn broodje en zijn hoofd ging op en neer terwijl hij kauwde en nadacht. 'Prima, morgenochtend,' zei hij. Toen zwaaide hij met zijn vinger. 'Maar ga me nou niet over een paar uur bellen om te vragen hoe het gaat. Dan neem ik pas echt mijn tijd.'

'Ja, ik haat zulke types,' zei ik. 'Dat zijn eikels.'

Jezus, het was maar goed dat hij dat zei. Ik zou hem absoluut hebben gebeld. *Dat zou goed zijn gevallen, hè O'Hara? Als een scheet in een volle lift…*

Nee, de volgende ochtend was oké. Ik hoefde hem niet op te jagen. En trouwens, belangrijker dan het 'wanneer' was het 'wie', als in wie wist er nog meer dat hij me deze dienst bewees? Hopelijk niemand.

'Dit blijft toch wel onder ons, hè?' vroeg ik.

'Dat zei Tiger Woods ook,' kaatste hij terug.

Hij lachte terwijl ik me afvroeg of hij nou ja of nee bedoelde. Uiteindelijk verzekerde hij me ervan dat ik me nergens zorgen over hoefde te maken. Niemand zou het te weten komen.

'Dank je,' zei ik.

'Geen dank. Een vriend van Larry is ook een vriend van mij,' zei hij. En vreemd genoeg knipoogde Dimitri toen. 'En als je Larry ooit ontmoet, kun je tegen hem zeggen dat ik dat heb gezegd.'

HOOFDSTUK 48

Haastje-repje.

Dat was zo'n beetje het gevoel dat ik had toen ik voor een nacht terugkeerde in Riverside om af te wachten. Mijn volgende zet was afhankelijk van een Griekse patholoog-anatoom die een broodje ham at en niet opgejaagd wilde worden.

Intussen was ik Warner Breslow een update verschuldigd. Ik belde zijn kantoor en zijn secretaresse zei dat hij er niet was. 'Maar ik verbind u wel door met zijn mobieltje,' voegde ze er snel aan toe.

Ik stond duidelijk op zijn lijstje.

'Heb je nieuws?' vroeg hij onomwonden. Geen beleefd praatje ter inleiding. Er kon zelfs geen hallo af.

Mijn update was alles wat ik wist over wat ik 'onze Chinese invalshoek' noemde, inclusief het feit dat ik wachtte op een volledige achtergrondcheck van de enige eigenaar van een Chinees paspoort die in de Governor's Club had geslapen.

Waar ik echter met geen woord over repte, was mijn bezoekje aan de lijkschouwer en de mogelijke connectie tussen de moord op Ethan en Abigail en de dood van dat pasgetrouwde stel op JFK. Tot ik een antwoord had op mijn vraag over cyclosarine, had het geen zin om erover te beginnen.

'Weet je zeker dat je niet wilt dat ik mijn vrienden op de ambassade van Beijing bel?' vroeg Breslow. 'Je weet wel, om ervoor te zorgen dat die achtergrondcheck snel wordt gedaan?'

Het ongeduld in zijn stem had niet zozeer met mij te maken als wel met het idee dat hij moest wachten, iets waar miljardairs nooit erg goed in leken te zijn. Het enige dat er voor mij op zat, was duidelijk maken waar hij precies op wachtte.

'Met alle respect voor uw vrienden op de ambassade,' zei ik, 'maar het soort achtergrondcheck waar we het over hebben, loopt niet echt via de officiële kanalen.'

Ik was weleens subtieler geweest, maar soms is minder niet meer. Meer is meer. Vooral bij een man als Breslow.

'Begrepen,' zei hij. 'Bel me zodra je nieuws hebt.'

'Doe ik.'

Ik hing op, pakte een biertje uit de koelkast en nam vlug de post door die ik mee naar binnen had genomen. Er zat geen bijbel of een ander mysterieus pakje bij.

Op rekeningen en folders na was de enige andere 'post' een ansichtkaart van Marshall en Judy op hun cruise in het Middellandse Zeegebied. Op de achterkant, in het handschrift van Judy, stond een korte geschiedenis van Malta. Natuurlijk. Het enige dat niet met Malta te maken had, was haar PS: *Vergeet mijn tuin niet te sproeien!*

Oeps.

Met een biertje in mijn hand liep ik naar de achtertuin en zette de sprinkler net op tijd aan. Judy's tuin was er beroerd aan toe. Overal verlepte petunia's en begonia's.

Ik bleef even staan om te kijken of de sprinkler ze allemaal bereikte en ging op een ligstoel zitten. Toen ik mijn benen strekte, bedacht ik dat dit voor het eerst in dagen was dat ik even kon ontspannen.

Ik ademde diep in en sloot mijn ogen. Misschien was het zo erg nog niet om even de tijd te doden.

Plotseling deed ik mijn ogen open.

'John O'Hara?' klonk een stem achter me.

HOOFDSTUK 49

Het slechte voorgevoel overspoelde me al voordat ik me had omgedraaid. Toen ik zag wie het was, werd het gevoel alleen nog maar heviger.

'Wat doe jij hier in godsnaam?' vroeg ik.

Het was niet echt een christelijke begroeting, maar ik kon er niets aan doen. Sla met een hamer op je duim en je slaakt een kreet. Stap met je blote voet op een stuk glas en je gaat bloeden. En als je de advocaat van de man die je vrouw heeft gedood onuitgenodigd in je achtertuin ziet staan?

Dan ben je nijdig.

'Ik heb geprobeerd aan te bellen,' zei Harold Cornish. 'Ik denk dat je bel stuk is.'

'Ik zal het op mijn lijstje zetten,' zei ik.

Harold Cornish, eeuwig bruin en met een volmaakt kapsel, stond voor me in een driedelig pak en een das met een dubbele windsor. Het was eind juni en liep tegen de dertig graden, maar hij wekte absoluut niet de indruk ook maar ergens te zweten. Hij was buiten een rechtbank net zo koel als erin.

Ik haatte hem.

En dat maakte me pas echt nijdig, want diep vanbinnen wist ik dat ik me aanstelde.

Ik haatte Cornish niet omdat hij McMillan vertegenwoordigde. Behoorlijke rechtsgang, ik snap het. Zelfs de grootste klootzak op aarde verdient een advocaat.

Nee, ik haatte Cornish omdat hij een goede advocaat was. McMillan had een maximumstraf van tien jaar of zelfs nog meer in het vooruitzicht gehad, maar was weggekomen met de minimumstraf. Drie jaar. Allemaal dankzij Cornish.

'Je bent me absoluut niets verschuldigd, maar ik wil je iets vragen,' zei hij. 'Je weet toch dat mijn cliënt over een paar dagen uit de gevangenis komt?'

Ik knikte. Meer niet. Ik was niet van plan te laten merken dat McMillans vrijlating me dusdanig had beziggehouden dat ik er bijna aan onderdoor was gegaan.

'Ik wil je iets vragen,' vervolgde Cornish. 'McMillan wil je heel graag zijn excuses aanbieden.' Hij stak meteen zijn handen in de lucht. 'Voordat je reageert: laat me alsjeblieft uitpraten.'

'Heb ik gereageerd?' vroeg ik kalm.

'Nee, en dat waardeer ik,' zei hij. 'Ik weet dat mijn cliënt zich in de rechtbank tegenover jou en je familie heeft verontschuldigd, maar nu hij zijn straf heeft uitgezeten wil hij zich opnieuw verontschuldigen, onder vier ogen. Zou je dat willen overwegen?'

Ik moest meteen aan dokter Kline denken en de vorderingen die ik met hem had gemaakt. Ik hoorde zelfs zijn stem in mijn hoofd zeggen dat ik kalm moest blijven, mezelf in de hand moest houden. Het was gedaan met de wandelende tijdbom.

Maar het lukte me niet. Cornish had de lont aangestoken en niets kon me nog tegenhouden. Ik stond op en liep op hem af tot we vlak voor elkaar stonden. En ik gaf hem mijn antwoord.

'ZEG MAAR TEGEN DIE KUTCLIËNT VAN JE DAT-IE KAN DOODVALLEN!'

Cornish knipperde langzaam, deed een stap naar achteren en knikte. 'Begrepen,' zei hij.

Of hij het ook echt begreep wist ik niet, en het kon me niet schelen. Hij draaide zich om en vertrok zonder nog een woord te zeggen. Ik wachtte tot hij om de hoek verdween en naar de voorkant van het huis liep. Ik had nog een halfvol flesje pils in mijn hand en sloeg het in één lange teug achterover.

En zonder er verder bij na te denken voegde ik nog iets toe aan mijn lijstje: veeg het gebroken glas op van het terras.

Rinkel!

Ik smeet het flesje zo hard tegen het huis dat mijn schouder bijna uit de kom schoot.

Ik had kennelijk toch minder vooruitgang geboekt dan ik had gedacht.

Eerlijk gezegd had ik nog een lange, lange weg te gaan.

BOEK DRIE

Levensweg

HOOFDSTUK 50

'U moet mevrouw Brubaker zijn,' zei de agent die Sarah begroette voor het politiebureau van Candle Lake in New Mexico.

'Ja.' *En jij moet nog op de middelbare school zitten*, dacht Sarah terwijl ze de hand van de jongeman schudde. *Echt, ik heb eten in mijn koelkast dat ouder is dan jij.*

'Sheriff Insley vroeg of ik u mee wilde nemen naar het meer zodra u hier was aangekomen,' zei hij. 'Hij is daar zelf ook. Bent u er klaar voor?'

'Zoeken jullie daar naar John O'Hara?'

'Ja. O'Hara's vrouw dacht hij was gaan drinken of vissen, en niemand heeft hem in een van de bars in de stad gezien.'

Drinken of vissen? Sarah nam de agent even op en vroeg zich af of hij er enig idee van had hoe jolig dat klonk, maar zo te zien niet.

'Sorry, ik heb je naam niet meegekregen,' zei ze.

'Peter,' antwoordde hij. 'Peter Knoll.'

Sarah ging voor in zijn Chevy Tahoe zitten, die bij het trottoir stond. Nog voordat ze haar riem had omgedaan, had Knoll het zwaailicht aangezet en met gillende sirene scheurde hij weg. Jongens en hun speelgoed…

'Wat kun je me nog meer over John O'Hara vertellen?' vroeg ze toen ze de buitenwijken van het stadje bereikten. 'Naast het feit dat hij graag drinkt en vist.'

Knoll dacht even na, met vingers die op het stuur tikten. 'Hij is een gepensioneerde loodgieter, dat weet ik. Twee kinderen, hoewel het nog amper kinderen zijn. Ze zijn volwassen en allebei ergens anders heen verhuisd.'

Sarah deed haar haar achter haar oren. De ramen waren open en de wind zwiepte door de Tahoe. Gods airconditioning.

'Weet je of hij iets met boeken had? Las hij veel?' vroeg ze.

'Niet dat ik weet. Ik ben nooit bij hem thuis geweest.'

'Hoe lang wordt hij al vermist?'

'Zijn vrouw belde vanochtend vroeg. Officieel zijn er nog geen vier-entwintig uur verstreken sinds ze hem voor het laatst heeft gezien, maar we wilden niet muggenziften,' zei hij. 'Ik heb een oom die zegt dat muggenziften echt iets voor mierenneukers is.'

'Slimme oom,' zei Sarah.

Er waren steeds minder huizen te zien, tot er alleen nog bomen waren en zo nu en dan een aangereden dier. Knoll sloeg rechtsaf een kale weg op, die al snel overging in zand en grind.

'De hoofdingang is een paar minuten verderop, maar dit is de kortere weg naar de tranen,' zei hij.

'De wat?'

'Dat is het deel van het meer waar je het best kunt vissen. Alleen de plaatselijke bewoners weten ervan. Als O'Hara is gaan vissen, is hij daar,' zei hij. 'Sheriff Insley is met nog twee agenten naar hem op zoek.'

'Is het een groot terrein?'

'Ja, met heel veel verborgen hoekjes,' zei hij. 'De meeste hebben de vorm van tranen, vandaar de naam.'

De weg versmalde tot niet veel meer dan een strookje door het bos, tot ze uitkwamen op een kleine open plek die fungeerde als parkeerplaats. Er stonden twee politiewagens naast elkaar. Knoll parkeerde zijn wagen ernaast en zette de motor af.

'Ik roep sheriff Insley wel op om te laten weten dat u er bent,' zei hij. Maar voordat hij dat deed, kon hij zich niet inhouden. 'Waarom bent u hier? Als ik vragen mag.'

'Om jullie te helpen John O'Hara te vinden,' antwoordde ze. Dat was in elk geval geen leugen.

Meer vragen bleven haar bespaard door het geluid van naderende stemmen. Sheriff Insley hoefde niet te worden opgeroepen – hij kwam hun kant op.

Sarah stapte uit en werd snel voorgesteld aan Insley en de andere agent, Brandon Vicks, die niet ouder dan Knoll leek. Tel hun leeftijden bij elkaar op en ze konden nog steeds niet met pensioen.

'Hebben jullie nieuws over de man die wordt vermist?' vroeg ze.

Insley deed zijn hoed af en krabde op een voorhoofd met een eindeloze verzameling sproeten. Hij liep terug naar zijn politiewagen om een sporenkoffer te pakken.

'John O'Hara is niet meer vermist,' zei hij met een donkere stem. 'En het is geen mooi plaatje.'

HOOFDSTUK 51

Sheriff Dick Insley had het uiterlijk, de stem, de eigenaardigheden, kortom het hele repertoire van een doorgewinterde veteraan, maar eenentwintig jaar tussen moorden in zijn stadje was een lange tijd. Sarah kon de raderen in zijn hoofd bijna zien draaien terwijl hij bedacht wat hij allemaal moest doen.

Maar wat hij als eerste moest doen, was Sarah naar het lichaam brengen. Dat maakte ze hem in elk geval kalm duidelijk.

De wandeling naar het meer beneden was een steile, kronkelende afdaling met onderweg een paar geïmproviseerde relingen van touwen. De resultaten van de kledingkeuze die Sarah die ochtend had gemaakt waren binnen: de spijkerbroek was een goede beslissing geweest, maar de sportschoenen aan haar voeten waren een uitstekende beslissing geweest.

'We zijn er bijna,' zei Insley, die vooropging.

Sarah had een merkwaardige gewoonte, of het was meer een gril eigenlijk. Als ze aankwam op een plaats delict met een lijk, bedacht ze meteen de krantenkop, hoe er in de plaatselijke krant wellicht over zou worden bericht. Ze kon er niets aan doen, haar hersens deden het gewoon. Als een reflex. Een rare reflex, dacht ze altijd. Waarschijnlijk de reden waarom ze er niemand ooit over had verteld.

Honderd meter verderop kwam het pad uit bij de rand van het water en een van de gewelfde baaien – een traan, precies zoals Knoll had beschreven, met aan weerszijden dichte struiken. De rest van het meer was nauwelijks zichtbaar. John O'Hara had zijn eigen privéplek gehad om te vissen. Hij was helemaal alleen.

Tot hij niet meer alleen was geweest.

Zijn grote lichaam lag op de grond, met uitgestoken armen en de benen uit elkaar. Hij zag eruit alsof hij een sneeuwengel maakte, als er sneeuw was geweest. In plaats daarvan lag er alleen maar bloed onder hem. Heel veel bloed. Twee schoten in de borst en eentje van korte afstand in het hoofd. Het kwam erop neer dat hij een getrouwe kopie was van de foto's die Sarah had gezien tijdens haar eerste briefing in Quantico.

De John O'Hara-moordenaar was in elk geval consistent. Op een verdorven manier betrouwbaar. Zelfde naam voor elk slachtoffer, zelfde manier van moorden, als een executie.

'Jezus, hoe moet ik dit aan Marsha vertellen?' mompelde Insley zacht, alsof hij nu pas besefte dat hij nog één punt moest afvinken op zijn lijstje 'wat te doen na een moord'. Het nieuws meedelen aan de vrouw van O'Hara.

Sarah knipperde met haar ogen, en haar hersens spuugden de kop in de *Candle Lake Gazette uit*, of hoe het plaatselijke sufferdje ook heette.

TREURIG TAFEREEL BIJ DE TRANEN.

HOOFDSTUK 52

Aan de andere kant van het meer sijpelde een oranje gloed door de hoge dennen. De zon ging onder en er moesten in het resterende daglicht nog dingen worden gedaan. Om te beginnen de voetafdrukken van de moordenaar isoleren.

Maar terwijl Sarah latex handschoenen aantrok, was haar aandacht nog steeds gevestigd op O'Hara's lichaam. Een exemplaar van *Ulysses* had haar hier gebracht, een afscheidscadeautje van de moordenaar. Zou er nog eentje zijn?

'Heeft iemand het slachtoffer aangeraakt?' vroeg ze Insley en zijn jonge entourage. Het was echter niet zozeer een vraag als wel een smeekbede. *Zeg alsjeblieft dat niemand zo dom is geweest om een plaats delict te verstoren.*

'Nee,' zei Insley. 'We hebben nog niet eens gekeken of hij een portemonnee bij zich heeft.'

Vertaling: Candle Lake in New Mexico was een klein stadje. Een hechte gemeenschap. Vriendelijk. Ze hoefden John O'Hara niet te identificeren, want ze kenden hem allemaal.

Voorzichtig stak Sarah een hand in elk van zijn zakken. Ze was niet van plan hem uit te kleden – zijn kleding zou in het lijkenhuis nauwkeuriger doorzocht worden – maar ze kon de gedachte niet van zich afzetten dat wat ze zocht, wat het ook was, niet moeilijk te vinden zou zijn.

De moordenaar wilde toch dat ze het zou vinden? Iets wat niet op zijn plaats was? Het was een spelletje, als die oude scène uit *Sesamstraat*: een van deze dingen verschilt van de andere.

Ze bleef zoeken en de schaduwen rondom haar werden langer.

Hoe langer ze echter zocht, hoe meer ze besefte dat deze John O'Hara wel heel weinig bagage bij zich had of was kaalgeplukt.

De portemonnee controleren voor een identificatiebewijs? Er was geen portemonnee.

Er was helemaal niets. Geen kleingeld in zijn zak, geen mobieltje, geen kauwgum of lippenbalsem. Ook waren er geen autosleutels, wat verklaarde waarom O'Hara's auto, of waarmee hij ook naar het meer was gekomen, niet geparkeerd stond op de open plek.

Sheriff Insley keek intussen zwijgend toe. Hij wist dat hij geen vragen moest afvuren op Sarah. Als de FBI zich ermee bemoeide, hadden ze daar zo hun redenen voor. Als hij niet hoefde te weten wat die waren, gingen ze hem die absoluut niet vertellen.

De twee jonge agenten waren een ander verhaal. Vooral Knoll. Hij was eenvoudigweg te groen, te nat achter de oren, om beter te weten.

'Waar zoekt u naar?' vroeg hij aan Sarah.

Opnieuw hoefde ze niet te liegen. 'Dat weet ik niet,' antwoordde ze terwijl ze overeind kwam. 'Maar ik weet vrij zeker dat het hier ergens is.'

Sarah stapte weg van John O'Hara's lichaam. Ze stapte weg van alles. Plotseling begreep ze wat het probleem was. Ze was zo gebrand op wat zich voor haar bevond dat ze het hele plaatje uit het oog verloor. Niet wat er was, maar wat er ontbrak.

'Wacht... Waar is zijn hengel?' vroeg ze aan Insley.

De sheriff keek naar links en rechts, en zijn uitdrukking zei genoeg. *Goeie vraag.*

'Die zal de moordenaar wel hebben meegenomen,' zei Knoll. 'Net zoals hij Johns portemonnee en auto heeft meegenomen.'

'Misschien,' zei Sarah. 'Maar de portemonnee en auto dienen een doel. Waarom de hengel?'

'En hoe zit het met zijn koffer met spullen en zijn emmer voor de vissen? Die zou John absoluut bij zich hebben gehad, maar die zijn ook weg,' zei de andere agent. Hoe heette hij ook alweer? Sarah was het al vergeten.

'Goed punt,' zei ze, en ze keek vluchtig naar het naamplaatje op zijn uniform. Er stond VICKS op. *Als in die middeltjes tegen verkoudheid.*

'Voor hetzelfde geld heeft de moordenaar die spullen wel meegenomen omdat hij ook van vissen houdt,' zei Knoll. 'Misschien zit hij nu in een ander district zijn maaltje bij elkaar te vissen.'

Sarah knikte, Knoll deed lollig om iets duidelijk te maken wat ze wel vaker had gehoord als het op moordenaars aankwam. Je kunt niet altijd verwachten dat ze logisch handelen. Als ze gek genoeg zijn om iemand te vermoorden, denken ze niet zoals de rest van de mensheid.

Maar toch.

'Of misschien liggen de spullen ergens waar we nog niet hebben gezocht,' zei ze.

'Inderdaad,' beaamde Vicks. Hij wierp een blik op O'Hara. 'Misschien is John naar een andere baai gegaan – hiernaast – en heeft de moordenaar hem toen te grazen genomen.'

'In welke richting zochten jullie?' vroeg Sarah.

'Met de klok mee het meer rond, van noord naar zuid,' zei Insley. 'We zijn van middernacht tot ongeveer tien uur gekomen.'

'Ja, tien uur,' papegaaide Vicks.

Met andere woorden: het grootste deel van het meer. Maar niet helemaal.

Als een stel synchroonzwemmers draaiden ze allemaal naar links. Sarah zette haar handen in haar heupen en haalde haar schouders op. 'Laten we eens kijken wat het nieuws van elf uur is,' zei ze.

HOOFDSTUK 53

Ze baanden zich een weg door de struiken aan de rand van het meer, Insley voorop. Het geluid van de takjes die knapten onder hun voeten had een bepaald tempo. Willekeurig, maar toch een ritme. Als de eerste korrels popcorn die knappen in een magnetron.

Met elke stap werd het merkwaardige gevoel dat Sarah had sterker. Het was niet echt Insley die het voortouw nam. Het was de moordenaar. Als hij deze polonaise langs het meer niet rechtstreeks had georganiseerd, wist hij op zijn minst dat die zou plaatsvinden. Dat stond vast. Alsof... hij zijn klok erop gelijk had kunnen zetten.

'Daar!' zei Insley, die als eerste uit het struikgewas kwam.

Sarah hoefde bijna niet te kijken waar hij naar wees. Alles bevond zich pal voor haar, alles wat ontbrak, pal in het midden van de volgende traan: een hengel op de grond naast een koffer met gerei en een emmer. Het had iets griezeligs.

Nee, dacht ze. Het wás griezelig.

'Oké, dus we hebben de spullen gevonden. En nu?' vroeg Knoll.

Zo, wat stelde deze jongen veel vragen. En niet de juiste.

Sarah negeerde hem eenvoudigweg. Hoewel er bij de hengel en emmer verder niets te zoeken was, werd ze naar de donkergroene kist met zijn dichte deksel getrokken.

Hij wenkte haar. Geen twijfel mogelijk.

Ze liep er recht op af en viel op haar knieën. Met de latex handschoenen nog aan knipte ze de sluiting open. Dat ging gemakkelijk. Natuurlijk.

'Jezus, dat is wel heel veel aas,' zei Vicks, die over Sarahs schouder keek.

Dat was een understatement. De kist was niet zo'n keurig georganiseerd geval met verschillende vakjes en verschillende lagen aan scharnieren die opzijschoven. Het was één grote vergaarbak voor zo'n beetje elk soort aas dat John O'Hara ooit had gehad.

'Niet dat hij er veel aan had,' zei Knoll met een blik in de lege visemmer. 'Over pech bij het meer gesproken.'

Insley grinnikte terwijl Sarah door de kist ging, waarbij de eindeloze haakjes meermaals in haar handschoenen bleven haken. Gefrustreerd keerde ze de kist uiteindelijk om, en de lokmiddelen stroomden alle kanten op.

Ernaar staren was alsof je een boek van Dr. Seuss las. Er waren lange, korte, dikke en dunne. Sommige waren glimmend zilver, andere hadden felle kleuren. Er was er zelfs eentje met…

Wacht, opletten… Even terug.

Sarahs blik ging naar iets in het midden van het allegaartje, een opgevouwen stuk wit papier.

De meeste lokazen waren oud en roestig, en aan sommige zaten restjes van een worm, maar dit papier was nieuw. Schoon. Wit.

'Wat is het?' vroeg Insley. 'Hou ons niet in spanning.'

Sarah vouwde het papier open, en ze hoopte op het onmogelijke – zoals de moordenaar die zijn naam, adres en telefoonnummer had achtergelaten. Misschien zelfs zijn naam op Twitter en de beste momenten om hem ongewapend te treffen. *Goh, zou dat geen mooi einde voor deze zaak zijn?*

Maar nee. 'Het is een bonnetje,' zei Sarah, en ze draaide het om om het te kunnen lezen. 'Van de Movie Hut?'

'Dat is die automaat,' zei Vicks. 'Je weet wel, die bij Brewer's Supermarket? Daar kun je voor een dollar per dag of zo een dvd uit huren.'

'O ja,' zei Insley. 'Die heb ik gezien. Ik heb hem nooit gebruikt. Zag er te ingewikkeld uit.'

'Ik heb er zelfs een schop tegen gegeven,' zei Knoll. 'Dat geval slikte op een avond m'n dollar in en er kwam niks uit.'

'Wat wilde je huren?' vroeg Vicks.

'*Speed Racer*, geloof ik.'

'Geloof me, die automaat bewees je een dienst.'

De twee grinnikten. Zelfs Insley vertoonde een flauw lachje, tot hij zag dat Sarah nog steeds naar het bonnetje staarde. 'Wat is er?' vroeg hij haar nogmaals. 'Waar denk je aan?'

'Vandaag is de vierentwintigste, toch?' vroeg ze.

Insley knikte. 'Ja. M'n dochter is vandaag jarig. Hoezo?'

'Omdat dit bonnetje van vandaag is.'

Hij bukte om te kunnen kijken. 'Dat is een beetje vreemd, toch? Als dat het juiste woord is.'

'Ja, volgens mij is dat het juiste woord,' zei ze. 'En kijk nog eens? Er is iets nog vreemder.'

HOOFDSTUK 54

Echt vreemder.

Sarah had haar hamburger en lange, dunne frietjes van zoete aard-
appel verorberd en was aardig op weg met haar tweede biertje. Ze dacht
aan de moordenaar die ze op de hielen zat.

Links en rechts van haar maakte de rest van de overvolle bar van
Canteena's zijn reputatie waar als de plek waar het nachtleven van
Candle Lake om draaide. Dat waren de woorden van sheriff Insley, die
de tent had aangeraden. En met zijn lage plafond, peertjes van vijftien
watt en vloer vol zaagsel was Canteena's echt wat je een 'tent' zou noemen.

Als Sarah de luistervink had gespeeld, zou ze de plaatselijke bewoners geschokt over de moord op John O'Hara hebben horen praten.
*Wat zei sheriff Insley? Zijn er verdachten? Hebben we een moordenaar in
ons midden?*

Maar Sarah speelde geen luistervink. Het enige dat ze kon horen, waren haar eigen gedachten, luid en galmend in haar hoofd, en die draaiden om één enkele vraag: wat probeerde de moordenaar haar met deze
laatste aanwijzing duidelijk te maken?

Op het bonnetje van de Movie Hut stond de titel van een film af-
gedrukt. Het was *You've Got Mail*, de romantische komedie met Tom
Hanks en Meg Ryan. Een *chick flick*. Met andere woorden: niet echt het
soort dvd dat een vent die dronk en viste, zoals John O'Hara, zou huren.

Evengoed was er altijd de kans dat hij hem had gehuurd voor zijn
vrouw, Marsha. Dat dacht Sarah in elk geval – tot zij en Insley door het
stadje naar O'Hara's ranchachtige huisje met witte dakpannen waren
gereden om het vreselijke nieuws mee te delen.

De O'Hara's bleken niet eens een dvd-speler te hebben.

Het bonnetje was absoluut een aanwijzing. Dat wist Sarah zeker. Maar wat het te betekenen had, daarover tastte ze in het duister.

Nadenken, Brubaker. Concentreer je. Het antwoord ligt voor het grijpen... Deze klootzak houdt er alleen maar van om spelletjes te spelen.

Ze zou de volgende ochtend langsgaan bij Brewer's Supermarket om te kijken of er een beveiligingscamera was die op die Movie Hut was gericht. Misschien was de moordenaar opgenomen. Daar rekende ze natuurlijk nauwelijks op. Dat leek te slordig voor deze man, wie hij ook was.

Sarah verzonk weer in gedachten, en ze speelde de gebeurtenissen van die middag opnieuw af. Had ze iets gemist, iets over het hoofd gezien?

Er schoot haar niets te binnen. In plaats daarvan keerde ze steeds terug naar het moment waarop Insley Marsha O'Hara had verteld dat haar echtgenoot nooit meer thuis zou komen. De arme vrouw was in haar woonkamer op de grond gezakt onder het gewicht van het plotselinge verlies. De dood heeft altijd de laatste lach.

Sarah kon ook niet van zich afzetten wat Insley op de terugweg van de O'Hara's had gezegd: dat ze tweeënveertig jaar getrouwd waren geweest. Op haar stoel in de surveillancewagen van Insley had ze zich er schuldig over gevoeld dat ze op dat moment aan zichzelf dacht. Maar de gedachte was onontkoombaar. Het was het eerste wat bij haar opkwam.

Tweeënveertig jaar? Het kost mij al moeite het tweeënveertig dagen vol te houden in een relatie.

Opeens hoorde Sarah links van haar een stem, iemand die tegen haar praatte. Het was een mannenstem. Van een heel aantrekkelijke man zelfs. Soms weet je dat gewoon al voordat je kijkt.

'Wauw, heb ik dat echt gedaan?' vroeg hij.

HOOFDSTUK 55

Sarah draaide zich naar hem om. Hij deed haar een beetje denken aan Matthew McConaughey – een beetje jonger, zonder het Texaanse accent en misschien zonder de behoefte altijd zijn shirt uit te trekken. Vooralsnog in elk geval.

Hij had een biertje in zijn hand. Háár biertje. Had hij dat per ongeluk gepakt? Zijn eigen Budweiser stond een eindje verderop.

'Geeft niet, hoor,' zei Sarah. 'Hij was bijna leeg.'

Onmiddellijk verscheen er een glimlach – een prachtige lach, zag ze – en vervolgens lachte hij hardop. 'Ik maak maar een grapje. Ik wist dat dit jouw biertje was.'

Sarah lachte nu ook. 'Ik trapte er even in,' zei ze.

'Sorry. Ik heb een apart gevoel voor humor. Laat me alsjeblieft een nieuwe kopen.'

'Echt, het geeft niet,' zei Sarah. 'Dat hoeft niet.'

'Ik ben bang van wel, al was het maar om mijn moeder niet teleur te stellen,' zei hij.

Sarah keek om zich heen en zei half voor de grap: 'Is je moeder hier?'

'Nee, maar ze zou het vreselijk vinden als haar zoon het niet goed kon maken. Ze stond op goede manieren.'

Opnieuw toonde hij die geweldige glimlach.

'Nou, we willen je moeder niet teleurstellen, hè?' zei Sarah.

'Zo mag ik het horen,' zei hij. Hij draaide zich om, trok de aandacht van de barkeeper en bestelde een Budweiser. Vervolgens stak hij zijn hand uit. 'Ik heet trouwens Jared. Jared Sullivan.'

'Aangenaam. Ik ben Sarah.'

En op dat moment deed Sarah iets wat ze in al haar jaren bij de FBI nooit had gedaan.

Ze schudde een seriemoordenaar de hand.

HOOFDSTUK 56

'Laat me raden,' zei Jared, en hij porde met zijn wijsvinger in de lucht. 'New York?'

'Fout,' zei Sarah. 'Geen New Yorker. Niet eens in de buurt.'

'Maar je komt niet hiervandaan. Ik bedoel, dat weet ik bijna zeker.'

'Ik wilde hetzelfde over jou zeggen,' zei ze. 'Je zit in elk geval goed met de oostkust. Fairfax in Virginia.'

Jared knikte. 'Ik ben geboren en getogen in Chicago.'

'Cubs of Sox?' vroeg Sarah.

'Ik ben van de North Side,' zei hij. 'Wrigley tot het bittere einde.'

'En wat doe je in Chicago als je niet de hopeloze toestand van de Cubbies vervloekt?'

'Ik vul voornamelijk onkostenformulieren in. Ik ben vertegenwoordiger voor Wilson Sporting Goods. Die hebben daar hun kantoor. Mijn regio is echter het zuidwesten, dus ik ben vrijwel nooit thuis.'

'Ik weet hoe het is,' zei ze. 'Ik heb thuis één plant en die heeft me voor de rechter gesleept wegens verwaarlozing.'

Jared lachte. 'Je bent heel grappig. Cool.'

De barkeeper keerde terug met Sarahs biertje, en schoof er met een bedreven beweging een cocktailservetje onder.

Sarah wilde net een slokje nemen toen Jared zijn flesje ophield. 'Op het leven van een reiziger,' zei hij.

'Op het leven van een reiziger,' zei ze. 'En op een dag misschien vervroegde vrijlating.'

Jared lachte nogmaals en ze tikten de halzen van hun flesjes tegen elkaar. 'Ze is knap en ze heeft gevoel voor humor. Over een dubbele bedreiging gesproken.'

'Uh-oh,' zei Sarah, en ze wierp hem van opzij een starende blik toe.

'Wat? Wat is er?'

'Terwijl jouw moeder op goede manieren stond, waarschuwde mijn moeder me altijd voor vreemdelingen die complimentjes gaven.'

'Daarom heb ik me voorgesteld. We zijn geen vreemdelingen meer,' zei hij. 'En wat het compliment betreft: je lijkt me niet het type dat bloost.'

'Wat voor type lijk ik dan wel?' vroeg ze.

Hij dacht een tijdje na voordat hij antwoordde. 'Zelfstandig. Onafhankelijk. Maar ook met een kwetsbare kant.'

'Jemig, weet je dat zeker?'

'Ik denk het wel. Ik vertrouw op m'n intuïtie.'

'Ik ook.'

'Wat zegt die van jou?' vroeg hij.

'Dat als ik het slim speel, er misschien wel een gratis tennisracket voor me in het verschiet ligt,' zei ze.

'Dat zou zomaar kunnen.'

'Jammer dat ik niet tennis.'

'Inderdaad jammer,' zei hij. 'Maar gelukkig voor jou maakt Wilson uitstekende andere spullen.'

Sarah tikte tegen haar hoofd. 'Je hebt gelijk, hoe kan ik het vergeten? Die film, hoe heette hij ook alweer? Die met de volleybal die Wilson heet?'

'O ja,' zei hij, maar verder niets.

'Het ligt op het puntje van m'n tong,' ging ze verder. 'Goh, hoe heet die film ook alweer?'

'Ik ken dat, ik haat het als ik ergens niet op kan komen,' zei Jared. 'Dan word ik gek.'

Sarah nam een flinke slok en liet de informatie even bezinken. Uiteindelijk haalde ze haar schouders op. 'Nou ja, het schiet me later nog wel te binnen.'

'Ik hoop dat ik daarbij ben.'

'Dat zien we nog wel,' zei ze, en ze liet zich van de barkruk glijden. 'Bestel jij shots terwijl ik me even ga opfrissen? Bourbon goed?'

Jared wierp haar zijn breedste lach tot dat moment toe. 'Je bent in elk geval niet saai,' zei hij.

Ze glimlachte terug en stak haar haar achter haar oren. *Goed zo, knapperd, blijf maar denken dat ik de prooi ben.*

HOOFDSTUK 57

Sarah liep door de lange, smalle gang achter in Canteena's en ging de hoek om in de richting van het damestoilet. Twee passen van de deur bleef ze staan en haalde haar mobieltje tevoorschijn.

Eric Ladum nam op toen hij twee keer was overgegaan. Zoals gewoonlijk zat hij nog op kantoor in Quantico. De avondschoonmaakploeg noemde hem 'El Noctámbulo'. De nachtuil.

'Zit je achter je toetsenbord?' vroeg ze.

'Zit ik dat niet altijd?'

'Ik wil dat je het huidige bestand met medewerkers van Wilton Sporting Goods in Chicago crosscheckt met het kentekenregister.'

'Kentekens van Chicago of de hele staat?'

'Heel Illinois,' zei ze.

'Wie is de gelukkige?'

'Jared Sullivan.'

'Jared Sullivan bij Wilton Sporting Goods,' herhaalde Eric boven het geluid van zijn vingers uit, die begonnen te tikken. 'Kan hij een gratis tennisracket voor me regelen?'

Sarah lachte bij zichzelf. 'Dat is grappiger dan je denkt,' zei ze. 'Hoe lang heb je nodig?'

'Hoe lang heb je?' vroeg hij.

'Hooguit twee minuten. Ik zei tegen hem dat ik naar het toilet ging.'

'Dus dáárom hebben vrouwen zo lang nodig.'

'Ja, nu weten jullie wat we eigenlijk doen. We checken jullie achtergrond,' zei ze. 'Bel me terug, oké?'

Ze liep weer naar de gang die naar de bar liep. Ze keek vluchtig om de hoek en ving een glimp op van Jared, op dezelfde plek waar ze hem had achtergelaten. *Brave jongen. Heb je die shots al besteld?*

Sarah wist donders goed hoe de film heette met de volleybal die de held Wilson noemde. *Cast Away*. Ook een film met Tom Hanks trouwens.

De vraag was hoe iemand die voor Wilson Sporting Goods werkte die niet kende.

Dat was alsof de burgemeester van Philadelphia niet op die boksfilm met Sylvester Stallone kon komen.

Als je voor dat bedrijf werkte, was je het waarschijnlijk juist zat om het over *Cast Away* en die stomme volleybal te hebben.

Sarah keek nog een keer om de hoek, maar haar zicht werd belemmerd door een forse oudere man met een grijze baard die de gang door kwam.

Ze schoot snel naar achteren en keek toe terwijl hij op weg naar het mannentoilet voorbijwaggelde. Hij rook naar tequila en Old Spice, en allebei niet te zuinig.

Er zat Sarah nog iets dwars over Jared. Hij had haar gevraagd waar ze vandaan kwam, maar niet wat voor werk ze deed – zelfs niet nadat hij het over zijn eigen baan had gehad. Misschien was hij het vergeten.

Of misschien was het omdat hij het antwoord op die vraag al wist.

Sarahs mobieltje, dat op de trilstand stond, beefde in haar hand. Eric belde al terug. *Wat een vent.*

'Tot zover onze gratis tennisrackets,' zei hij. 'Geen Jared Sullivan bij Wilson Sporting Goods.'

'En in de stad?'

'Twee Jared Sullivans in Chicago, vijf in de hele staat. De twee in Chicago zijn zesenveertig en achtenvijftig jaar.'

'Te oud,' zei Sarah. 'Iemand van tegen de dertig?'

'Eentje uit Peoria, die is negenentwintig. Hij is ook lang, 1,93 meter. Hoe lang is die van jou?'

'Hij zit helaas.' Ze keek weer om de hoek om te zien of ze zijn lengte beter kon inschatten. 'O, shit!'

'Wat?'

'Ik bel je terug!'

Ik moet rennen. Letterlijk.

HOOFDSTUK 58

Sarah stak haar telefoon in haar zak en knalde bijna tegen de dikke vent van de tequila en Old Spice die uit het toilet kwam. Hij mompelde iets tegen haar, 'kijk uit!' misschien, of misschien was het maar een boer.

Hoe dan ook, het klonk ver weg. Sarah zette het in een waas op een rennen en was al halverwege de gang naar de bar, dezelfde bar waar Jared Sullivan, of wie hij ook was, niet langer aanwezig was.

Ze bleef een paar seconden hijgend bij de lege krukken staan waarop ze hadden gezeten. Het enige bewijs daarvoor vormden de twee flesjes bier. Dat van hem was leeg, dat van haar halfvol. Of eerder halfleeg.

Sarah draaide zich om en haar blik ging langs elke hoek van Canteena's, maar hij was nergens te zien. In elk geval niet binnen.

Verdomme! Verdomme!

Halsoverkop rende ze naar de ingang, en in haar kielzog stoof het zaagsel op. Ze duwde de zware houten deur open en sprong bijna naar buiten, waar de hete lucht haar onmiddellijk een opdonder verkocht.

Links van haar stonden twee vrouwen te roken. Ze zagen eruit als moeder en dochter.

'Hebben jullie net een man weg zien lopen?' vroeg Sarah, half buiten adem. 'Knap? Hij heeft wel iets van Matthew McConaughey.'

'We komen net buiten, schat,' zei de oudere vrouw, en ze hield haar sigaret omhoog om te laten zien dat hij net was aangestoken.

'Maar als hij echt op Matthew McConaughey lijkt, help ik je wel zoeken,' grapte de jongere.

Sarah forceerde een glimlach om niet als een bitch over te komen, maar haar blik ging al naar de parkeerplaats rondom het gebouw. Die was voor driekwart gevuld met pick-ups en ook alle andere plekken waren bezet.

Ze rende met de klok mee. Net als om het meer.

Er was een mogelijkheid dat hij aan de achterkant stond geparkeerd, misschien zelfs nog op weg was naar zijn auto.

Ze liep de hele parkeerplaats langs. En nog een keer. Ze bevond zich aan de achterkant, bij een paar overvolle vuilcontainers, en het enige licht kwam van de bijna volle maan.

Ze hoorde eerst het geluid.

Het brullen van een motor, zo luid dat het net was alsof ze midden op een startbaan van Dulles International Airport stond. Zodra ze zich omdraaide, werd ze verblind door een paar koplampen. De lichten werden groter, en snel ook. De auto kwam recht op haar af.

Geen tijd om al te lang na te denken. Ze dook opzij. Het was deels een sprong, deels een radslag, precies tussen de twee vuilcontainers rechts van haar in. Ze kreeg bijna geen adem meer toen ze op het asfalt knalde.

Merk en model! Kenteken! Zorg dat je iets hebt!

Maar tegen de tijd dat ze haar blik op de auto kon vestigen, reed zijn auto de hoek om, weg. Ze kon niet eens zeggen welke kleur hij had, zo weinig licht was er. Ze had niets.

Nee, wacht, niet helemaal. Ze had haar eigen auto nog.

Sarah duwde zich omhoog en sprintte in de andere richting, waar ze haar huurauto had geparkeerd. Ze kon hem nog inhalen, dacht ze. *Godsamme, laten we eens kijken wat die Camaro allemaal kan!*

'Shit!' riep ze zodra ze hem zag.

Jared Sullivan wist inderdaad wie ze was. Ook wist hij in wat voor auto ze reed.

Sarah bleef staan bij de rechterachterband, helemaal plat. Linksachter hetzelfde. 'Shit!' riep ze nogmaals. 'Shit! Shit! Shit!'

De klootzak had een mes in alle vier de banden gestoken, en als om het in te peperen had hij zijn knipmes op de motorkap laten liggen.

Alleen was het zijn mes niet.

Sarah tilde het met de onderkant van haar shirt op, en pakte haar telefoon voor meer licht. Er waren initialen in het ivoren handvat gekerfd. 'J.O.'

John O'Hara.

Het was zijn vissersmes. En het was niet langer zoek. Sarah had weer een puzzelstukje gevonden.

HOOFDSTUK 59

Sarah belde Dan Driesen de volgende ochtend om hem bij te praten. Ze wilde het telefoontje niet plegen, maar ze moest wel. Net als naar de tandarts gaan. Om een kies te laten trekken. Zonder verdoving.

'Jezus, Sarah, jij moet achter hem aan zitten, niet andersom,' zei hij, en hij klonk bijna gepikeerd, maar ook oprecht bezorgd. 'Hij had je wel kunnen vermoorden.'

'Dat is het nou net. Hij had me kunnen vermoorden, maar dat heeft hij niet gedaan,' zei ze bij het raam van haar kamer op de derde verdieping van Embassy Suites. Cactussen en snelwegen zover het oog reikte. 'Hij hield zich waarschijnlijk schuil bij het meer en had me gezien met de plaatselijke politie. Vanaf dat moment had hij me op elk moment kunnen vermoorden, en hij besloot dat niet te doen.'

'Dus nu zeg je dat hij niet probeerde over je heen te rijden?'

'Ga maar na: als hij dat echt had gewild, waarom deed hij dan zijn koplampen aan?'

'Moet ik me nu beter voelen? Hij weet wie je bent, en dat is een slechte zaak.'

'Misschien kan ik er mijn voordeel mee doen. Over die mogelijkheid denk ik nu na.'

'Echt?' vroeg Driesen ongelovig. 'Hoe dan?'

'Daar ben ik nog niet uit, maar dat komt nog wel. Hopelijk. Voordat hij van gedachten verandert en terugkomt om me te grazen te nemen.'

'In de tussentijd heb je geen idee waar hij is of waar hij heen gaat. Tenzij je me natuurlijk gaat vertellen dat je de aanwijzingen hebt gekraakt die hij achterlaat.'

'Hé, ik ben hier terechtgekomen met *Ulysses*, toch?'

'Ja, dankzij een mazzeltje, of niet soms? Enig idee waar hij na *You've*

Got Mail heen gaat?' vroeg hij sarcastisch. 'Moeten we op zoek naar een John O'Hara die op een postkantoor werkt?'

Het gestoorde was dat Sarah dat al had bedacht.

Ze vond het vreselijk om toe te geven, maar Driesen had gelijk. De John O'Hara-moordenaar had nog steeds de overhand. En ja, nu misschien nog wel meer.

'Maar ik kan nog heel veel doen hier,' zei ze. 'Ik ben nog niet eens begonnen in de stad zelf. Misschien heeft hij wel contact gehad met andere mensen.'

'Misschien. Maar ik wil niet dat je voortdurend over je schouder hoeft te kijken. Wat voor spel hij misschien ook speelt, wie zegt dat het niet eindigt met jouw dood?'

'Dus dat was het dan?'

'Voor nu in elk geval. Je komt naar huis,' zei hij. 'En trouwens, er is hier iemand die om een briefing door jou heeft gevraagd.'

'Wie?'

Driesen grinnikte. Ze kon zijn sluwe lach door de telefoon heen bijna zien.

'Wie is het?' zei ze nogmaals.

'Dat zul je wel zien,' zei hij. 'Kom terug, Sarah. Dat is trouwens een bevel.'

HOOFDSTUK 60

'Je had me wel even kunnen waarschuwen,' fluisterde Sarah vanuit haar mondhoek. 'Ik meen het.'

In de stoel naast die van haar sloeg Dan zijn lange benen over elkaar. Het was de volgende ochtend in Washington, nog geen zeven uur 's morgens. 'Neu, dan zou je maar zenuwachtig zijn geworden,' fluisterde hij terug.

'Alsof ik nu niet zenuwachtig ben. Ik ben hartstikke zenuwachtig. En ik ben nóóit zenuwachtig.'

Precies op dat moment ging de deur naast hen open. Een oudere vrouw met het air van een moederkloek kwam naar buiten en wierp hun een kort knikje toe. Ze hield een klembord tegen haar borst gedrukt.

'De president zal jullie nu ontvangen,' zei ze.

Sarah stond op, ademde diep in en streek een paar denkbeeldige kreuken uit haar witte blouse. Er schoten een paar paniekerige gedachten door haar hoofd. *Ben ik vergeten deodorant te gebruiken? Hoe praat je – intelligent – tegen de president?*

'Na jou,' zei Dan, met zijn arm uitgestoken. 'Hij wil jou zien, niet mij.'

Sarah had deze scène vaak genoeg gezien wanneer ze op tv naar The West Wing keek. Maar dat waren allemaal acteurs. Toneelspelers.

Dit was het echte werk. Na haar eerste stap in het Oval Office kon ze haar hartslag voelen versnellen.

Is het te laat om me vandaag ziek te melden? Niet grappig, Sarah. Er is niets grappigs aan deze hele situatie.

Clayton Montgomery, de machtigste man in de vrije wereld en in de rest van de wereld ook niet de minste, was een gematigde democraat uit Connecticut die aan de Duke-universiteit een door en door Amerikaanse lacrossespeler was geweest. Hoewel die zuidelijke staat van dienst hem voor een deel aan de winst op Super Tuesday had geholpen, had hij de algemene verkiezingen nooit kunnen winnen zonder zijn vrouw.

Rose Montgomery – voorheen Rose O'Hara – was een voormalige Miss Florida en vijf jaar lang een populaire nieuwslezeres op wplg in Miami geweest voordat ze Clayton leerde kennen. Met andere woorden: voor de verkiezingen genoot ze niet alleen een grotere naamsbekendheid in de staat dan haar echtgenoot, maar ook dan zijn republikeinse tegenstander.

O, en ze sprak vloeiend Spaans en scheen op de klarinet 'Hava Nagila' te kunnen spelen.

Montgomery won het presidentschap met een verschil van achtentwintig kiesmannen. Het totale aantal kiesmannen dat hij binnenhaalde in Florida? Negenentwintig.

'Luister allemaal, ik wil dat jullie kennismaken met fbi-agent Sarah Brubaker,' zei president Montgomery, die achter het grote Resolutebureau zat en een stapel documenten ondertekende. Zijn kaaklijn was in het echt nog krachtiger. Hij had nog niet eens naar haar opgekeken. 'Eergisteravond heeft ze iets gedronken met een seriemoordenaar die haar na afloop probeerde aan te rijden op de parkeerplaats. Klopt dat, mevrouw Brubaker?'

'Eh ja, ik geloof het wel, meneer de president,' zei ze.

President Montgomery keek eindelijk op en keek Sarah de vijf langste seconden van haar leven aan.

Toen lachte hij. Net als op zijn campagneposter, en elke keer wanneer hij tijdens de verkiezingsdebatten een punt scoorde.

'En ik dacht dat ik een paar slechte eerste dates had gehad,' zei hij. 'Ga zitten, Sarah.'

HOOFDSTUK 61

De briefing zelf was het makkelijke deel. De president luisterde aandachtig en knikte af en toe. Hij onderbrak haar niet één keer. Sarah was duidelijk en bondig en ze had alle feiten op een rij. Kalm en beheerst. *Kun je nagaan,* dacht ze. *Misschien kan deze man gewoon goed luisteren.* Daarna kwamen de vragen. De president zat in een leunstoel die duidelijk 'Zijn Stoel' was, en hij werd vergezeld door zijn personeelschef, Conrad Gilmartin, en zijn persattaché, Amanda Kyle, die ironisch genoeg een beetje op C.J. uit *The West Wing* leek. Door de nonchalante manier waarop ze allebei op de bank links van de president gingen zitten, was dat duidelijk 'Hun Plek'.

Resteerde de bank ertegenover. Driesen ging op één uiteinde zitten, Jason Hawthorne, de adjunct-directeur van de geheime dienst, op het andere. Ertussen geklemd, met alle comfort van de middelste stoel in een vliegtuig, zat Sarah.

Het was één grote gezellige bijeenkomst.

De president schraapte zijn keel en vuurde zijn eerste vraag op Sarah af. 'Heb je enige reden om aan te nemen dat mijn zwager een doelwit van deze moordenaar zou kunnen zijn?'

'Bedoelt u meer dan alle anderen die John O'Hara heten, meneer?' vroeg ze.

'Ja, dat bedoel ik.'

'Het korte antwoord is dat ik dat nog niet weet.'

De president schudde langzaam zijn hoofd. De kamer voelde opeens een stuk minder gezellig aan voor Sarah.

'Dat antwoord kan ik van iedereen krijgen, mevrouw Brubaker,' zei hij. 'Bent u iedereen?'

Au.

Driesen wilde haar een reddingsboei toewerpen en tussenbeide komen, maar Montgomery gebaarde met zijn hand dat hij dat niet moest doen. Het gebaar was subtiel maar ondubbelzinnig.

De president staarde Sarah afwachtend aan. Ze wist dat er deze keer geen glimlach en gevatte opmerking in het verschiet lagen.

Bij de les blijven, Brubaker! Of beter nog: vertel hem wat je echt denkt...

'U hebt gelijk, meneer de president. Ik zal het nog een keer proberen,' zei ze ten slotte. 'De motieven van de moordenaar hebben niets met uw zwager te maken. Daar ben ik van overtuigd.'

De aanwezigen deden, op Driesen na, hun uiterste best niet hun bezwaren eruit te flappen. *Dat is belachelijk! Hoe kun je dat op dit moment al zeker weten?*

Maar ze wilden niet de vloer aanvegen met hun baas. Ze beten op hun tong.

Wat de president betrof, die leunde geïntrigeerd naar achteren in zijn leunstoel.

'Ga verder,' zei hij. 'Overtuig me.'

HOOFDSTUK 62

Het was zo stil in de kamer dat Sarah dacht dat ze haar eigen ogen kon horen knipperen.

'Meneer de president, denkt u eens na over de vraag waarom de moordenaar interesse zou hebben in een bepaalde John O'Hara, of het nu uw zwager is of iemand anders,' begon ze. 'Misschien waren er klasgenoten, misschien deden ze zaken – in theorie zou het alles kunnen zijn. Wat de connectie ook was, de reactie van de moordenaar op deze John O'Hara zou zo sterk, zo gewelddadig moeten zijn dat die zich uitte in de behoefte wie dan ook te vermoorden die John O'Hara heette.'

'Wilt u zeggen dat dat onmogelijk is?' vroeg de president.

'Nee, integendeel, meneer. Het is heel goed mogelijk,' zei ze. 'Ik ben ervan overtuigd dat de moordenaar een specifieke John O'Hara in gedachten heeft.'

'Alleen niet mijn zwager.'

'Precies.'

'Waarom niet? God mag weten dat hij waarschijnlijk wel een paar vijanden heeft.'

'Daar twijfel ik niet aan,' zei Sarah, een beetje te nonchalant. Zodra ze de woorden had uitgesproken, wilde ze ze terugnemen. 'Neem me niet kwalijk, ik wilde hem niet tekortdoen.'

President Montgomery grinnikte even. 'Dat geeft niet. Als Letterman en Leno hem kunnen afkammen, dan kunt u dat ook,' zei hij. 'Ik doe het zelf ook.' Hij keek de kamer rond. 'We doen het allemaal.'

'Wat ik bedoelde, was dat het op het eerste gezicht logisch zou zijn als de moorden iets te maken hadden met uw zwager, gezien zijn... nou ja, laten we het zijn beruchtheid noemen. Maar die gedachte heb ik losgelaten.'

'Toen u de moordenaar eenmaal had leren kennen.'

'Ja,' zei Sarah.

'Ik besefte dat die man me had kunnen vermoorden als hij dat had gewild. En met heel weinig moeite. Maar dat deed hij niet. Waarom niet? En waarom zou hij zich op die manier aan me bekendmaken?'

De consiglieri op de bank konden zich niet langer inhouden. Ze moesten zich in het gesprek mengen.

'Omdat het een spelletje voor hem is, zeker? Hij speelt met je,' zei Gilmartin, de personeelschef.

'Ja, maar het gaat verder dan dat,' zei Sarah. 'Hij wil dat ik bang ben, voortdurend in angst leef, en dat kan ik niet als ik dood ben. En dat geldt ook voor de echte John O'Hara.'

Amanda Kyle, de persattaché, keek alsof ze net de puzzel in het *Rad van Fortuin* had opgelost. 'Dus daarom vermoordt hij een stel John O'Hara's, omdat hij wil dat de echte voortdurend in angst leeft.'

'Dat geloof ik, ja,' zei Sarah. 'Daarom heb ik de John O'Hara's die niet meer leven uitgesloten – de bekende schrijver bijvoorbeeld. Dit zijn geen moorden als eerbetoon. Dit heeft niets van John Hinckley.'

'Maar dit is niet openbaar gemaakt,' zei de adjunct-directeur van de geheime dienst, Hawthorne. 'Wie de echte John O'Hara ook is, hij weet van niks.'

'Ik ben bang dat hij het binnenkort wel weet,' zei de president. 'Net als het hele land.'

'We kunnen nog steeds wachten, meneer,' zei Hawthorne. 'God weet hoeveel John O'Hara's er zijn, om nog maar te zwijgen van al hun familieleden. Denk eens aan de paniek die dan uitbreekt.'

'Daar hield ik tot vanochtend rekening mee,' zei de president. 'Maar als we nog een dode John O'Hara vinden en het komt uit dat we ons bewust waren van de dreiging en niemand hebben gewaarschuwd, kunnen we godverdomme wel inpakken.'

Sarah keek de kamer rond. Het had duidelijk iets definitiefs, de president die vloekte, want daarmee kwam de discussie ten einde.

'Zal ik een verklaring opstellen, meneer?' vroeg Kyle, die op een schrijfblok op haar schoot al een paar aantekeningen maakte.

'Ja,' zei hij. 'Maar ik mis nog iets.' Hij wendde zich tot Sarah. 'Ik weet nog steeds niet waarom mijn zwager niet de echte John O'Hara, zoals u hem noemt, zou kunnen zijn.'

'Laat ik het zo zeggen,' zei ze. 'Als ik uw zwager zou vertellen dat hij op de een of andere manier een seriemoordenaar had geïnspireerd, en dan niet eentje die alleen hem wilde vermoorden, maar iedereen die John O'Hara heette, wat zou dan zijn eerste reactie zijn?'

De president rolde met zijn ogen. Hij snapte het. 'Grappig, het woord "angst" komt niet meteen bij je op, hè?' zei hij. 'Het zou de belangrijkste gebeurtenis in zijn leven zijn. Hij zou zielsgelukkig zijn. Dat weet iedereen over hem.'

Sarah knikte. 'Inclusief onze seriemoordenaar.'

Niemand zei iets. Niemand hoefde iets te zeggen. Behalve de president.

'Goed werk, mevrouw Brubaker. Uw manier van denken bevalt me wel.'

'Bedankt, meneer.'

'U kunt beter uw baas, Dan, bedanken,' zei hij. 'Hij is degene die erop stond u vanochtend hier mee naartoe te nemen.'

Sarah wendde zich tot Driesen, die de hele tijd vrijwel niets had gezegd. Ze kon het niet geloven. Hij had tegen haar gezegd dat de president graag vanaf de 'frontlinie' wilde worden gebriefd, dat hij speciaal om haar had gevraagd.

Met andere woorden: hij had tegen haar gelogen.

En ze wist niet hoe ze hem kon bedanken.

HOOFDSTUK 63

Half voor de grap waarschuwde Dan haar op de terugweg van het Witte Huis voor de inzinking.

'De wat?' vroeg Sarah.

'De inzinking,' herhaalde hij. 'Wacht maar af.'

Ze hoefde niet lang te wachten. Ze zat nog geen minuut aan haar bureau in Quantico of ze voelde het. Ze was opgewonden geweest en had in het Oval Office met de opperbevelhebber zelf zitten praten, de president. En nu? Nu was ze weer op zichzelf. Zomaar een FBI-agent.

Achter Montgomery's rechterschouder had ze een schilderij van Norman Rockwell zien hangen, *Working on the Statue of Liberty*. Op het dressoir links van hem stond het iconische beeldhouwwerk van Frederic Remington, *The Bronco Buster*. De twee werken waren ter beschikking gesteld door de beste binnenhuisarchitecten ooit: de medewerkers van het Smithsonian Institute.

Sarah zuchtte. Daar zat ze dan, helemaal alleen in haar kantoortje, met als enige opsmuk de wekelijkse folder van Staples. Het enige dat aan haar muur hing, was een groezelig whiteboard, en nog het dichtst in de buurt van een beeldhouwwerk een klein magnetisch stekelvarken waaraan haar paperclips kleefden kwam.

Met andere woorden: de inzinking.

Er was nog iets anders. Bijna spottend lag het dossier over de John O'Hara-moordenaar voor haar. Van de buitenkant zag het eruit als elk ander dossier waarmee ze ooit had gewerkt: een overvolle geelbruine folder. Maar wat erin zat...

Er viel niet aan te ontkomen dat deze zaak anders voelde, persoonlijker. Ze had hem ontmoet, zijn hand geschud. Hem recht in de ogen gestaard. Die waren blauwgrijs. En ze keken haar nog steeds aan, daagden haar uit.

Sarah opende het bestand. Voor de zoveelste keer nam ze de verschillende politieverslagen en beschikbare autopsies door. Ze las opnieuw haar aantekeningen door. Ze logde in op haar computer en zocht opnieuw alles af wat maar met *Ulysses* en *You've Got Mail* te maken had. Daarna pakte ze de telefoon. Ze sprak de manager van Brewer's Supermarket in Candle Lake. Er hing geen beveiligingscamera bij de Movie Hut. Er hingen sowieso geen camera's in de supermarkt. 'Winkeldiefstal is niet echt een probleem hier,' legde de manager uit.

Ze belde Canteena's en sprak met de barkeeper die 'Jared' zijn eerste biertje had geserveerd, het biertje dat hij had gedronken voordat hij heel handig dat van haar had gepakt.

'Hij heeft niet toevallig met een creditcard betaald?' vroeg ze.

Ze wist dat die kans klein tot zeer klein was, maar dat kon haar niet schelen. Soms kon je alleen een mazzeltje afdwingen door een gokje te wagen, hoe klein ook.

Trouwens... *Hoe groot is de kans dat die vent me terug gaat bellen?*

Sarah greep haar telefoonoverzicht en de lijst met mensen bij wie ze een bericht had ingesproken. Een sheriff in Winnemucca in Nevada. Een rechercheur in Flagstaff in Arizona. De hoofdbibliothecaris van de openbare bibliotheek in Bakersfield. Iedereen had haar teruggebeld.

Op eentje na.

In het afgelopen jaar hadden er volgens de databank van de FBI zestien ontsnappingen plaatsgevonden uit gevangenissen en psychiatrische inrichtingen. Van die zestien waren nog twee mannen op vrije voeten. Een van hen was een gevangene uit Montgomery Prison in Alabama, de andere een patiënt uit het psychiatrisch ziekenhuis Eagle Mountain in Los Angeles.

De foto van de gevangene in het dossier maakte duidelijk dat hij onmogelijk de moordenaar kon zijn. Tenzij de 'Jared Sullivan' die Sarah had ontmoet er op de een of andere manier in was geslaagd onder meer honderd kilo kwijt te raken, om nog maar te zwijgen van de tatoeages van dolken aan weerszijden van zijn gezicht.

De psychiatrische patiënt uit LA was echter een ander verhaal. Of om preciezer te zijn: er was helemaal geen verhaal. Sarah had een kopie opgevraagd van het politierapport dat was opgesteld na zijn ontsnapping, maar dat had haar nog niet bereikt. Verder had het bureau geen werk van hem gemaakt, wat niet zo gek was. Elke staat, en met name Californië, had een oerwoud aan regels en voorschriften met betrekking tot de privacy van patiënten.

De beste manier om je daar een weg doorheen te banen? Een ouderwets telefoontje.

Aangenomen dat je het voor elkaar kreeg dat iemand je terugbelde.

Sarah had al twee berichten achtergelaten voor Lee McConnell, de directeur van Eagle Mountain. Hij zou natuurlijk nog liever een wortelkanaalbehandeling ondergaan dan het over een patiënt te hebben die onder zijn verantwoordelijkheid was ontsnapt.

'De derde ronde,' mompelde Sarah terwijl ze het nummer intoetste.

Ze wist het niet zeker, maar de vrouw die opnam leek een andere dan de vrouw die ze de vorige twee keer had gesproken. Een uitzendkracht, misschien. Dat zou in elk geval verklaren waarom ze vrolijk meldde dat meneer McConnell net binnen kwam lopen. 'Ik verbind u wel even door.' Er volgde een doodse stilte van tien seconden, waarin McConnell de arme vrouw waarschijnlijk uitkafferde omdat ze het niet eerst met hem had gecheckt, dacht Sarah. Uiteindelijk nam hij op.

'Mevrouw Brubaker? Lee McConnell,' zei hij. 'Over timing gesproken, ik wilde u net terugbellen.'

Ja ja. En ik wilde er net vandoor gaan met Johnny Depp.

Sarah zocht in haar aantekeningen naar de naam die ze had opgekrabbeld. De patiënt van McConnell. Of voormalige patiënt, zeg maar.

Ze vond hem.

'Goed, wat kunt u me over Ned Sinclair vertellen?' vroeg ze.

HOOFDSTUK 64

Er klonk een hapering in de stem van McConnell. Hij stotterde of stamelde niet, het was eerder alsof hij slikte, een soort reflex, alsof de pastrami op roggebrood die hij ooit als lunch had gegeten voortdurend voor oprispingen zorgde. Het resultaat was dat hij om geen enkele reden willekeurige woorden benadrukte.

Over een sketch van Monty Python gesproken, dacht ze. Kom maar door, John Cleese…

'Ned Sinclair, hè? Wat… wilt… u over hem weten?' vroeg hij.

Sarah onderdrukte een lach en stelde haar eerste vraag, een voor de hand liggende. 'Wat is zijn afkomst? Is hij blank, zwart, van Latijns-Amerikaanse afkomst?'

Als Ned Sinclair niet blank was, zou dit een heel kort gesprek worden.

'Hij is blank,' zei McConnell. 'Ik ben bang dat ik zijn bestand… niet… voor me heb, dus ik kan u niet vertellen hoe lang hij is of hoe zwaar hij is, en zelfs niet hoe oud hij is.'

'Kunt u een schatting van zijn leeftijd geven?'

'Ik zou zeggen rond de dertig, misschien wat ouder. Ik heb niet veel met hem gepraat, maar dat heeft… niemand… hier echt. Ned Sinclair zei vrijwel niets.'

De leeftijd, rond de dertig, zou kunnen kloppen, maar dat hij vrijwel niets zei, kwam in het geheel niet overeen met de man in Canteena's. Jared Sullivan was absoluut een prater, een mooiprater.

'Wat kunt u nog meer over hem vertellen?' vroeg ze.

'De man die u waarschijnlijk wilt spreken, is de psychiater die zijn diagnose heeft gesteld. Ned was een tijdje zijn patiënt, maar ik weet zo uit mijn hoofd niet hoe hij heet,' zei hij. 'Wacht, ik pak… het dossier… erbij. Even wachten, goed?'

Voordat Sarah kon antwoorden, luisterde ze naar een muzakversie van 'The Long and Winding Road' van de Beatles met veel trombone. Niet echt een titel die je wilde horen als je in de wacht stond.

Om een paar seconden te doden las ze haar mails. Maak daar maar enkelvoud van. Er was maar één nieuw bericht binnengekomen sinds ze voor het laatst had gecheckt toen ze was weggegaan uit het Oval Office. *Een uitnodiging voor het eerstvolgende staatsdiner? Een stoel aan de tafel van de president?*

Sarah glimlachte. Dromen stond vrij...

Om te beginnen keek ze naar de naam van de afzender. *Wie?* Aanvankelijk herkende ze die niet. Toen schoot het haar weer te binnen.

Mark Keller. Uit haar telefoonoverzicht.

Dat was de sheriff uit Winnemucca in Nevada, het stadje waar het eerste slachtoffer woonde dat John O'Hara heette.

Sarahs blik ging naar het onderwerp en ze klaarde meteen op.

'Heb iets gevonden,' stond er.

HOOFDSTUK 65

Sarah klikte snel op de mail, en door de belofte 'heb iets gevonden' boog ze dichter naar het scherm. Het bericht kon niet snel genoeg openen.

Intussen hing ze nog steeds in de wacht bij McConnell. *Waar moest hij heen voor het dossier van Ned Sinclair? Cleveland?*

Ze had met sheriff Keller in Winnemucca gesproken voordat ze naar Park City was vertrokken. Het idee was eenvoudig: als de moordenaar van John O'Hara inderdaad dat exemplaar van *Ulysses* had achtergelaten, had hij misschien ook iets achtergelaten bij zijn eerste slachtoffer. Een aanwijzing die nog niet was gevonden.

Ze wilde dat Keller de plaats delict opnieuw grondig bekeek, tot op de laatste centimeter, met speciale aandacht voor het slachtoffer zelf.

'Controleer nogmaals alle kleding,' had ze tegen hem gezegd. 'Sokken, ondergoed... alles.'

Sarah wist dat ze onuitstaanbaar was, maar het moest nu eenmaal gebeuren. *Soms kon je alleen een mazzeltje afdwingen door een gokje te wagen...*

Kellers e-mail ging net open toen McConnell weer aan de lijn kwam. Zou je net zien.

'Sorry,' zei McConnell. 'Ik kon het eerst niet vinden, maar ik heb het nu.'

Vreemd genoeg leek het alsof hij niet langer willekeurige woorden benadrukte in zijn zinnen, of misschien kwam dat doordat Sarah amper naar hem luisterde. Haar oren hadden het afgelegd tegen haar ogen en ze las Kellers bericht.

'U had gelijk,' begon het.

Keller schreef dat zijn mannen de broekomslag van de eerste John

O'Hara over het hoofd hadden gezien. Toen ze die openmaakten, vonden ze een klein, verfrommeld stukje papier, een briefje dat in de plooi van de rechterpijp was gestoken, alsof het de Klaagmuur was. Er waren twee zinnetjes op geschreven.

Sleep now little children who hear the monster roar.
Make me a witness of what he has in store.

Sarahs eerste gedachte was dat het uit een oud kinderboek kwam, ook al kende ze het niet. Ze las de zinnetjes opnieuw. Misschien kwam het uit een gedicht. Of misschien kwam het nergens uit – behalve dan de hersens van de moordenaar.

Ze opende Google terwijl McConnell verder praatte. Monotoon liep hij de hoogtepunten uit het dossier van Ned Sinclair langs. 'Doctor in de wiskunde… professor aan de universiteit van Los Angeles… bijna vier jaar geleden ontslagen…'

Sarah tikte de zinnetjes uit de e-mail over. McConnell dreunde verder. '… Diagnose van een obsessief-compulsieve stoornis… onnatuurlijke fixatie op zijn zus Nora…'

'Verdomme!' mompelde Sarah terwijl ze naar het scherm keek.

Er waren duizenden zoekresultaten. Ze was vergeten de zinnetjes tussen aanhalingstekens te zetten.

Ze voegde ze vlug toe en bingo: duizenden resultaten werden één resultaat.

Het was een website van een band. De naam maakte alles duidelijk.

Sarah sprong op van haar stoel en dook bijna op haar schoudertas, die op de grond achter haar lag. De dvd-hoes van *You've Got Mail* zat in het zijvak. Ze draaide hem om en bekeek de credits. Ze had de naam gelezen en kende hem goed, maar ze wilde het zeker weten.

Ze schoof weer achter haar bureau en nam haar aantekeningen over *Ulysses* nog eens door.

Ze wist zeker dat ze het had opgeschreven, de vrouw van James Joyce. Ze onderbrak McConnell. 'Hoe zei u ook alweer dat Neds zus heette?'

Zijn moeizame slikken en nadruk op willekeurige woorden waren teruggekeerd. Maar dit ene woord had niets willekeurigs. Het was haarscherp.

'Zijn zus heet… *Nora*,' zei hij.

HOOFDSTUK 66

Op het schermpje stond 'Lijkschouwer Queens'.

Ik zette mijn glas jus d'orange neer, zette het geluid van het tv'tje in mijn keuken uit en nam op. 'Hallo?' En dat alles voordat hij twee keer was overgegaan.

'Meneer O'Hara, met dokter Papenziekas,' zei hij.

De lijkschouwer belde me zoals beloofd de volgende ochtend terug. Lekker vroeg ook.

'Wat denk je van het stel op JFK?' vroeg ik. 'Heb je goed nieuws voor me?'

'U had gelijk,' zei hij.

'Cyclosarine?'

'Heel veel.'

'Weet u het zeker?'

Dezelfde Griekse dokter die ik eerder had ontmoet, die met zijn New Yorkse manier van doen, zou direct iets snedigs hebben geroepen, zoals: 'Hé dombo, ga vooral voor een second opinion!' Maar de bakens waren verzet. Ik was niet langer een willekeurige vent met een gestoord voorgevoel. Ik was duidelijk iets op het spoor.

De manier van doen was er dus niet meer. Terzijde geschoven. 'Ja, ik weet zeker dat het cyclosarine is,' zei hij. 'Ik neem aan dat u enige ervaring met vergiftiging hebt?'

'Ja,' antwoordde ik. *Uit de eerste hand nog wel. Laten we het erop houden dat ik tegenwoordig niet zomaar iedereen voor me laat koken...*

'Dit is natuurlijk niet zomaar gif,' zei hij, en zijn stem stierf weg.

Hij zinspeelde op iets, probeerde erachter te komen wat ik hem zou vertellen, als ik hem al iets vertelde. Ik kon praktisch zijn gedachten lezen. *Een druk New Yorks vliegveld. Een dodelijke stof losgelaten door terroristen...*

Maar ik ging niet uitweiden, al was het maar omdat ik nog steeds niet wist wat ik van dit hele verhaal moest maken. Twee dode pasgetrouwde stellen, allebei slachtoffer van een exotisch gif. Het was niet officieel een patroon, maar – noem me maar Einstein – het was in elk geval méér dan toevallig.

In plaats daarvan vroeg ik: 'Wanneer moet je het autopsieverslag in-leveren?'

'Morgen,' zei hij. 'Tenzij er natuurlijk een reden is om dat niet te doen…'

Ik moest het hem nageven, hij gaf zich niet zomaar gewonnen. Hij bood min of meer aan om het verslag te vertragen als ik hem vertelde hoe ik wist dat hij rekening moest houden met cyclosarine.

Het feit dat hij in zijn kantoor een showbizzprogramma aan had staan toen ik er was, klopte nu helemaal. Dokter Papenziekas wilde graag op de hoogte zijn. Dat kon ik hem natuurlijk niet echt kwalijk nemen – hij bracht zijn dagen door met het opensnijden van lijken. Alles om de boel maar een beetje te verlevendigen, toch?

'Nee, dat geeft niet,' zei ik. 'Je kunt dat autopsierapport vrijgeven als je…'

'Jezus!' riep hij opeens uit.

'Wat is er?'

'Bent u in de buurt van een televisie?'

Hij had er duidelijk eentje voor zich.

'Ja, hoezo?' vroeg ik.

'Zet hem maar op CNN, want, eh… nou ja…' Hij struikelde over zijn woorden alsof hij probeerde te verzinnen hoe hij het moest uitleggen. 'Het is… eh…'

Ik drong bij hem aan. 'Wat? Wat is er?'

Eindelijk gooide hij het eruit. 'U bent op tv!' zei hij.

HOOFDSTUK 67

Ik greep de afstandsbediening en zapte meteen naar CNN. Al voordat mijn duim op de mute-knop kon drukken om het geluid weer terug te krijgen, was ik... nou ja, sprakeloos.

Ik was inderdaad op televisie. Mijn naam in elk geval, in vette letters boven aan het scherm. Maar de echte grap was het woord erachter. Ik wilde in mijn ogen wrijven en nog eens kijken. Wat was er in godsnaam aan de hand?

JOHN O'HARA SERIEMOORDENAAR

Het geluid keerde terug terwijl de presentator in de studio het woord gaf aan een correspondent voor het Witte Huis. Tegelijkertijd hoorde ik een ander geluid – mijn naam nog wel – toen ik besefte dat ik dokter Papenziekas nog aan de lijn had.

Dat zou niet lang meer duren.

'Meneer O'Hara, bent u er nog?' vroeg hij. 'Meneer O'Hara?'

'Ik ben er nog, ik ben er nog.'

'Wat is er aan de hand?'

'Dat ga ik nu horen,' zei ik. 'Bedankt voor de waarschuwing.'

En ik hing op. Abrupt, ja, maar ik had net 'John O'Hara Seriemoordenaar' op tv gelezen. Jezus, ik wist nog niet eens wat dat inhield, alleen dat het niks goeds kon betekenen.

Ik richtte me weer op de correspondent voor het Witte Huis, een man met haar als een helm en een paardengebit, net op tijd om hem 'de eerdere verklaring van de perschef' te horen zeggen. Het beeld ging over naar de persruimte van het Witte Huis.

Eindelijk volgden er details. Ik zat te luisteren naar Amanda Kyle, de

perschef van de president, die uitlegde dat er 'om nog onbekende redenen' iemand rondliep die mannen vermoordde die John O'Hara heet-
ten. Tot op heden vier in vier verschillende staten.

Ze benadrukte dat niets erop wees dat het motief van de moordenaar iets te maken had met de zwager van de president, maar daar
dacht de cynicus in me anders over. Ik zou natuurlijk niet de enige zijn.
Ze liep eenvoudigweg vooruit op het spervuur van vragen toen ze het
woord gaf aan de verslaggevers. En dat spervuur kwam.

Iedereen barstte meteen los, een darwinistische schreeuwpartij tot
de luidste en meest volhardende stem de overhand kreeg.

'Is de beveiliging voor de zwager van de president aangescherpt?'

Amanda Kyle was niet voor niets de perschef. Ze wist precies in welke richting ze het gesprek wilde sturen.

'John O'Hara, de zwager van de president, geniet al sinds vóór de in-
huldiging bescherming door de geheime dienst,' zei ze, waarna ze haar
draai maakte. 'Maar waarom ik hier vandaag ben – waarom de president het zo belangrijk vindt dat we deze dreiging openbaar maken – is
omdat we niet iedereen in dit land die John O'Hara heet dezelfde bescherming kunnen bieden. Het laatste wat we willen is paniek veroor-
zaken, maar tegelijkertijd hebben we een verantwoordelijkheid, nee,
een plicht, om het mensen te laten weten.'

Het rumoer barstte weer los, maar er had net zo goed een spandoek
met 'missie volbracht' achter haar kunnen hangen. En deze keer zou
het waar zijn. Ze had de aandacht heel slim afgeleid van de zwager van
de president.

Volgende vraag.

'Waar hebben de moorden tot op heden plaatsgevonden?'

Kalm noemde Kyle de steden en dorpen op. Winnemucca... Park
City... Flagstaff... Candle Lake.

Wacht eens even, dacht ik. *Park City?*

Ik schoot van de kruk in de keuken en beende rechtstreeks naar mijn
werkkamer. Daar had ik hem laten liggen, de bijbel die me was opgestuurd. Afzender onbekend.

Ik sloeg hem open en staarde weer naar het stempel van rode inkt
terwijl ik terugliep naar de keuken. EIGENDOM VAN HET FRONTIER
HOTEL, PARK CITY, UT.

Ik legde de bijbel neer op het granieten aanrecht en bladerde naar de pagina waar de passage uit was weggesneden. Deuteronomium 32:25 en het 'Lied van Mozes'. Ik had het gemarkeerd met een gele Post-it waarop ik de ontbrekende woorden had geschreven.

> Buiten eist de oorlog zijn tol,
> binnen heerst de angst voor de dood.
> Niemand wordt ontzien,
> man noch vrouw, jong noch oud.

Ik had de laatste regel amper gelezen toen ik achter mijn schouder een stem hoorde. Er was iemand in mijn huis, in mijn keuken. Deze keer iemand die ik niet kende, dat wist ik zeker.

'Ben jij John O'Hara?' vroeg de vreemdeling.

HOOFDSTUK 68

Ik verstarde en een paar seconden, hoewel ze aanvoelden als een eeu-wigheid, was mijn lichaam volkomen roerloos. Of voelde het alsof mijn leven nog maar een paar seconden zou duren?

Als ik niet thuis was geweest, was ik meteen diep door mijn knieën gegaan om naar de holster om mijn scheenbeen te grijpen. Maar die beauty, en belangrijker nog: de Beretta 9 mm die erin zat, lag ergens boven in mijn slaapkamer, met mijn portemonnee, wat los geld en een halve rol pepermuntjes.

En nu?

Het was de tweede keus. Ik dook naar rechts en greep het dichtstbij-zijnde handvat in het blok met Wüsthof-messen naast het fornuis en draaide me met mijn arm omhoog om, klaar om te gooien.

Opnieuw verstarde ik.

En maar goed ook. Anders zou zij waarschijnlijk niet hetzelfde heb-ben gedaan en zij was degene met het pistool.

'FBI!' riep ze, en ze liet zich zakken in de gehurkte positie die ze je in je eerste jaar leren. Kleiner doelwit, meer vitale organen die werden beschermd. Pas toen ze zag dat zij de leiding had, greep ze haar insigne. Zelfs op vijf meter afstand zag ik dat dat echt was.

'Jezus, ik schrik me de tering!' zei ik, en ik liet het mes zakken. Ik ademde zo diep uit dat ik een ballon had kunnen opblazen.

Zij deed hetzelfde. Ik was Bullwinkle, zij was Rocky. 'Godsamme, ik had je wel kunnen neerschieten!' antwoordde ze terwijl ze haar pistool liet zakken.

'Daar was ik bang voor.'

Ik knikte naar de tv. De presentator op CNN was weer op het scherm, net als dezelfde drie woorden: 'John O'Hara Seriemoordenaar'.

Zodra ze dat zag rolde ze met haar ogen. Ik zag dat ze groen waren, en net zo aantrekkelijk als de rest van haar. Interessant. Doordat ze haar haar in een staart had gebonden en een minimale hoeveelheid make-up droeg, wist ik dat ze haar best deed niet te koop te lopen met haar uiterlijk. Eerder het tegendeel.

'Ja,' bevestigde ik. 'Ik ben John O'Hara. En wie ben jij?'

'FBI-agent Brubaker,' zei ze. 'Sarah.' Ze stak haar Glock 22 in de holster. 'Je dacht dat ik…'

'Het vijfde slachtoffer van me wilde maken, ja,' zei ik. 'Wacht, hoe ben je…'

We maakten officieel elkaars zinnen af. 'Ik heb aangebeld maar er deed niemand open. Ik ben achterom gekomen, de deur naar de veranda was open… Heb je de bel niet gehoord?'

'Die kan niemand horen, hij is stuk,' zei ik. 'Jemig, misschien moet ik die eens laten repareren, hè?'

Ze begon te lachen, maar dat had niets met mijn sarcasme te maken.

'Wat?' vroeg ik. 'Wat is er zo grappig?'

'O, niks,' zei ze, en ze keek naar het aanrecht.

Ik wierp een blik naar beneden en zag het gevaarlijke mes dat ik als een soort ninjakrijger naar haar toe had willen smijten. Ja, echt stoer. *Goed gedaan, O'Hara.* Het was een schilmesje van acht centimeter.

Ik haalde mijn schouders op. 'Niet erg indrukwekkend, hè?'

'Maak je geen zorgen, ik heb wel kleinere gezien,' zei ze. 'En trouwens, het gaat er niet om hoe groot hij is maar wat je ermee doet, toch?'

Ze was ook nog eens grappig.

'Geloven vrouwen dat echt?' vroeg ik.

'Nee, niet echt.'

'Au,' zei ik. 'Dus je bent hier om me te kwetsen.'

'Aha, daar heb je het,' zei ze, en ze wees.

'Wat?'

'Valse bescheidenheid. Grapjes waarmee je jezelf neerhaalt. Volgens je dossier ben je daar een kei in.'

'Echt? Wat staat er nog meer in?' vroeg ik.

'Heel veel interessants, in elk geval de delen die ik mag lezen,' zei ze. 'Daarom ben ik hier ook.'

'Om mijn dossier te bespreken?'

'Nee, om je te helpen.'

'Het bureau heeft me al naar een psych gestuurd.'

'Dat weet ik. Maar die kan niet voor je doen wat ik wel kan,' zei ze.

'O ja? En wat is dat?'

'Je in leven houden.'

Ik zweeg en staarde in die groene ogen van haar. 'Oké, ik denk dat we een gemeenschappelijke interesse te pakken hebben.'

HOOFDSTUK 69

De nieuwsreportage? Het feit dat ze op dat moment hier in mijn huis was? Het zou ronduit overbodig zijn haar te vragen op welke afdeling van de FBI ze werkte.

Maar toch vroeg ik: 'Ik neem aan dat de afdeling Gedragsanalyse niet langsgaat bij iedereen in het land die John O'Hara heet?'

'Nee,' zei ze. 'Alleen bij jou, ben ik bang.'

Banger dan ik zou moeten zijn?

We gingen aan de keukentafel zitten. Ze pakte haar schoudertas en haalde er spullen uit alsof het de eerste schooldag was. Schrijfblok. Pen. Map. Ik wist echter dat ze één ding niet bij zich zou hebben.

'Mijn dossier... NIET MEENEMEN?' zei ik.

'En ook NIET KOPIËREN,' antwoordde ze. 'Je bent heel beroemd.'

'Eerder berucht.'

'Je haalt jezelf weer neer.'

Als op je dossier zowel NIET MEENEMEN als NIET KOPIËREN staat, is de kans groot dat je de boel in de loop der jaren een paar keer goed hebt verkloot.

'Goed, je hebt duidelijk het nieuws gezien,' begon ze. 'Er loopt iemand rond die John O'Hara's vermoordt, en alleen John O'Hara's.'

'Maar in het nieuwsbericht werd niks gezegd over het geslacht van de moordenaar en dat doe jij wel. Een man. Weet je wie het is?'

'Dat niet alleen, ik heb hem ontmoet. Ik heb zelfs een biertje met hem gedronken. Lang verhaal.'

'Wat romantisch. Heb ik hem ook ontmoet?'

'Dat weet ik niet,' zei ze. 'Maar wat ik wel zeker weet, is dat hij je echt – en dan bedoel ik ook echt – niet mag.'

'En waarom is dat?' vroeg ik.

'Het heeft iets te maken met de dood van zijn zus.'

Mijn hersens maakten meteen overuren terwijl elke zaak waar ik ooit aan heb gewerkt als een op hol geslagen diapresentatie voorbij-flitste. Er waren een paar mogelijkheden, maar iets in mijn onderbuik wees op een enkele naam. Dokter Papenziekas had me nog maar een paar minuten daarvoor aan haar herinnerd.

Over iets in mijn onderbuik gesproken. Ze was puur vergif dat omhoog en omlaag ging, alle kanten op. Het doet nog steeds pijn om haar naam te zeggen.

'Nora?' vroeg ik. 'Is hij de broer van Nora Sinclair?'

HOOFDSTUK 70

Brubaker staarde me van de andere kant van de tafel aan. Ik had net de naam Nora genoemd en zij zei niets. Niet ja, niet nee, niks. Er was geen knikje of zelfs maar een vinger tegen het puntje van haar neus. Niks.

In plaats daarvan sloeg ze eenvoudigweg haar armen over elkaar, bruin en gespierd als ze waren.

'Weet je toevallig hoe de vrouw van James Joyce heette?' vroeg ze.

Merkwaardig moment voor een quiz over wereldliteratuur. 'Nee,' zei ik, 'dat weet ik niet.'

'Nora. Ze heette Nora Joyce,' zei ze. 'Weet je wie de film *You've Got Mail* heeft geregisseerd?'

Die wist ik. Wat kan ik zeggen? Met een abonnement op Netflix zie je heel veel films die je normaal niet zou kijken. En er begon zich hier een patroon af te tekenen.

'Nora Ephron,' zei ik.

Brubaker leek zich een beetje te verbazen over mijn kennis van film-trivia, maar ze ging door. 'En heb je ooit van de Nora Whittaker Band gehoord?'

Ik schudde mijn hoofd. 'Nee.'

'Ik ook niet. Dat is een onbekende groep uit Philly. Ze hebben nooit een hit gehad, maar ze hebben interessante teksten,' zei ze. 'En belangrijker nog, weet je wie van ze gehoord heeft?'

'Ik geef het op.'

'Ned Sinclair.'

'Nora's...'

'Broer, inderdaad. Hij laat bij elk slachtoffer aanwijzingen voor me achter, hoewel ik heel erg betwijfel of hij dacht dat ik hier eerder zou zijn dan hij,' zei ze. 'Ik heb gewoon geluk gehad.'

'Zo te horen wij allebei.'

Agent Brubaker vertelde vervolgens over Neds ontsnapping uit het psychiatrisch ziekenhuis en de directeur die toevallig Nora's naam had genoemd. Op de een of andere manier wist Ned over mijn betrokkenheid bij haar.

Hij was natuurlijk niet de enige.

Toen Sarah Nora's naam eenmaal had, kon ze haar na een eenvoudige opdracht in de databank met misdrijven aan de FBI koppelen. Na een paar interne telefoontjes zat Sarah voor het bureau van Frank Walsh. Ik kon zijn gezicht voor me zien. *Alsof je nog niet genoeg problemen had hè, O'Hara? Het doelwit van een seriemoordenaar?*

'Zoals ik al zei: Ned Sinclair houdt jou waarschijnlijk verantwoordelijk voor Nora's dood. Het feit dat hij onderweg naar jou onschuldige mannen met jouw naam vermoordt, benadrukt alleen maar hoe kwaad hij is,' zei ze, 'en hoe gestoord die vent is.'

'En wat maakt mij dat, de schuldige John O'Hara?'

Sarah keek me ongelovig aan. 'Nora Sinclair vermoordde haar geliefden voor geld en het was jouw werk dat te bewijzen. In plaats daarvan gaf je het begrip "undercoveragent" een nieuwe betekenis en eindigde je in bed met haar. Wil je dat ik nog verderga?'

Nee, bedankt. Het is wel goed zo. Ik begrijp wat je bedoelt.

'Maar ik ben niet degene die Nora heeft vermoord,' zei ik.

'Ja, maar weet Ned dat? Het enige dat hij kon weten, was dat de moordenaar nooit is opgepakt.'

'Goed, laat hem dan maar achter me aan komen. Ik wacht wel.'

'Met een groter mes?'

'Heel grappig,' zei ik. 'Beter nog: jij kunt hem oppakken. Je zei toch dat jullie een afspraakje hebben gehad?'

'Daarom ben ik van de zaak gehaald. Of op zijn minst van zijn spoor gebracht. In plaats daarvan heb ik de opdracht jou uit beeld te laten verdwijnen.'

'Is dat hoe ze het in Quantico tegenwoordig noemen?' vroeg ik. 'Hier zeggen we nog steeds dat iemand in rook opgaat. Hoe dan ook: ik doe het niet.'

'We brengen je een tijdje onder op een veilige plek, wat is daar mis mee?'

'Ik werk aan een zaak, dat is er mis mee. Heeft Walsh je dat niet verteld?'

'Ik weet zeker dat Warner Breslow het wel begrijpt.'

Nu was het mijn beurt om haar ongelovig aan te kijken.

'Goed, hij zal het misschien niet begrijpen,' zei ze. 'Hij zal het moeten accepteren.'

Ik stond op en griste de bijbel van het aanrecht. Zonder een woord te zeggen legde ik hem voor haar neer en keek terwijl ze naar de pagina met de ontbrekende passage bladerde. Nadat ze mijn Post-it had gelezen, bladerde ze intuïtief terug naar de eerste pagina om te zien of er een stempel op stond. Daar was ik van onder de indruk.

Intussen leek ze wel een kind op kerstochtend. Ik had haar het cadeau van vers bewijsmateriaal gegeven. Beter kon een FBI-agent niet wensen.

'Ik wil je iets vragen,' zei ik. 'Vind je het vervelend dat je niet langer achter Ned Sinclair aan zit?'

'Natuurlijk. Absoluut. Ik word er gek van.'

'En in plaats daarvan is het nu je taak om me weg te krijgen uit dit huis, toch?'

'Inderdaad. Daar word ik ook gek van.'

'Wat zou je ervan zeggen als ik tegen je zei dat er misschien een manier was om het allebei te doen?'

Sarah dacht even na en die groene ogen van haar vernauwden zich tot spleetjes. Ze was op haar hoede, maar ze was ook nieuwsgierig.

'Ik zou zeggen: ga verder, John O'Hara. Misschien hebben we wel een paar dingen gemeen.'

BOEK VIER

De beloftes die we doen,
De beloftes die ons gedaan
worden …

HOOFDSTUK 71

Ik had echt eerst moeten bellen. Wat dacht ik nou?

Eerlijk gezegd wist ik precies wat ik dacht. Olivia Sinclair was in Langdale in New York en ik wilde niet aan de telefoon te horen krijgen dat dit geen goed moment was.

En oké, ja, ik sloofde me ook een beetje uit voor de vrouw die naast me in de auto zat.

'Als je me wilt vertellen waar we heen gaan, ga je gang,' zei Sarah meer dan eens op North 1-81.

'We zijn er bijna,' zei ik.

Deels uit schuldgevoel en deels uit nieuwsgierigheid en een licht gevoel van verantwoordelijk hield ik een oogje op Olivia Sinclair sinds haar dochter Nora was vermoord. Eén of soms twee keer per jaar belde ik de hoofdverpleegster, Emily Barrows, om te kijken hoe het met haar interessantste patiënt ging. Op een bepaalde manier was het daardoor nog ironischer dat Ned Sinclair me wilde vermoorden.

'Psychiatrisch ziekenhuis Pine Woods?' vroeg een verbijsterde Sarah toen we langs het bord het parkeerterrein op reden.

Ik draaide me naar haar om toen ik een plekje vond en de motor afzette. 'Vraagje. Wat hebben alle seriemoordenaars met elkaar gemeen?'

Sarah keek me nietszeggend aan.

'Ze hebben allemaal een moeder,' zei ik.

Haar gezicht klaarde op. Precies zoals ik had gedacht.

Vanaf het moment dat ik Sarah Brubaker had leren kennen, merkte ik hoezeer ze gebrand was op Ned Sinclair, waarschijnlijk nog meer nu ze hem niet langer mocht volgen. Daardoor hunkerde ze alleen nog maar meer naar een doorbraak in de zaak. Noem het de menselijke natuur. Noem het ook de reden dat ze bereid was meer dan een uur met me mee te rijden zonder te weten waar ze heen ging.

Het ging niet alleen om je humor en je charme, O'Hara...

Ik nam Sarah mee naar de achtste verdieping en de verpleegsterspost waar, jawel, Emily Barrows dienst had. De laatste keer dat zij en ik elkaar hadden gesproken, was vorige zomer, maar het was ongeveer vijf jaar geleden dat we elkaar hadden gezien. Ze zag er vermoeider uit dan ik me herinnerde, iets meer afgedraaid.

De tijd is vooral meedogenloos als je werkdag wordt gedefinieerd als een 'dienst'.

Nadat ik Sarah had voorgesteld, verontschuldigde ik me dat ik onaangekondigd binnen kwam vallen. 'Ik hoopte alleen dat we Olivia zouden kunnen spreken. Is ze nog steeds aan het einde van de gang?'

Emily zweeg en wist duidelijk niet hoe ze moest antwoorden.

'Ik weet het, ik weet het,' zei ik. 'Dat verzoek moet waarschijnlijk eerst langs je directeur, maar we hebben weinig tijd en...'

'Nee, dat is het niet,' zei Emily. Ze zweeg nogmaals. 'Olivia is hier niet meer.'

'O, juist. Bedoel je dat ze naar huis is gestuurd?'

Zoals ik al zei: ik had eerst moeten bellen.

'Nee,' zei Emily. 'Ik bedoel dat ze dood is.'

HOOFDSTUK 72

'Wat?' vroeg ik. 'Wanneer is dat gebeurd?'

'Twee maanden geleden,' antwoordde Emily. 'Alvleesklierkanker. Het ging heel snel.'

Ze wilde nog iets anders zeggen, maar aarzelde.

'Wat?' vroeg ik. 'Wat wilde je zeggen?'

'Niks bijzonders. Ik herinnerde me alleen wat Olivia tegen me zei toen ze de diagnose te horen had gekregen. Ze zei dat de kanker was veroorzaakt door verdriet – je weet wel, over de dood van haar dochter. Ze neemt het zichzelf kwalijk.'

'Ze hield heel veel van Nora,' zei ik. Ik kon het niet laten erop voort te borduren. 'Weet je nog of ze ooit heeft gezegd dat ze ook een zoon had?'

Emily dacht een paar seconden na en schudde haar hoofd. 'Ik geloof het niet.'

Ik keek naar Sarah, die me ongetwijfeld ter plekke in die gang wilde vloeren omdat ik haar mee had genomen op een wilde achtervolging. Maar ik moest het haar nageven: ze leek vastbesloten er het beste van te maken. Of in elk geval elke invalshoek te bekijken.

'Haar zoon heet Ned,' zei Sarah. 'Misschien helpt dat.'

Dat was niet het geval. 'Je moet niet vergeten dat Olivia jarenlang amper een woord heeft gezegd,' zei Emily. 'Pas na Nora's dood zei ze meer dan een paar zinnen tegen me, maar het is niet zo dat we vriendschap hebben gesloten.'

Sarah luisterde en knikte, maar ik merkte dat ze in haar hoofd al een paar vragen verder was. 'Is Olivia hier gestorven?' vroeg ze.

'Nee, tegen het einde is ze overgebracht naar een verpleeghuis voor terminale patiënten. Daar is ze gestorven.'

'En hoe zit het met haar persoonlijke eigendommen? Zijn die meegegaan naar het verpleeghuis?'

Emily aarzelde. Het was alsof ze bedacht hoe ze kon antwoorden zonder te liegen. Ik had die aarzeling tijdens ondervragingen vaak genoeg gezien. Hetzelfde gold duidelijk voor Sarah. We wisselden een blik.

'Wil je ons iets vertellen?' vroeg Sarah.

Het was een eenvoudige vraag, maar dankzij haar toon en stembuiging had mijn partner, die opeens de boosdoener was, het voor elkaar gekregen dat Emily's wereld zou instorten als ze geen open kaart speelde. Verdomd intimiderend, eerlijk gezegd.

Dick Cheney kon zijn waterboardingspullen houden. Ik had Sarah Brubaker.

Emily keek nerveus naar links en naar rechts om zich ervan te vergewissen dat verder niemand haar kon horen. 'Wacht hier,' zei ze. 'Ik ben zo terug. Alsjeblieft. Een minuut, meer niet.'

Ze verdween in de kamer achter de verpleegsterspost. Nog geen tien seconden later keerde ze terug met iets wat in een plastic boodschappentasje was gewikkeld.

'Olivia hield dit onder in een doos in haar kast verstopt,' zei Emily. 'Ik weet dat ik dit niet had mogen doen – maar na alles wat ik over haar dochter Nora te weten ben gekomen… Nou ja, ik kon me niet inhouden.'

En met die woorden gaf ze het tasje aan Sarah.

HOOFDSTUK 73

Ik reed. Sarah las.

'Hé!' moet ik wel vijf, zes keer hebben geroepen als Sarahs stem wegstierf. Ze ging er zo in op dat ze niet besefte dat ze niet meer hardop las.

De eerste aantekening was op 9 augustus 1986, toen Olivia net aan haar gevangenisstraf voor de moord op haar echtgenoot begon. Alleen was zij niet degene die hem had vermoord. Dat was Ned. Ze had de schuld van haar zoon van zeven op zich genomen. Dat verklaarde ze in elk geval.

Zou ze tegen haar eigen dagboek liegen?

Het viel niet te ontkennen dat het verontrustend en enigszins zorgwekkend was wat Sarah en ik deden – en ja, wat Emily Barrows vóór ons had gedaan. Dit was de ultieme schending van privacy, en het feit dat Olivia dood was, was nauwelijks een verzachtende omstandigheid.

Maar toch.

Als er ook maar een flard informatie in dit kleine, in leer gebonden boekje stond dat ons kon helpen Ned Sinclair op te pakken voordat hij opnieuw een moord pleegde, was dit een geval waarbij het doel de middelen heiligde.

En hoewel ik Olivia Sinclair maar één keer had ontmoet, had ik het merkwaardige gevoel dat ze er alle begrip voor zou hebben.

'Jezus,' mompelde Sarah halverwege een zin.

Ik wierp een blik opzij. Ze keek ontzet. 'Wat is er?' vroeg ik.

'Nora is misbruikt door haar vader,' zei ze. 'Meerdere keren.'

De rest was als de laatste stukjes van een puzzel. Alles viel moeiteloos op zijn plek.

Ned had over de incest geweten en had het heft in zijn eigen kleine handen genomen. Het feit dat Olivia geen flauw idee had wat haar echtgenoot had gedaan – tot het te laat was – had ongetwijfeld haar besluit versneld om de schuld voor Ned op zich te nemen. Het was haar laatste daad als moeder.

Sarah bleef lezen. In hartverscheurende details beschreef Olivia haar schuldgevoel, de pijn toen ze hoorde dat haar kinderen naar een weeshuis waren gestuurd.

Het werd alleen maar erger. Een jaar later kreeg ze te horen dat Ned en Nora van elkaar gescheiden waren en naar twee verschillende instellingen voor wezenzorg waren gestuurd.

Sarah sloeg het dagboek opeens met een klap dicht.

'Wat doe je?' vroeg ik.

'Ik neem pauze. Ik wil het even niet meer lezen,' zei ze. 'Wat een vreselijk verhaal.'

Voor iemand die er zo op gebrand was Ned Sinclair ten val te brengen, zei dat veel. Niet dat ik het haar kwalijk kon nemen. Olivia's dagboek beschreef een nachtmerrie die werkelijkheid was geworden – voor alle Sinclairs.

Of je nu dacht dat gedrag was aangeleerd of aangeboren, je kon onmogelijk denken dat dit Ned en Nora niet permanent had beschadigd.

Ik keek opzij naar Sarah die Olivia's dagboek vasthield zoals ik de deur van de koelkast vasthoud als ik een paar kilo wil kwijtraken. En ze sloeg het zowaar weer open.

'Dat was een korte pauze,' zei ik.

'Ik kan het niet helpen,' zei ze. 'Ik moet hier doorheen en alles lezen. Waarschijnlijk een paar keer.'

Ik begreep het. Ze was écht van plan Ned Sinclair ten val te brengen. Volledige concentratie. Zozeer dat al het andere onbeduidend leek. Waar we bijvoorbeeld in godsnaam naar toe gingen. Naar het zuiden, ja, maar niet naar mijn huis. In elk geval niet als het aan Sarah lag.

Ik bleef rijden terwijl zij bleef lezen, allebei zonder te weten wat er in het verschiet lag. Een kilometer of vijftien en twintig pagina's later veranderde alles.

'Jezus,' mompelde Sarah, nog steeds met haar neus in het dagboek.

'Wat?'

Toen ik me omdraaide hield ze de pagina die ze aan het lezen was omhoog. Ik zag het meteen.

De sleutel tot het hele verhaal.

HOOFDSTUK 74

Sarah schudde zo ongeveer de hele vlucht vanaf Los Angeles haar hoofd. Na een tijdje moest ik wel lachen.

'Wat is er zo grappig?' vroeg ze.

'Jij,' zei ik. 'Je bent net mijn moeder toen ik nog een kind was. Ik kwam dan thuis van school en zei trots dat ik een 9,8 had gehaald voor mijn proefwerk wiskunde, en het eerste wat ze dan vroeg was wie die laatste 0,2 had gekregen.'

Sarah was zo slim geweest om te kijken of er nog onroerend goed stond geregistreerd op Ned Sinclairs naam. Maar nu kwelde ze zichzelf omdat het niet bij haar was opgekomen – die 0,2 – om ook de rest van de Sinclairs na te gaan. Met name Nora. Dat ze toevallig al jaren dood was, wilde nog niet zeggen dat ze niet nog een huis kon bezitten.

En dat was inderdaad het geval.

Het was een splitlevelwoning met twee slaapkamers in Westwood, in de buurt van de universiteit van Los Angeles, waar Ned hoofddocent was geweest. Nora had het gekocht voor haar broer, en volgens het dagboek ook voor Olivia.

Hier is de sleutel moeder, voor de dag waarop u mag vertrekken…

Dat had Nora tegen haar gezegd tijdens een van haar bezoekjes aan Pine Woods. De sleutel was een symbool van optimisme, iets om Olivia moed te geven. Nora wilde dat haar moeder dacht dat ze op een dag zou worden vrijgelaten.

Diep vanbinnen wisten ze allebei waarschijnlijk wel dat dat nooit zou gebeuren.

Dus Ned woonde alleen in het huis. Dat wil zeggen: tot hij opgenomen werd in Eagle Mountain.

Sarah en ik vlogen echter het hele land door omdat het huis nooit verkocht was. Het behoorde nog steeds tot de nalatenschap van Nora.

Welkom bij een speciale aflevering van House Hunters...

'Daar heb je het,' zei Sarah, ongeveer een halfuur nadat we in Los Angeles waren geland. Ze wees achter in een taxi die we vanaf LAX hadden genomen voor zich uit. 'Het nummer staat op de brievenbus. Tweehonderdtweeënzeventig.'

We lieten de taxi stoppen, betaalden de chauffeur, stapten uit en staarden naar de laatst bekende verblijfplaats van Ned Sinclair. Ik verwachtte dat het vervallen en luguber zou zijn, met een tuin vol lang gras en onkruid. In plaats daarvan was het keurig onderhouden, met een onberispelijk gazon.

Dat maakte het op de een of andere manier héél luguber.

'Nora's nalatenschap heeft waarschijnlijk voorzien in een huisbewaarder, in de veronderstelling dat Ned op een dag zou worden vrijgelaten,' zei Sarah.

'Misschien,' zei ik.

Ze keek me aan. 'Hoezo? Denk je niet dat...'

'Dat hij daarbinnen is? Neu, hij moordt maar in één richting: het oosten,' zei ik. 'Kleine kans dat hij heen en weer pendelt.'

De kans was groter dat Ned een tussenstop had gemaakt na zijn ontsnapping uit Eagle Mountain, dat maar dertig kilometer verderop lag. Om een koffer te pakken? Te douchen en zich te scheren? Wat contant reisgeld te pakken?

De echte vraag was echter of hij iets had achtergelaten – een aanwijzing of wat dan ook waarmee we hem konden opsporen.

'Ga jij maar voor,' zei ik toen we de voordeur van het huis met cederhouten dakpannen en witte kozijnen naderden.

Sarah haalde de sleutel uit haar zak. Die kleefde nog een beetje door al het plakband dat Olivia had gebruikt om hem in haar dagboek te plakken.

'Zeg nog eens dat het uitgesloten is dat hij daarbinnen is,' zei ze.

'Oké, het is uitgesloten dat hij daarbinnen is.'

We moesten allebei lachen. Ha ha. Toen grepen we onze pistolen en haalden de veiligheidspal eraf.

Voor het geval we ons allebei vergisten.

HOOFDSTUK 75

Klop klop. Wie is daar?

Niemand…

We waren vlug het hele huis doorgelopen, maar Ned was nergens te bekennen. Sarah en ik bevonden ons weer in de betegelde hal waar we begonnen waren.

'Ga jij naar boven, dan blijf ik hier beneden,' zei ze.

Nu ging het erom aanwijzingen te vinden, iets wat ons op weg zou helpen. Iets waarmee we Ned konden ontcijferen. Waar was hij naar op weg?

Als dit een film was, zou het heel simpel zijn geweest. We liepen een kamer binnen en onze mond zou openvallen als we zagen dat elke vierkante centimeter van elke muur vol hing met foto's van mij, elk met een grote letter x over mijn gezicht. Vervolgens zouden we op een plattegrond stuiten waarop een route stond aangegeven die ons precies naar de locatie zou leiden waar Ned van plan was een nieuwe moord te plegen.

Maar hoe dicht we ook bij Hollywood waren, dit was geen film.

Er was geen altaar voor mij, geen voor de hand liggende aanwijzing die op ons lag te wachten. Er was eigenlijk vrijwel niets. Over minimalistisch gesproken. Nora Sinclair, de interieurontwerpster met een geweldig oog voor detail, had het huis dan misschien wel gekocht voor Ned, ze had het duidelijk niet ingericht.

Niemand had het ingericht.

In de twee slaapkamers boven waren de enige twee meubelstukken de bedden zelf. Er waren geen ladekasten, geen nachtkastjes, niet eens een lamp.

Daardoor bleven alleen de linnenkasten over. Twee, om precies te zijn. De eerste in de logeerkamer konden we echter afschrijven. Die was leeg.

In de kast in de slaapkamer vond ik ten slotte het enige bewijs dat er ooit iemand in het huis had gewoond. Neds kleren. Ik ging er in elk geval van uit dat ze van hem waren.

Heel keurig aan houten kleerhangers die bewust vijf centimeter van elkaar leken te hangen, bevonden zich een paar broeken, overhemden en enkele tweedjasjes. Een inspectie van de zakken leverde echter niets op. Ze waren allemaal leeg.

Net als bij Olivia's dagboek zou ik het gewoonlijk een beetje vreemd vinden om door iemands persoonlijke eigendommen te gaan, maar er was niet echt iets wat 'persoonlijk' leek.

Tot ik me omdraaide en het zag.

Er was iets onder het bed gestopt. Ik dacht eerst dat het misschien een koffer was, maar toen ik op mijn knieën viel om beter te kunnen kijken zag ik dat het een houten kist was. Een oude ook nog.

Ik trok hem naar me te toe en maakte de gebutste koperen knip open. De scharnieren waren roestig en piepten. *Wat heb je voor me, Ned?*

Teleurstelling, dat had hij.

Het was speelgoed. De kist zat tjokvol kinderspeelgoed.

Gefrustreerd staarde ik ernaar. Toen besefte ik opeens iets. Alles was hetzelfde.

Niet precies hetzelfde, maar een versie van hetzelfde voorwerp. Groot, smal, kapot of in perfecte toestand. Alles in de kist was een speelgoedversie van een specifieke auto. Een unieke zelfs, een gouwe ouwe.

De DeLorean uit *Back to the Future.*

Hm.

HOOFDSTUK 76

Ik wilde er niet te veel achter zoeken, vooral omdat ik niet zag hoe we dankzij Neds belangstelling of een obsessie met deze ene auto dichter bij hem konden komen. Soms is een kist met speelgoed gewoon een kist met speelgoed.

Toch moest ik ze stuk voor stuk bekijken. Je wist maar nooit.

Een voor een haalde ik ze eruit. Ik wist niet goed waar ik naar zocht. Hopelijk zou ik dat weten zodra ik het vond.

Maar het enige dat ik vond, was de ene DeLorean na de andere, van hout, plastic of metaal.

Tot ik de bodem bereikte.

Daar lag een klein fotolijstje, ondersteboven. Nog voordat ik het pakte en omdraaide, wist ik van wie ik een foto te zien zou krijgen.

Nora Sinclair.

Ik veegde wat stof van het glas en staarde ernaar. Ze was net zo mooi als ik me herinnerde. De hoge jukbeenderen en volle lippen. De stralende ogen en zongebruinde huid.

Ja, verreweg de knapste seriemoordenaar met wie ik ooit naar bed was geweest.

'Hoe gaat het?' riep Sarah van beneden. 'Iets gevonden?'

Freud zou wel raad hebben geweten met de manier waarop ik het fotolijstje onhandig wegmoffelde, alsof ik op heterdaad was betrapt.

'Nog niet!' riep ik, en ik legde het lijstje weer op de bodem van de kist.

Bijna meteen pakte ik het echter weer op.

Ik staarde niet meer naar Nora's foto, maar naar de achterkant van het lijstje, waar het openging.

Ik weet niet precies waarom ik deed wat ik op dat moment deed. Was het omdat ik ooit had gelezen over een man die achter een schilderij dat hij had gekocht op een rommelmarkt een exemplaar van de Amerikaanse onafhankelijkheidsverklaring had gevonden? Was het de manier waarop mijn oma vroeger nieuwe foto's van mij toevoegde aan haar lijsten, met de oude er nog in?

Ik weet alleen maar dat iets ervoor zorgde dat ik de achterkant van dat lijstje openmaakte.

HOOFDSTUK 77

Plotseling riep Sarah weer iets, maar het was niet tegen mij.

'Verroer je niet!' hoorde ik haar roepen.

Ik greep onmiddellijk naar de holster om mijn enkel, waarna ik de kamer uit rende en de trap af vloog. Met een doffe klap kwam ik in de gang terecht, waar ik hem van achteren zag, met zijn handen in de lucht. *Sinclair? Echt? Nee, dat was onmogelijk!*

Instinctief draaide hij zich om toen hij me hoorde, en zijn ogen werden groot van schrik toen hij besefte hoe benard zijn situatie was. Sarah stond voor hem, ik achter zijn rug.

'Wie ben jij?' wilde Sarah weten.

Hij draaide zich weer naar haar toe. Zenuwachtig kwamen de woorden over zijn lippen. 'Ik... eh, ik... mijn naam is dokter Bruce Drummond, ik ben, eh, een psychiater.'

'Wat doet u hier?' vroeg ze. Het klonk ronduit dwingend.

'Het nieuws,' zei hij. 'Toen ik... eh.... terugkwam van mijn werk, zag ik het op het nieuws.'

Sarah en ik brachten op hetzelfde moment onze pistolen naar beneden. We hadden de rest meteen ingevuld.

'Was Ned Sinclair bij u onder behandeling?' vroeg ze.

'Ja, een jaar lang,' antwoordde hij, en hij haalde nu pas adem. 'Zijn jullie van de politie? Ik hoop dat jullie van de politie zijn.'

'FBI,' zei ze, en ze liet haar insigne zien. 'Ik ben agent Sarah Brubaker en dat is mijn partner, John.'

Heel slim verzuimde ze mijn achternaam te noemen. Dat zou de beverige psychiater alleen nog maar meer van streek maken. Vooralsnog had hij dringender zaken aan zijn hoofd.

'Mag ik mijn handen weer laten zakken?' vroeg hij.

'Ja hoor,' zei Sarah. 'Sterker nog, u kunt nog veel meer voor ons doen. U kunt ons helpen.'

We liepen naar Neds slaapkamer, waar de spaarzame inrichting keurig werd doorgetrokken. Er stonden één bank en één leunstoel. Meer niet. Een salontafel was kennelijk overbodig.

Niet dat we op het punt stonden dokter Bruce Drummond koffie aan te bieden, of een ander drankje of een hapje. Nog geen cocktailworstje. Het enige dat we van hem wilden, was informatie.

'Om te beginnen: wat doet u hier?' vroeg Sarah. 'Hebt u contact gehad met Ned?'

'Al een paar jaar niet meer,' legde hij uit. 'De kans was klein, maar als hij hier was, hoopte ik hem over te halen zich aan te geven. De deur was open toen ik aankwam.'

'U had niet overwogen eerst naar de politie te gaan?' vroeg ik.

Drummond sloeg zijn benen over elkaar. 'Ned zou zich nooit hebben aangegeven bij de politie,' zei hij. Hij was nu kalmer, beheerster, en zijn uitstraling van geleerde begon zich nu te laten gelden.

Sarah pikte dat duidelijk op en haar toon werd milder. Slimme meid, ze wilde Drummond het gevoel geven dat ze waardeerde wat hij had gedaan. Dat was de beste manier om hem over Ned uit de tent te lokken.

'Het is begrijpelijk dat u zich zorgen maakt over zijn welzijn,' zei ze. 'Hoe lang geleden was u zijn psychiater?'

'Hij werd een jaar of vijf geleden mijn patiënt, vlak nadat zijn zus was vermoord. Het hoofd van de vakgroep Wiskunde aan de universiteit van Los Angeles, een vriend van me, had voorgesteld dat Ned naar mij toe zou komen.'

'Voor rouwverwerking?' vroeg ik. Op dat vlak had ik wel enige ervaring, zou ik zo zeggen.

'Ja, hij was heel close met zijn zus,' zei Drummond. Toen voegde hij er op zachte toon iets aan toe, bijna terloops. 'Te close.'

Als ooit twee woorden smeekten om een vervolgvraag, waren het die wel. 'Wat houdt dat in?' vroeg ik.

Drummond aarzelde. 'Hebben jullie Neds persoonlijke dossier van de universiteit gezien, waarom hij daar is weggegaan?'

'Ja,' zei Sarah. 'Er stond in dat hij was ontslagen na aanhoudende negatieve feedback van studenten.'

'Dat is wel logisch,' zei Drummond. 'Anders zou het een pr-nacht-merrie zijn geweest.'

'Wat zou een pr-nachtmerrie zijn geweest?' vroeg ik.

'De waarheid,' zei hij.

HOOFDSTUK 78

Ik moet het de dokter nageven: hij had onze onverdeelde aandacht.

Drummond boog naar voren in de leunstoel en sloeg zijn handen in elkaar. 'Ned was in zijn kantoor op de campus betrapt terwijl hij masturbeerde met in zijn hand de foto van een jonge vrouw,' legde hij uit.

Sarah knipperde nauwelijks met haar ogen. 'Een van zijn leerlingen?' vroeg ze.

'Erger nog, als je je dat kunt voorstellen,' zei hij. 'Het was een foto van Nora.'

Oké, dat is een ander verhaal. Dit was ronduit bizar. En afhankelijk van welke foto het was, moest ik misschien mijn handen gaan wassen…

Drummond ging verder. 'Dat heet een compulsieve psychoseksuele afwijking. Die komt vrijwel niet voor bij broers en zussen, maar het is niet onmogelijk.'

'En u bleef hem na dat voorval begeleiden?' vroeg Sarah.

'Ja. Dat probeerde ik in elk geval,' zei hij. 'Het feit dat Nora dood was, maakte het alleen ingewikkelder. Niet alleen was hij op haar gefixeerd, zoals jullie je wel kunnen voorstellen, hij was bezeten van haar moordenaar. Hij zei dat hij wist wie het was.'

'Heeft hij u een naam gegeven?' vroeg ik.

'Nee, en dat was het ergst,' zei hij. 'Hij hield vol dat hij het zelf zou opknappen.'

'Het?' herhaalde Sarah. 'Alsof hij hem wilde vermoorden?'

'Die indruk kreeg ik,' zei hij. 'Zonder naam was het natuurlijk niet echt te vergelijken met Tarasoff.'

'Maar toch dacht u dat hij een bedreiging voor iemand vormde,' zei Sarah. 'En dus liet u hem opnemen in Eagle Mountain, klopt dat?'

'Ongeveer een jaar nadat hij onder mijn hoede was gekomen, ja.'

Sarcastisch stak ik mijn hand op. 'Tarasoff?'

'De rechtszaak,' zei Sarah. 'Tarasoff versus bestuursleden van de universiteit van Californië. De uitspraak dwingt een therapeut zijn beroepsgeheim over zijn patiënt te schenden als hij weet dat een derde partij gevaar loopt.'

Ik wierp haar een zijdelingse blik toe. 'Uitslover.'

Ze glimlachte en richtte zich weer tot Drummond. 'Er is alleen iets wat ik niet begrijp,' zei ze. 'Ned gaat naar Eagle Mountain en verblijft daar drie jaar zonder enig probleem. Dan besluit hij op een dag uit het niets te ontsnappen. Hij pleegt een gewelddadige moord op een verpleegster en gaat het moordpad op, waarbij alle slachtoffers dezelfde naam hebben.'

'Hij geeft duidelijk iemand die John O'Hara heet de schuld voor de dood van zijn zus,' zei Drummond. 'En dan bedoel ik ook écht de schuld.'

'Ja,' zei Sarah. 'Maar waarom maakt hij er nu pas werk van? Waarom wachtte hij?'

'Beschouw zijn compulsieve stoornis maar als een vorm van kanker,' zei hij. 'Ned was in remissie. Hij gebruikte medicijnen en welke aandrang hij ook voelde was onder controle. In bedwang.'

'Dan is dat mijn vraag. Wat is er gebeurd waardoor dat veranderde?' vroeg ze.

'Die vraag had ik ook,' zei Drummond. 'Daarom kwam ik hierheen voordat ik langsging bij Eagle Mountain. Er blijkt een nieuwe verpleegkundige op Neds etage te werken.'

'Wat heeft zij hiermee te maken?' vroeg ik.

'U bedoelt: wat heeft hij hiermee te maken?' zei hij. 'Het was een mannelijke verpleegkundige.'

'Is dat degene die Ned heeft vermoord?' vroeg Sarah.

'Ja. Zijn bijnaam was Ace.'

Ik haalde mijn schouders op. 'Nou en?'

Drummond leunde naar achteren. 'Vraag nu maar hoe hij echt heette.'

HOOFDSTUK 79

Honderden kilometers rijden, duizenden kilometers in de lucht, meerdere tijdzones, en dat alles in vierentwintig uur, dankzij een nachtvlucht van LAX die we op het nippertje haalden.

Sarah en ik waren weer in New York en zaten in mijn auto. We reden het terrein voor kort parkeren bij JFK af.

'Ruik je dat?' vroeg ik terwijl ik met het luchtroostertje rommelde. 'Wat is dat?'

Sarah lachte. 'Volgens mij zijn wij dat.'

Ik rook aan mijn overhemd en deinsde achteruit. 'Wauw. Of misschien alleen ik. Sorry daarvoor.'

'Nee, wij zijn het, John. Nu hebben we nog iets anders gemeen. We stinken een uur in de wind.'

We konden binnenkort douchen, dat wisten we. Voordat we waren geland hadden we afgesproken dat we naar mijn huis in Riverside zouden rijden om ons op te frissen. Doordat Sarahs huurauto daar stond, was dat een uitgemaakte zaak.

Waar we het echter niet eens over werden, is wat er daarna zou gebeuren.

Voor de zoveelste keer zei ik dat we bij mij thuis moesten blijven om eenvoudigweg te wachten tot Ned Sinclair zich meldde.

'Het is nog niet te laat om van gedachten te veranderen,' zei ik terwijl we de Van Wyck Expressway richting Connecticut op reden.

En voor de zoveelste keer gaf ze nul op het rekest.

'Daar ga ik niet over,' zei ze. 'En daarover gesproken: als ik niet snel mijn baas bel heb ik een probleem. Echt.'

Ik kende haar baas, Dan Driesen, redelijk goed, zij het alleen van horen zeggen. Hij had een uitstekende reputatie.

Snel, noem een seriemoordenaar uit de laatste tien jaar die nog op vrije voeten is.

Precies.

'Wat ga je tegen hem zeggen?' vroeg ik.

'Dat het een tijdje duurde voordat ik je had opgespoord, maar dat ik je eindelijk heb gevonden,' zei ze.

'En wat gebeurt er dan?'

'Zoals ik al zei, jij gaat naar een plek waar het veilig is. En dat is niet je huis in Connecticut.'

'Het FBI-hotel?'

'Nu met gratis HBO,' grapte ze.

'Heel grappig. Nou ja, best wel grappig. Of nee, helemaal niet grappig eigenlijk.'

Het FBI-hotel was de naam die agenten gaven aan de verschillende onderduikadressen her en der in het land die de FBI gebruikte. Die waren voornamelijk voor getuigen in rechtszaken die beschermd moesten worden, maar soms, zoals in mijn geval, zag een agent zich gedwongen in te checken.

'Maar serieus, je moet beslissen wat je met je jongens wilt doen,' zei ze.

'Daar ben ik al uit,' zei ik. 'Als iemand me probeert te vermoorden, wil ik ze niet bij me hebben, waar ik ook verstopt zit.'

'Moeten ze wel op kamp blijven?'

'Ja. Ze krijgen alleen twee nieuwe begeleiders, als je begrijpt wat ik bedoel.'

Ze begreep me. 'Ik zal het bij je thuis regelen,' zei ze.

Ik dacht even aan directeur Barliss met zijn keurige rechte lijn met punaises in Camp Wilderlocke die te horen kreeg dat hij een tijdje twee nieuwe medewerkers kreeg: twee jonge FBI-agenten. Verder was er weinig reden om te lachen.

Om alles even te vergeten zette ik de radio aan voor het verkeersnieuws over de Whitestone Bridge, waar we op af reden. De zender heette 1010 WINS, 'Alleen maar nieuws'. Het was verbazingwekkend, maar mijn timing had niet beter kunnen zijn.

Dat wil zeggen: als ik ons niet eerst de dood in joeg.

'Kijk uit!' riep Sarah.

Mijn hoofd schoot omhoog van de radio en ik zag nog net de achterkant van een bestelwagen mijn hele voorruit vullen. Als ik een nanoseconde later op de rem was gaan staan, hadden we die van achteren geramd. Knal, beng en airbags.

En terwijl ik naar de radio wees, was het enige dat ik tegen haar kon zeggen: 'Hoorde je dat?'

HOOFDSTUK 80

Ik reed snel naar de berm en met zijn tweeën luisterden we met het geluid voluit naar de radio. Het was een nieuwsbericht over de moord op een jong stel.

Vermoord tijdens hun huwelijksreis.

Eerst Ethan en Abigail Breslow, vervolgens Scott en Annabelle Pierce.

Toeval was nu uitgesloten.

Twee zou nog kunnen, drie is een seriemoordenaar.

Mijn hoofd tolde. Sarah en ik hadden er nu officieel met eentje te maken. Een setje, als twee washandjes, een voor hem en een voor haar, als washandjes tenminste her en der mensen vermoordden.

'Bianca Turner is in Long Island en heeft meer informatie…'

Parker en Samantha Keller waren fervente zeilers, en twee zondagen geleden waren ze vertrokken uit Southampton en met hun schoener van twaalf meter op weg gegaan naar St. Bart's. Op de terugweg hadden ze op een avond aangemeerd in Bermuda, waar ze vrienden hadden ontmoet en hun voorraad hadden aangevuld. Een uur na hun vertrek de volgende ochtend had er kennelijk een soort explosie plaatsgevonden op de boot, waarbij ze allebei om het leven waren gekomen.

'De kustwacht wil nog geen commentaar geven over de aard van de explosie of wat er de oorzaak van zou kunnen zijn.'

'Of wie er de oorzaak van zou kunnen zijn,' zei ik, maar Sarah legde me het zwijgen op omdat ze de rest wilde horen.

Maar meer was er niet, of dat dacht ik toen ik de weg weer op reed. Ik bleek het mis te hebben.

'Volgens vrienden hadden Parker en Samantha Keller hun huwelijksreis uitgesteld tot ze waren afgestuurd in de rechten. Ze zijn afgelopen april getrouwd in Sag Harbor in New York.'

Sarah gilde het opeens zo hard uit dat ik bijna op een vrachtwagen knalde. 'O god, dat is dat stel!'

'Welk stel?'

'Ik heb over ze gelezen in de *Times*,' zei ze. 'Ongelooflijk! Ze waren het stel in "Geloften".'

Ik had geen idee waar ze het over had en ik keek haar wezenloos aan.

'Het stel in "Geloften",' herhaalde ze. 'In het katern over trouwen vertelt elke week één stel hoe ze elkaar hebben leren kennen en van die dingen. Heb je dat nog nooit gezien?'

Ik wilde uitleggen dat tenzij ze het sportkatern in het katern over trouwen zouden stoppen de kans klein was dat ik ooit op een 'stel in "Geloften"' zou stuiten.

In plaats daarvan schudde ik eenvoudigweg mijn hoofd. 'Nee, dat heb ik nog nooit gezien,' zei ik.

Sarah keek me echter al niet meer aan. Ze zat met haar neus boven op haar BlackBerry.

'Wat doe je?' vroeg ik.

'Ik check iets,' antwoordde ze. 'Een voorgevoel.'

Ik hield één oog op de weg, en met mijn andere zag ik haar druk met haar duimen op het apparaatje drukken. Ze tikte iets. Verwoed.

Plotseling stopte ze. Ze staarde afwachtend naar het scherm.

Ze wachtte nog een poosje.

'Kom op… kom op,' mompelde ze ongeduldig. Na een tijdje sloeg ze op het dashboard. 'Ik wist het!'

In haar stem klonk door dat alles nu zou veranderen, wat we ook van plan waren geweest.

'Ik kan niet eens douchen, hè?' vroeg ik.

'Nog niet,' zei ze, en ze keek over haar schouders naar het verkeer dat de andere kant op ging.

'Oké, zeg het maar. Waar gaan we heen?'

'Manhattan,' antwoordde ze. 'We moeten er bij de volgende afslag af en de andere kant op.'

Ik glimlachte naar Sarah om de manier waarop haar voorgevoel – wat dat ook inhield – als een shot pure adrenaline was. Niet alleen voor haar, maar voor ons allebei.

Ik greep het stuur bovenaan beet en gaf er een slinger aan. We schoten over de dubbele gele lijn en naar de rijstroken die naar het zuiden gingen. Ik bracht het stuur terug en stampte op het gaspedaal alsof ik een vuur uit wilde trappen.

'En waar in Manhattan wil je heen?' vroeg ik kalm.

HOOFDSTUK 81

Al met één voet over de drempel kon je het gedruis van het gebouw waarin *The New York Times* was gevestigd niet alleen horen, maar ook voelen.

Sarah en ik liepen vlug door de ruime, hoge lobby en de honderden kleine schermen die aan kabels hingen toonden flarden van het nieuws, in letters die in een gesynchroniseerde dans ronddraaiden en voorbijscrolden.

Op de tweeëntwintigste verdieping stapten we uit de lift. Sarah vertelde een fris ogende jonge vrouw met een bril van schildpad en een witte cardigan haar naam. Je kon er vrij zeker van zijn dat ze de enige receptioniste in Manhattan was die achter haar balie Proust las.

'Ja, mevrouw LaSalle verwacht jullie al,' zei ze. 'Momentje.'

Met een druk op een knop kondigde ze onze komst aan en binnen enkele seconden volgden we een andere fris ogende vrouw door een drukke gang, met aan de muren foto's van enkele van de meer dan honderd Pulitzer Prize-winnaars van de krant.

'Ik ben trouwens de persoonlijke assistente van mevrouw LaSalle,' zei ze over haar schouder.

De toon was zelfverzekerd, maar het was ook een leugen. Haar uiterst behoedzame lichaamstaal toen we het hoekkantoor van LaSalle bereikten liet er weinig twijfel over bestaan dat ze volledig geïntimideerd was door haar baas.

Je zag al snel waarom.

Emily LaSalle, redacteur van de trouwrubriek van *The New York Times* en vermoedelijk de nestor van de high society van Manhattan, was een intimiderende combinatie van netjes en verzorgd. Haar haar, haar make-up, haar kleding, compleet met een dubbele ketting van witte parels – alles aan haar leek zelfverzekerd. De situatie meester.

Dat wil zeggen, tot haar persoonlijke assistente ons alleen liet met haar en de deur achter zich dichttrok. Op dat moment veranderde mevrouw Netjes en Verzorgd min of meer in een hoopje ellende.

'Ik voel me zo verantwoordelijk,' zei ze, en de tranen stroomden opeens langs haar hoge jukbeenderen. 'Ik heb die stellen uitgekozen.'

Dat was natuurlijk dwaasheid. Je kon het haar moeilijk aanrekenen. Toch begreep ik waarom ze zo van streek was. Een seriemoordenaar legde mensen tijdens hun huwelijksreis om en het enige dat ze gemeen hadden, was dat ze in haar rubriek hadden gestaan.

'Je moet het jezelf niet kwalijk nemen,' zei Sarah, en ze klonk als haar beste vriendin. 'Wat je wel kunt doen, is ons helpen.'

'Hoe dan?' vroeg ze.

'De afgelopen twee afleveringen gingen over de Pierces en de Breslows. Maar het stuk over het laatste stel dat vermoord is, de Kellers, was bijna twee maanden geleden,' zei ik.

'Ja, dat weet ik nog,' zei LaSalle. 'Ze stelden hun huwelijksreis uit. Een van de twee studeerde af in de rechten, toch?'

'Precies,' zei Sarah. 'Dat wil zeggen dat er een periode van vijf weken tussen de slachtoffers zit. Dat hebben we berekend.'

'Of om het anders te zeggen: vijf weken met stellen die nog in leven zijn,' zei ik.

'Waarom denken jullie dat ze gespaard zijn?' vroeg LaSalle.

'Dat weet ik niet. Maar om te beginnen moeten we uitzoeken of dat wel zo is,' legde ik uit. 'Minstens een van die stellen zou nog op huwelijksreis kunnen zijn.'

'O god,' zei LaSalle toen de werkelijkheid tot haar doordrong.

Er was maar één ding erger dan drie dode stellen uit de rubriek.

Vier dode stellen.

HOOFDSTUK 82

'Ik heb nog nooit zoiets moois gezien,' zei Melissa Cosmer toen ze het hoogste punt van de Makahiku Falls in Nationaal Park Haleakalā op Maui bereikte.

'Ik ook niet,' zei haar echtgenoot, Charlie Cosmer.

Alleen keek hij niet naar de majestueuze waterval van zestig meter hoog. Hij bewonderde zijn kersverse bruid met wie hij nog geen week was getrouwd. Hij had zich nog nooit in zijn leven zo'n geluksvogel gevoeld, en zo verliefd. Melissa was alles voor hem.

'Een geschenk uit de hemel,' had hij haar genoemd toen ze werden geïnterviewd voor de rubriek 'Geloften' in de *Times*.

Het enige dat Charlie speet, was dat zijn ouders, die vijf jaar eerder waren omgekomen bij een vliegtuigongeluk, haar nooit hadden ontmoet. Een blijvertje, zou zijn vader hebben gezegd, dat wist Charlie zeker.

'Kom op,' zei Melissa met een duivelse grijns. 'Laten we kijken hoe dicht we bij de rand kunnen komen.'

Ze nam Charlie bij de hand en de twee baanden zich een weg door de baniaanbomen en het hoge gras in de mist. Het weer op Maui was altijd spectaculair, maar deze dag had het zichzelf echt overtroffen. De hemel leek bijna neonblauw.

Het officiële pad naar de waterval – en de groep toeristen waar ze een eindje vandaan waren gedwaald – bevond zich op ongeveer honderd meter afstand. Het was geen slechte groep, hij was alleen een beetje groot. Te veel toeristen met heuptasjes. Ze wilden alleen maar even alleen zijn te midden van zoveel schoonheid.

'Voorzichtig,' zei Charlie toen de grond schuin af begon te lopen. Maar ze waren nu zo dicht bij het brullende water dat ze elkaar niet konden verstaan.

'Wat?' vroeg Melissa, en ze stak haar nek naar hem uit.

Laat maar, dacht hij. Hij zou gewoon haar hand stevig vast moeten houden. Of beter nog: hij zou haar helemaal stevig vasthouden.

Met een speels rukje trok Charlie Melissa in zijn armen en staarde even diep in haar ogen voordat hij haar zachte lippen kuste. Toen ze hem terug kuste, leek de gedachte bij hen allebei tegelijk op te komen.

Wat een spectaculaire plek om de liefde te bedrijven.

Langzaam begaven ze zich naar het lagergelegen gras en ze lieten elkaar geen seconde los. Zo verliefd, zo vol passie.

Zo verloren in het moment dat ze de man die achter hen stond niet opmerkten.

HOOFDSTUK 83

Kom dan, als je kan…

Faruth Passan had alle informatie die hij nodig had over de jonge Charlie en Melissa Cosmer, inclusief een foto. Die kwam rechtstreeks uit de trouwrubriek in *The New York Times*, een spontaan kiekje van het lachende stel op de dansvloer tijdens hun receptie in het St. Regis Hotel.

'Geloften' luidde de kop boven het stel.

Ik weet dat jullie hier zijn, Charlie en Melissa, waar houden jullie je schuil?

Faruth hield het spoor aan dat de toeristen hadden gevolgd die het pasgetrouwde stel van zich af had afgeschud. Met elke stap schoten zijn ogen een stukje verder, als de secondewijzer van een horloge. In een cirkel speurde hij elke meter van het terrein af.

Ze noemden het Nationaal Park Haleakalā, maar eigenlijk was het op de meeste plekken eerder een jungle. De bomen, de gebogen takken, de bladeren ongelooflijk weelderig en groen – het was bijna duizelingwekkend hoe dichtbegroeid het hier was.

Luidruchtig ook.

Het getjirp, het gekrijs en het roepen van de meer dan vijftig soorten vogels in het park was meedogenloos, maar ze stelden niets voor vergeleken bij de geluidswal die werd gecreëerd door de verschillende watervallen langs de route.

Faruth naderde nu een van de grootste, Makahiku, en hij was zich er terdege van bewust dat er geen zijpad was van de weg die naar het hoogste punt liep.

Dat hield natuurlijk niet in dat een avontuurlijk jong stel geen poging zou wagen.

Met moeite begaf Faruth zich tussen de baniaanbomen door. Bijna gaf hij het op en draaide hij zich om. Hij was heel dicht bij de waterval, maar dat was het enige dat hij kon zien.

Ho eens even. Wacht…

Er bewoog iets in het hoge gras bij het uiterste randje… Na nog een paar stappen zag hij wat het was. Maak daar maar van: wie het waren.

Over een verrassingselement gesproken.

Faruth glimlachte. Hij moest wel. *Die twee hebben er geen flauw benul van dat iemand ze wil vermoorden.*

Ach, nou ja…

De glimlach op Faruths gezicht verdween toen hij diep inademde. Zijn handen hingen langs zijn zij. Zijn vingertopjes bevonden zich maar een paar centimeter van het mes dat aan zijn riem was gebonden.

Het was tijd om Charlie en Melissa het nieuws mee te delen.

Hun huwelijksreis was voorbij.

HOOFDSTUK 84

'Dit ga je niet geloven,' zei Sarah toen ze de telefoon neerlegde in onze geïmproviseerde FBI-commandopost, die in feite een lege vergaderkamer in het gebouw van de *The New York Times* was.

Van haar gezicht kon ik niets aflezen. 'Zijn ze gevonden?' vroeg ik.

Ze barstte in lachen uit. 'O, en of ze zijn gevonden,' zei ze. 'Sterker nog, het was de parkwachter zelf die de honneurs waarnam. De twee blijken de excursie die het hotel voor hen had geregeld niet afgemaakt te hebben.'

'Waar waren ze dan?'

Ze vertelde het. Inclusief wat ze aan het doen waren toen de wachter hen had gevonden. 'Moet je je voorstellen.'

Ik glimlachte. 'Ik doe m'n best.'

Dat leverde me zo'n half geamuseerde, half afkeurende blik op die vrouwen sinds het stenen tijdperk hebben geperfectioneerd.

'Zou het helpen als ik de lichten dim?' grapte ze.

'Misschien.

'Misschien een plaat van Barry White opzet?'

'Nu komen we ergens. Volgens mij zie ik het nu voor me.'

Niemand kon het ons kwalijk nemen dat we een beetje dolden. En zoals mijn vader vroeger met zijn hand om een Ballantine Ale zei: 'En als ze het wel proberen, kunnen ze de klere krijgen.'

Na een belachelijke hoeveelheid telefoontjes en kunstgrepen hadden we via de plaatselijke politie eindelijk achterhaald waar de resterende stellen uit de rubriek zich bevonden. Ze waren gezond en wel. Om de een of andere reden had de moordenaar hen gespaard. Waarom was dat?

Wat Charlie en Melissa Cosmer betrof, die pakten momenteel in het

Ritz-Carlton Kapalua in Maui hun koffer en vlogen met een begeleider van de FBI in Honolulu naar huis. Het sprak voor zich dat ze niet erg blij waren. Maar het was beter dat hun huwelijksreis voortijdig werd onderbroken dan hun leven.

Sarah pakte haar mobieltje. 'Ik moet Dan terugbellen,' zei ze. 'Hij wil weten waar we aan toe zijn.'

In Sarahs eerste telefoontje naar Dan Driesen een paar uur eerder had ze hem natuurlijk laten weten dat de John O'Hara-moordenaar niet 'de enige prooi' was, zoals ze het noemde. Hij had gezelschap. De wittebroodsmoordenaar noemden we hem.

Helaas was een naam verzinnen het enige makkelijke. Iets anders verzinnen – zijn motief, waarom hij sommige stellen uit 'Geloften' koos en andere met rust liet, om nog maar te zwijgen over de vraag hoe hij wist waar ze op huwelijksreis waren – bleek iets moeilijker.

Alsof we aan een kubus draaiden, probeerden we de slachtoffers op alle mogelijke manieren aan elkaar te koppelen. Verschillende namen, scholen, banen, sociaaleconomische achtergronden – alles, wat dan ook, van haarkleur tot hoe het stel elkaar had leren kennen. Maar we kregen niets boven water. Nada.

'Hé, voordat je Driesen weer belt, moeten we nog een ander telefoontje plegen,' zei ik.

'Naar wie?' vroeg ze.

Hoezeer ik ook behoefte had aan een douche, er was iets waaraan ik nog meer behoefte had. Eten.

'Wat dacht je van het dichtstbijzijnde Chinese restaurant?' zei ik. 'Ik sterf. Ik ben echt duizelig.'

Sarah knikte. 'Ja, je hebt gelijk. Ik ook.'

Sinds we waren aangekomen in het kantoor van *The New York Times*, hadden we aan één stuk door gewerkt, zonder zelfs maar een Tic Tac te eten.

Ik draaide het toestelnummer van Emily LaSalle en vroeg haar waar we eten konden bestellen. Ze had zich de hele tijd schuilgehouden in haar kantoor en struinde het internet af om te zien of sites als Gawker de link al hadden gelegd tussen haar rubriek en de wittebroodsmoorden. Het was slechts een kwestie van tijd.

'Aan het eind van de straat zit Ming Chow en die bezorgen,' zei ze. 'Ik kan de kip *kung pao* aanraden.'

'Mooi. Heb je het nummer voor me?' vroeg ik.

'Je kunt online bestellen op hun…' Haar stem viel weg. Ik dacht dat de verbinding misschien was verbroken.

'Ben je er nog?' vroeg ik.

'Momentje,' zei ze.

Een momentje bleek een seconde of tien te duren, of de tijd die ze nodig had om op haar torenhoge hakken naar de vergaderkamer te snellen. Ze was half buiten adem toen ze binnenkwam.

'Weten jullie nog dat ik zei dat ik jullie alles had gegeven wat we over elk stel in "Geloften" wisten?' vroeg ze.

Sarah en ik antwoordden in stereo. 'Ja.'

'Nou, ik bedenk net nog iets,' zei ze.

HOOFDSTUK 85

Dat was het. De link. Letterlijk.

'Websites,' zei LaSalle, en ze trok aan haar dubbele ketting van parels. 'Stellen hebben tegenwoordig hun eigen trouwwebsites... Sommige tenminste.'

Nog voordat ze de zin kon afmaken, gingen Sarahs duimen al tekeer op haar BlackBerry.

'Ik doe de slachtoffers!' riep ze.

Vlug greep ik de MacBook die LaSalle ons had geleend. Verdeel en heers.

'Ik doe de rest wel,' zei ik. Met andere woorden: de pasgetrouwden die waren gespaard.

Ik googelde de namen van het eerste stel op onze lijst, Pamela en Michael Eaton. Zij hadden in de week na de Kellers in de rubriek gestaan. Naast hun namen voegde ik nog een paar woorden toe die je zou verwachten op een huwelijkswebsite. 'Cadeaulijst' en 'receptie'. *Dat zou genoeg moeten zijn...*

Er verscheen echter niets. Intussen gilde Sarah het uit alsof het vrijdagavond in het bejaardentehuis was. 'Bingo!'

'Welk stel?' vroeg ik.

'De Pierces... van het vliegveld,' zei ze. 'Boven aan de site staat dat hij is gemaakt door de getuige van Edward Pierce.' Ze scrolde op haar telefoon en haar blik ging snel heen en weer. 'O, moet je horen, er is zelfs een rubriek die "De huwelijksreis" heet.'

'Jezus, en staat er ook waar ze heen gingen?'

'Erger nog.' Ze las het aan me voor. 'De tortelduifjes vliegen de dag na hun bruiloft van JFK naar Rome. Die airmiles die ze nog te goed hadden van Delta kwamen goed van pas...'

'Ze hadden net zo goed een schietschijf op hun rug kunnen hangen,' zei ik.

Het enige waar ik opeens aan kon denken, was mijn gesprek met John junior in zijn kamer op de avond voordat hij op kamp ging. Je weet nooit wie online over je leest, had ik tegen hem gezegd. Goed voorbeeld, hè?

Sarah en ik bleven naar websites zoeken, en al snel vormde zich het patroon dat we vermoedden. Alle slachtoffers hadden er een. Iedereen die geen site had, leefde nog.

Er was één uitzondering, maar die bleek de regel te bevestigen. Eén stel dat gespaard was, had wel een website, maar in tegenstelling tot de slachtoffers lieten ze geen details los over de huwelijksreis.

'Goed, we zijn eruit,' zei ik. We wisten hoe de moordenaar zijn slachtoffers op de korrel nam.

Sarah ademde diep in en langzaam weer uit. 'Ja, maar wat doen we nu?'

'Ik weet wat ik moet doen,' zei LaSalle.

Ik was bijna vergeten dat zij met haar parels nog in de kamer was.

'Wat dan?' vroeg ik.

'Ik moet de rubriek onmiddellijk stopzetten,' zei ze.

Natuurlijk. Dat was logisch. Er zat niets anders op. Wie kon daar iets tegen inbrengen?

Nou, ik.

Ik stond op, liep naar Sarah en ging op een knie zitten. Ze keek me aan alsof ik gek was. Idem dito voor LaSalle.

'Wat doe je in godsnaam?' vroeg Sarah.

'Je ten huwelijk vragen,' antwoordde ik. 'Sarah Brubaker, wil je met me trouwen?'

HOOFDSTUK 86

'Sta op, gek,' zei ze.

Dat beschouwde ik als ja.

Het was de manier waarop Sarah het zei, haar toon die suggereerde: Jezus, O'Hara, daar zeg je wat. Ik wist meteen dat we op dezelfde golflengte zaten.

Die van een bruiloft.

Het idee was van alles – riskant, gewaagd, en wellicht kwam er heel wat gevarentoeslag bij kijken – maar het was ook iets anders: de beste kans die we hadden om hier een eind aan te maken. Ik wist het zeker. En Sarah ook.

Die arme Emily LaSalle wist echter niet goed wat ze hier in vredesnaam van moest denken.

'Sorry, maar wat is hier aan de hand?' vroeg ze met een hand in haar zij.

'Je kijkt naar het nieuwe stel voor je rubriek,' legde ik uit.

Het duurde een paar seconden, maar uiteindelijk viel het kwartje. Na nog een paar seconden ging haar gezicht echter van 'aha' naar 'o, wacht'. Haar gezicht was een en al bezorgdheid.

'Ik weet niet of de *Times* dat kan doen,' zei ze. 'Ik bedoel, dat is een beslissing voor…'

'Je uitgever, ja, natuurlijk,' zei ik. 'En geloof me, ik begrijp de risico's.'

Of het nu ging om Kennedy tijdens de Cubacrisis, het Witte Huis en Bush toen de NSA luistervinkte, of de regering-Obama na de arrestatie van moellah Abdul Ghani Baradar, een hooggeplaatste talibanleider: er zijn gevallen geweest waarbij de *Times* gevraagd is om in het belang van de nationale veiligheid even te wachten met de publicatie van een bepaald verhaal.

Dit was echter anders. Ja, er liepen mensen gevaar, maar in dit geval zou de krant een verhaal afdrukken waarvan ze bij voorbaat wisten dat het een leugen was. Los van het feit dat de meest verstokte conservatieven daar al een naam voor hadden – namelijk het redactionele commentaar van de *Times* – kon je begrijpen dat dit een grens was die 'De Grijze Dame' liever niet zou overschrijden.

'Luister, we lopen te hard van stapel,' zei Sarah. 'Voordat we de zegen van de krant krijgen, hebben we die van iemand anders nodig. De vader van de bruid, zeg maar.'

Ik wist dat ze het niet over haar echte vader had, Conrad Brubaker, de gepensioneerde professor kunstgeschiedenis die nu ergens in La Quinta in Californië met een golfclub zwaaide. Ze had het over Dan Driesen, die er ongetwijfeld bezwaar tegen zou hebben een van zijn agenten als menselijk lokaas te laten fungeren.

'Misschien kan ik Walsh zover krijgen dat hij hem belt,' zei ik, maar ik schudde meteen mijn hoofd. 'Dat is bij nader inzien misschien toch niet zo'n goed idee.'

Sarah rolde met haar ogen. 'Dat is nog iemand aan wie we toestemming moeten vragen.'

Ze had gelijk. Ik had zelf ook een kleine kwestie die ik moest oplossen met mijn baas. Mijn schorsing. Voeg daar het nieuws over de John O'Hara-moordenaar aan toe en ik kon Frank Walsh al tegen me horen schreeuwen. *Jezus, is het niet genoeg om één seriemoordenaar achter je aan te hebben? Nu wil je een andere zaak oplossen? Jij hebt geen therapie nodig, O'Hara, jij hebt godsamme een dwangbuis nodig.*

'Ja, laat Walsh die zich ermee bemoeit maar zitten,' zei ik. 'Driesen is helemaal van jou.'

Sarah wendde zich tot LaSalle. 'Wanneer gaat het zondagskatern over trouwen naar de drukkerij?' vroeg ze.

'Zaterdag om vijf uur.'

Dat gaf ons minder dan drie dagen. Ik wierp een blik op mijn horloge. Achtenzestig uur om precies te zijn.

'Geweldig,' zei Sarah. 'Wie had gedacht dat een nepbruiloft plannen moeilijker zou zijn dan een echte plannen?'

'Nou ja, we hebben in elk geval iets om naar uit te kijken,' zei ik met een uitgestreken gezicht.

'Wat dan?'

'De huwelijksreis natuurlijk.'

HOOFDSTUK 87

'Op de een of andere manier had ik altijd Parijs voor me gezien,' zei Sarah. 'Je weet wel, een hotelkamer op de Rive Gauche met uitzicht op de Eiffeltoren?' Ze keek om zich heen in ons piepkleine, rustieke hutje met grenen wanden en gniffelde even. 'Dit is niet Parijs.'

Nee, dat was het niet. Het kwam zelfs niet in de buurt.

Maar voor Cindy en Zach Welker, twee fanatieke natuurliefhebbers die elkaar – zoals in ons artikel in de krant stond – hadden leren kennen toen hun wegen zich op een trektocht in Telluride hadden gekruist, was het perfect. Twee weken in een hutje in het Shenandoah National Park in Virginia. Een afgelegen hemels plekje in de openlucht.

'Wie weet,' schreef Zach, oftewel ik, op onze huwelijkswebsite. 'Misschien komen we wel een paar keer uit de hut tijdens onze huwelijksreis en maken we daadwerkelijk een trektocht.'

Zo afgelegen waren de hutjes nu echter ook weer niet, niet als je wist wat – en wie – je zocht. Vijftien dollar voor een autopas bij de ingang van het park en je was binnen.

Iedere seriemoordenaar zou het voor elkaar krijgen.

Dat hoopten we in elk geval. Sarah, ik en de vier andere agenten van de buitendienst in Washington die gestationeerd waren in de struiken buiten. Ze wisselden elkaar in diensten van acht uur af met andere agenten.

Dat was de enige manier waarop Dan Driesen uiteindelijk akkoord ging met het plan. Hij was nog steeds niet helemaal overtuigd, maar hij kon nauwelijks om het bijkomende voordeel heen dat ik omringd zou zijn door andere agenten. De wittebroodsmoordenaar zou niet weten wat hem overkwam en de John O'Hara-moordenaar zou niet eens weten waar hij me moest zoeken.

Met andere woorden: mijn idee was niet zo gestoord als hij aanvankelijk had gedacht.

Hetzelfde gold voor Frank Walsh, die bereid was genoeg formaliteiten en rompslomp te omzeilen om mijn schorsing zogoed als op te heffen. Ik had weer een insigne en een vuurwapen van de zaak. 'Tot nader order,' zei hij.

Voeg daar nog het mes aan toe dat Driesen en Walsh op de keel van *The New York Times* zetten om mee te werken aan ons fictieve artikel en hier waren we dan: Sarah en ik in de rollen van linksgedraaide milieuactivisten die net getrouwd waren en toevallig wapens droegen. Ik noemde ons 'Birkenstocks en Glocks'.

Nu was de enige vraag of het plan zou werken.

Sarah was zich volledig bewust van de ironie en benoemde het perfect. 'We hebben er zoveel tijd en moeite in gestoken om hier te komen dat het me echt zou teleurstellen als niemand ons probeert te vermoorden.'

HOOFDSTUK 88

'Een huwelijksreis naar Parijs, hè? Klinkt goed,' zei ik, en ik schonk nog wat koffie in uit de pot op het fornuis. We waren net klaar met eten en zaten in het kleine zitgedeelte voor de slaapkamer. Hoe bescheiden onze hut ook was, gelukkig had hij sanitair, een kleine keuken en elektriciteit.

De muggen kregen we er gratis bij.

'En jij?' vroeg Sarah, die aan de onderkant van haar trui met de woorden 'University of Colorado' trok. Daar had Cindy Welker gestudeerd. 'Waar wil jij die van jou...'

Haar stem stierf weg en ze liep rood aan van gêne. Ze was vergeten dat ik al eens getrouwd was geweest. Ik was al op huwelijksreis geweest.

'Het geeft niet,' zei ik.

'Sorry.'

'Echt, het geeft niet. En voor de goede orde: we waren in Rome.'

'Hadden jullie het goed daar?'

'O, absoluut,' zei ik. 'Tot ik mijn arm brak.'

'Heb je tijdens je huwelijksreis je arm gebroken?'

'Ja, ik struikelde en viel van de Spaanse Trappen terwijl ik twee bolletjes chocolade-*gelato* at.'

Ze barstte in lachen uit. Voor iemand die zo aantrekkelijk was had ze een sullige manier van lachen, een beetje als Arnold Horshack uit *Welcome Back, Kotter.* Ik vond het charmant.

'Ik weet het, wat een sukkel, hè?' Ik begon ook te lachen. 'Maar verdomd lekker ijs.'

Ik bedacht dat dit de eerste keer was dat Sarah en ik over ons leven buiten het werk praatten. Het voelde best goed. Vanzelfsprekend. Ik merkte dat dat voor haar ook gold.

'Vertel me eens over je twee jongens,' zei ze.

'Ah, mijn favoriete onderwerp…'

Ik vertelde haar over Max en John junior, waarbij ik mijn vaderlijke trots tot een minimum probeerde te beperken. Toch was het moeilijk om niet te dwepen, vooral nu ik hen zo miste. Toen ik eindelijk ophield over hoe geweldig ze waren, staarde Sarah me aan en glimlachte.

'Wat? Wat houdt die blik in?' vroeg ik.

'Ik bedacht dat het geluksvogels zijn, met jou als vader,' zei ze. 'Ze zijn alles voor je, hè?'

'Ja, maar het is andersom. Ik ben de geluksvogel,' zei ik. 'En jij? Willen jij en je vriend allebei kinderen?'

Ze wierp me een blik toe. 'Leuk geprobeerd, O'Hara. Je wilt alleen maar weten of ik een vriend heb.'

'Nou ja, we zijn op huwelijksreis. Het lijkt me wel zo eerlijk als ik dat weet.'

'In dat geval: het antwoord is nee. Ik ga op dit moment niet vreemd.'

Ik deed mijn mond open om iets te zeggen, maar ze hield me met een opgestoken hand tegen.

'En zeg alsjeblieft niet dat dat een verrassing is,' zei ze. 'Je weet wel, het feit dat ik geen vriend heb.'

'Eerlijk gezegd wilde ik zeggen dat ik het begrijp. Het moet wel moeilijk voor je zijn.

Ze keek me onzeker aan. 'Hoe bedoel je?'

'Je bent een vrouwelijke FBI-agent. Je bent opgeleid om te vechten en je draagt een pistool,' zei ik. 'Dat zou de meeste mannen maar intimideren.'

Haar blik veranderde opeens. Ze staarde naar me alsof ik doorgedrongen was tot in haar diepste gedachten. 'Hoe wist je dat?' vroeg ze.

'Gokje,' zei ik. 'Maar je hoeft je niks in je hoofd te halen, ik slaap nog steeds op de bank vannacht.'

Ze lachte weer. We lachten allebei. Plotseling stopten we allebei.

Het was opeens aardedonker in de hut. Elke lamp, zelfs die boven de veranda buiten, was opeens gedoofd.

De stroom was uitgevallen.

HOOFDSTUK 89

Ik wist niet zeker welk geluid ik als eerste hoorde: het raam dat aan gruzelementen ging of de schoten die werden afgevuurd. Wat ik wel degelijk voelde, was de kogel die zojuist langs mijn schouder was geschampt.

'Omlaag!' riep ik. 'Omlaag, Sarah!'

Mijn ogen hadden zich amper genoeg aangepast om de contouren te zien van Sarah die zich samen met mij op de grond liet vallen terwijl er nog meer kogels – twee, drie – door het raam kwamen en scherven glas op ons neervielen. Hoe kon dit in godsnaam gebeuren?

Ik reikte naar mijn Glock en hoorde dat Sarah hetzelfde deed. Intussen waren de schoten buiten opgehouden. Was het voorbij? Of was dit slechts een pauze?

Fluisterend vroeg ik of alles goed was met Sarah.

'Ja,' zei ze. 'En met jou?'

'Ja. Eentje heeft me net geraakt, meer niet.'

'Weet je het zeker?'

Ik drukte mijn handpalm tegen mijn schouder. Je had bloeden en je had bloeden. Gelukkig viel het mee.

'Niks aan de hand,' verzekerde ik haar. 'Raam of deur, welke wil je?' Als in: welke wil je voor je rekening nemen?

'Deur,' zei ze.

Ik strekte mijn armen uit naar het raam en hield mijn ellebogen gebogen. Het enige andere raam, heel klein, was in de slaapkamer, maar dat lag buiten het schootsveld.

'Wat heeft hij? Een M16?' vroeg ik. Het was mijn beste gok gezien de reeksen van drie schoten en de iets hogere toonhoogte van het wapen.

'Dat of een M4-karabijn,' zei ze. 'Gezien de afstand moeilijk te zeggen.'

'Minstens veertig meter.'

'Misschien meer,' zei ze.

'En hij laat eerst de stroom uitvallen?'

'Nachtkijker,' zeiden we allebei tegelijk. De schutter moest een bril met nachtkijker dragen.

'Shit, waar is die zaklamp?' vroeg ik. We hadden er twee in de hut. Maar van wie waren ze?

'En nog belangrijker,' zei Sara, 'waar is iedereen?'

Ze had gelijk. Waar was onze ruggensteun, de vier agenten rondom de hut? Zelfs met de schutter achter zich hadden ze hem nu wel moeten traceren.

Tenzij hij hen voor was geweest.

Nee. Uitgesloten. Niet alle vier de agenten.

Op dat moment kraakte de zender aan mijn middel opeens en er klonk ruis. 'Is er iemand geraakt?' vroeg een gedempte stem.

Ik greep de zender en fluisterde terug: 'Hier tot nu toe niet,' zei ik. 'Hij moet een...'

'Ja, een nachtkijker,' zei de agent. 'Wij trekken ook op met een nachtkijker. Twee per kant.'

Ik wist niet meer wie welke dienst had rondom de hut. Deze man klonk in elk geval alsof hij ervaring had.

'Welke is dat?' vroeg ik aan Sarah.

'Carver,' zei ze.

Cavalerie kwam meer in de buurt.

HOOFDSTUK 90

Nog erger dan het geluid van de hel die daarna om ons heen losbarstte was het gevoel van hulpeloosheid waardoor het vergezeld werd.

Het gebeurde allemaal zo snel. De felle straal licht buiten ons raam gevolgd door een spervuur aan geweerschoten dat weergalmde door de bossen.

Vier tegen één daarbuiten. Ik hoefde geen verstokte gokker te zijn om daarop in te durven zetten. Maar wat erna kwam, de ijskoude stilte en het gevoel van afgrijzen dat me overspoelde, dat vond ik maar niks. Nee, echt niet.

Sarah en ik konden niets doen. De zender van Carver was stil. Alle zenders waren stil.

Ik gleed over de glasscherven heen over de grond en kwam omhoog tegen de muur naast het raam.

'Wat doe je?' fluisterde Sarah, en de onderliggende betekenis was dat wat ik ook van plan was, ik het niet zou moeten doen.

Maar ik moest wel kijken. Ik moest proberen uit te vogelen wat er gebeurde. Een vlugge blik, meer niet.

Niet vlug genoeg.

Mijn hoofd was nog maar net voorbij de houten lijst van het raam toen – *knal-knal-knal!* – ik bijna een kogel tussen mijn ogen kreeg. Mijn nek schoot terug, een pure reflex bij het geluid van de schoten, terwijl er nog meer glas de hut binnen regende.

'Shit!' zei Sarah.

Ik wist meteen wat ze dacht. Ik dacht hetzelfde, en het ging er niet alleen om hoeveel geluk ik had dat ik nog leefde.

Ik greep de zender weer en drukte met mijn duim de praatknop in. 'Carver!' zei ik. 'Carver, ben je daar?'

Hij gaf geen antwoord.

Ik probeerde het nog een keer, en opnieuw hoorde ik alleen maar stilte. Ik ging de verschillende frequenties voor de andere agenten af. *In jezusnaam: vier tegen één!*

Geen van hen gaf echter antwoord. Niks. Geen kik.

Doodse stilte.

Ik voelde het zweet van mijn voorhoofd druipen en mijn hart ging tekeer in mijn borstkas. *Wat gebeurde er daarbuiten in godsnaam?*

Toen hoorden we het. Geknetter uit mijn zender, gevolgd door Carvers stem die doorkwam en weer wegviel. Hij had amper genoeg kracht om de praatknop in te drukken, laat staan om te praten.

'Drie... neer,' wist hij met moeite uit te brengen. 'Help...'

Er volgden geen woorden meer, alleen het geluid van zijn moeizame ademhaling. Het was vreselijk, echt vreselijk. Maar het werd alleen maar erger.

Knal-knal-knal!

Er klonk krijsend nog een snel salvo van drie kogels over de zender, en de oorverdovende feedback liet er weinig twijfel over bestaan dat de schoten van dichtbij werden afgevuurd. Een paar meter. Misschien zelfs nog minder. En Carvers ademhaling was weggevallen. Hij was er niet meer. Er resteerde slechts hetzelfde gevoel van afgrijzen dat ik had gehad, maar dan nog duizend keer erger. Ik verdronk erin.

'We moeten hier weg,' zei ik tegen Sarah.

Het was alleen te laat. Het geluid van voetstappen die op ons afkwamen had de stilte weer doorbroken.

We hadden een val gezet voor de wittebroodsmoordenaar, maar nu zaten we zelf in de val.

Hij kwam naar binnen.

HOOFDSTUK 91

Ik kon Sarah bijna niet zien aan de andere kant van de hut, maar ik hoorde haar over de bank klauteren. Ging ze zich erachter opstellen?

Nee.

'Hebbes!' zei ze, en ze liet hem even in de palm van haar hand schijnen. Een van de zaklantaarns.

Er was geen tijd om de strategie te bespreken. Ik ging ervan uit dat we hetzelfde dachten. Als zij zag dat hij de bril met nachtkijker nog droeg, zou ze hem verblinden met het licht. Zo niet, dan zou de zaklamp uit blijven en zouden we een eerlijke strijd hebben, aangezien niemand iets kon zien.

Het enige dat ik nu hoorde, waren de voetstappen die dichterbij kwamen. De deur van de hut bevond zich rechts van me. Het raam – of wat er van resteerde – was links van me. Ik had mijn rug stevig tegen de grenenhouten wand gedrukt, bijna net zo stevig als ik mijn pistool vastgreep.

Ademhalen, O'Hara, ademhalen.

Een fractie van een seconde, meer zouden Sarah en ik niet hebben.

Zo laag op mijn hurken voelde ik me een voetballer die op een mooie voorzet wachtte. Als we het goed timeden, zouden we winnen.

Maar als we het verkeerde timeden?

Ik bleef luisteren en de voetstappen werden steeds luider. Toen gebeurde er iets heel vreemds. Het overrompelde me zozeer dat ik verstarde.

De voetstappen werden niet langer luider. Ze klonken nu zachter. Nee, dat was niet het goede woord.

Ze stierven weg.

Hij rende niet naar ons toe, hij rende langs ons heen. En nu ontsnapte hij.

Sarah en ik sprongen allebei op en stormden de hut uit, met het licht van haar zaklantaarn dat ons de weg wees. We konden hem niet zien, hij had een te grote voorsprong. Maar we wisten waar hij heen ging.

Aan het eind van een zandpad, ongeveer honderd meter van de toegangsweg, was een kleine open plek waar onze jeep stond geparkeerd. In het handschoenenvakje lag zelfs een kentekenbewijs op mijn schuilnaam, Zach Welker. We dachten dat we aan alles hadden gedacht.

'Verdomme!' riep ik toen we aan het eind van het pad het geluid van de motor hoorden. Hij was al in zijn auto. De klootzak had zijn wagen waarschijnlijk naast die van ons gezet.

'Je hebt de sleutels toch?' vroeg Sarah halverwege een pas. Ze beende voor me uit en hijgde amper. Ze was duidelijk thuis op een loopband.

'Yep,' zei ik nadat ik had gecontroleerd dat ze nog steeds in mijn zak zaten. Ik hijgde en pufte. Mijn borstkas gloeide.

In gedachten zat ik al achter het stuur en was de achtervolging in volle gang. De setting was ideaal: een slingerend, smal weggetje in de nacht met aan weerszijden meedogenloze bomen. Ik zou mijn koplampen uitdoen en zijn achterlicht volgen, en als hij hetzelfde probeerde te doen, zou ik nog steeds zijn remlichten hebben om me te gidsen. Hopelijk zou hij zich op de brede stam van een pijnboom richten.

Laten we eens kijken of je net zo goed autorijdt als je schiet, klootzak.

Sarah en ik bereikten de kleine parkeerplaats. Onze jeep stond daar op ons te wachten. Ik haalde de sleutelbos tevoorschijn om de portieren te openen, maar toen merkte ik ondanks het pikkedonker iets op.

Sarah zag het ook.

De jeep bevond zich te laag bij de grond.

Sarah scheen met de zaklantaarn op de voorbanden. Vervolgens de twee achterbanden. Elke band was helemaal plat.

Ik schopte van frustratie keihard tegen het portier terwijl Sarah opkeek naar de avondlucht.

'Godsamme, niet wéér!' riep ze.

HOOFDSTUK 92

Het duurde niet lang voordat aan de deal die Dan Driesen en de FBI met *The New York Times* hadden gesloten een einde kwam. 'In duigen viel' is misschien een betere beschrijving.

De krant had ermee ingestemd niets met het verhaal over de huwelijksmoordenaar te doen zodat wij een val voor hem konden zetten. In ruil kregen ze een exclusief verhaal over wat zijn gevangenneming had moeten zijn. Had moeten zijn.

Helaas loopt het in het leven niet altijd zoals je het hebt gepland.

Iets meer dan vierentwintig uur later stond het verhaal prominent op de voorpagina – rechts boven de vouw – zodat de hele wereld het kon zien.

'Niet doen, O'Hara. Neem het jezelf niet kwalijk,' zei Driesen. Sarah en ik waren in zijn kantoor in Quantico. De vlaggen hingen halfstok. De stemming was nog bedrukter. 'Het is niet jouw schuld.'

Sarah had hetzelfde tegen me gezegd, een paar keer zelfs. Ik gaf Driesen hetzelfde antwoord als ik haar had gegeven.

'Het was mijn idee,' zei ik. Hoe kon het dan niet mijn schuld zijn?

De enige namen die in het artikel werden genoemd, waren die van de doden. De teller stond op tien: de drie pasgetrouwde stellen plus de vier agenten. In de paragraaf over Carver stond dat hij getrouwd was en twee zoons had. De oudste was dertien, dezelfde leeftijd als John junior.

Terwijl mijn schouder in het Shenandoah Memorial-ziekenhuis werd gehecht, bedacht ik dat het laatste woord dat Carver had uitgesproken 'help' was. Had ik hem maar kunnen helpen. Ik wist dat die gedachte me voorgoed zou kwellen.

Driesen leunde naar achteren in zijn stoel en sloeg zijn armen over elkaar. Hij knipperde langzaam en zijn kin boog naar zijn borst. Ik wist

vrij zeker wat hij dacht terwijl hij naar me keek. *Wat moet ik in gods-*
naam met deze vent?

Hij en ik hadden elkaar pas een paar dagen eerder daadwerkelijk
ontmoet, maar hij had mijn dossier gelezen. Hij was bijgepraat over
me. Ik was John O'Hara, de agent die zo bezeten was van de gedachte dat hij de dood van zijn vrouw moest wreken dat hij geschorst was
door de FBI – waarna hij het doelwit was geworden van een seriemoordenaar, dankzij een oude zaak waardoor hij bijna was ontslagen omdat
hij met de verdachte naar bed was geweest.

Maar wacht. Dat is nog maar het topje van de ijsberg, mensen. Er is nog
meer.

Tijdens mijn schorsing werd ik als freelancer ingehuurd voor het oplossen van de moord op de zoon van Warner Breslow en zijn nieuwe
bruid, waarbij ik op nog een seriemoordenaar was gestuit, die uiteindelijk vier agenten doodde tijdens de uitvoering van een plan dat ik had bedacht en dat vreselijk, afschuwelijk en ronduit gruwelijk mis was gegaan.

Jezus, als het allemaal niet daadwerkelijk gebeurde, zou ik het zelf
ook nooit hebben geloofd.

Het ergste, en ik wist zeker dat Driesen dat ook besefte, was dat ik nu
niet alleen bezeten was van wraak, maar overmand werd door schuldgevoel. Dat zijn klappen die veel mensen niet te boven komen.

Was ik een van die mensen? Was ik gevloerd? Verloren?

Dat wilde Driesen ongetwijfeld weten.

'Vertel eens, John,' zei hij. Voordat hij verder kon gaan, ging de telefoon op zijn bureau. Het speet zijn secretaresse dat ze hem stoorde,
maar er was een telefoontje dat hij volgens haar moest beantwoorden.

'Wie is het?' vroeg Driesen.

'Inspecteur Brian Harris van de politie in New York,' zei ze.

Driesen kneep zijn ogen halfdicht. Hij wist duidelijk niet wie dat
was. Hij nam op. 'Dan Driesen,' zei hij.

Ik keek toe terwijl hij luisterde. Wie die inspecteur Harris ook was,
hij had niet lang nodig om te bewijzen dat dit inderdaad een telefoontje was dat Driesen wilde beantwoorden. Sterker nog: Driesen pakte zo
snel een pen dat hij bijna zijn beker met koffie omstootte.

Ik kon niet zien wat hij opschreef, maar toen hij opkeek en met een
flauw glimlachje knikte, wist ik één ding zeker.

Hij vroeg zich niet langer af wat hij in godsnaam met me aan moest.

HOOFDSTUK 93

Sarah en ik namen de eerstvolgende Delta-vlucht naar New York, pakten een taxi van LaGuardia naar het districtspolitiebureau in de Lower East Side en renden met twee treden tegelijk de trap naar de tweede verdieping op om inspecteur Harris te ontmoeten. Nog terwijl ik zijn hand schudde, kwam ik ter zake.

'Waar is ze?' vroeg ik.

'Verderop in de gang,' zei hij.

'Vond ze het erg om te wachten?' vroeg Sarah.

'Nee, maar ze had niet echt veel keuze,' zei Harris. 'Toen ze me eenmaal vertelde wat ze vertelde…'

Hij hoefde de zin niet af te maken, we begrepen elkaar. Een voldongen feit. Als er een grote doorbraak in een zaak binnen komt wandelen, doe je de deur achter haar min of meer op slot. God verhoede dat ze van gedachten verandert.

We volgden Harris, een compacte man met een schuifelende pas, door de gang naar een kleine wachtruimte met een paar versleten banken, een halflege verkoopautomaat en een paar oude nummers van *People*. Maak daar maar heel oude van. Op de cover van één exemplaar stond dat *Lost* een nieuwe televisiehit was.

Daar stond tegenover dat Martha Cole, de vrouw die op een van de banken zat, jonger leek dan tweeëntwintig. Bleekbruin haar, slank postuur, op haar neus een paar sproeten. Het zou nog een tijdje duren tot ze een drankje kon bestellen zonder dat er om een identiteitsbewijs gevraagd zou worden.

Op dat moment leek het echter alsof ze wel een neut kon gebruiken. Misschien wel twee. Toen Harris ons had voorgesteld, schudde ik haar de hand, maar ik merkte dat de hare vanzelf al schudde. De rest van haar schudde ook.

Sarah ging naast haar zitten. 'Rustig maar, Martha,' zei ze sussend. 'Ik weet hoe moeilijk dit voor je moet zijn, dus we gaan proberen dit zo makkelijk mogelijk voor je te maken. We moeten je alleen een paar vragen stellen.'

Op dat moment wisten we alleen wat Harris Driesen over de telefoon had verteld. Een jonge vrouw was binnen komen lopen met een exemplaar van de *Times*. Ze vroeg of ze een agent kon spreken, het maakte niet uit wie. Toen haar was gevraagd waarom, had ze gezegd dat ze dacht dat ze de wittebroodsmoordenaar zou kunnen identificeren.

Zijn naam was Robert Macintyre, een voormalige stafonderofficier in het Amerikaanse leger. Ze noemde hem Robbie.

'Ik ben met hem verloofd geweest,' legde ze uit.

HOOFDSTUK 94

Martha Cole ademde diep in en langzaam weer uit. Ze kwam tot bedaren. Dat schreef ik toe aan Sarah en ik wierp haar een goedkeurend knikje toe. *Ga je gang, ze is van jou...*

Ik ging naast inspecteur Harris op de andere bank zitten. In gedachten stak ik mijn duim op naar Sarah. We konden wel wat geluk gebruiken.

Zoals beloofd hield Sarah het eenvoudig. 'Martha, wanneer heb je Robert voor het laatst gezien of gesproken?' vroeg ze.

'Ongeveer een maand geleden.'

'En wanneer hebben jullie je verloving beëindigd?'

Martha aarzelde. Ze schoot vol toen de emoties zich aandienden. Ze deed haar best haar tranen tegen te houden.

Ten slotte antwoordde ze. 'Het was geen gezamenlijke beslissing. Ik ben degene die er een einde aan heeft gemaakt.'

Inspecteur Harris stak een hand in zijn zak en reikte Martha een opgevouwen zakdoek aan. Fijn om te weten dat er nog mannen zijn die daarmee rondlopen. Heel ouderwets.

'Bedankt,' zei Martha, en ze droogde haar ogen. Hoe gekwetst en gekweld ze ook was, het viel me op hoe vastbesloten ze was. Ze ging verder: 'Toen Robbie terugkwam uit de oorlog – Afghanistan – was het alsof hij ontwenningsverschijnselen had. Hij miste de actie, de voortdurende adrenaline.'

Sarah knikte. 'Laat me raden: daar kon jij niet aan tippen.'

'Precies. Hij vond alles saai, inclusief mij,' zei ze. 'Ik dacht dat ik hem een dienst bewees.'

'Bedoel je door een einde te maken aan de verloving?'

Ze kon de tranen niet langer bedwingen. Haar schuldgevoel was te groot. Maar haar woede was nog groter.

'Die kloteoorlog!' schreeuwde ze bijna. 'Geloof me, het was niet Robbies schuld. Hij was veranderd. De man die terugkwam, was niet de man op wie ik verliefd was geworden!'

Sarah legde haar hand op Martha's schouder en wreef er zacht over. 'Dat begrijpen we, echt,' zei ze.

'Maar Robbie niet,' zei Martha. 'Ik probeerde het hem uit te leggen, maar het was net alsof hij niet wilde luisteren.'

'Hoe lang geleden speelde dit?' vroeg Sarah.

'Eind vorig jaar, vlak na Thanksgiving. Het was de bedoeling dat we op kerstavond zouden trouwen,' zei ze. 'Toen ik de relatie verbrak, draaide hij door.'

'Heeft hij je pijn gedaan?'

'Nee, maar ik was bang.' Ze zweeg even en haar stem klonk zachter toen ze zei: 'Hij heeft wapens.'

'Weet je ook wat voor soort wapens? Pistolen? Geweren?'

'Allebei. Zijn favoriet was het wapen dat hij in de oorlog bij zich had gedragen. Ik weet niet meer hoe het heette, maar het was zo'n semiautomatisch geweer.'

Sarah en ik wisselden een vlugge blik. *Bingo.*

'Bij wat voor soort missies was Robert betrokken in Afghanistan?' vroeg Sarah. 'Heeft hij je daar ooit iets over verteld?'

Martha haalde de zakdoek weer langs haar ogen en ze dacht even na. 'Ik herinner me een keer dat hij had gedronken en nou ja, ik weet niet meer hoe het ter sprake kwam, maar hij begon me dingen te vertellen.'

'Wat voor dingen?'

'Het leek wel alsof hij opschepte,' zei ze. 'Er was een groep waarvoor hij werd gerekruteerd, een speciale wapeneenheid. Hij noemde het de James Bond-ploeg omdat ze trainden met allerlei nieuwe gadgets en zo. Gif ook.'

'Gif?'

Dubbele bingo.

'Ja,' zei Martha. 'Hij grapte een keer dat ik voorzichtig moest zijn omdat hij me op allerlei manieren zou kunnen doden met bepaalde chemicaliën. Dat vond ik niet zo grappig.'

Sarah en ik keken elkaar weer aan. Robert Macintyre had in elk geval de middelen. Maar het motief was nog niet honderd procent duidelijk. De man werd een paar weken voor zijn bruiloft gedumpt, dus hij besloot pasgetrouwde stellen te vermoorden. Klonk vrij logisch. Of moest ik vrij gestoord zeggen? Als we ervan uitgingen dat hij een posttraumatische stressstoornis had, zouden de bittere teleurstelling en het hartzeer ervoor kunnen zorgen dat er iets bij hem knapte. En heftig ook.

Maar waarom zou je alleen stellen uit de krant vermoorden?

Of zochten we naar logica waar die er niet was? Krankzinnig gedrag heeft zo zijn eigen regels.

Geduldig en systematisch ging Sarah verder.

'Dus je hebt vanochtend het artikel in de krant gelezen, Martha, en je moet duidelijk zo je vermoedens hebben gehad. Maar hoe weet je zo zeker dat het Robert is?'

Ik had met de vrouw te doen terwijl ze opnieuw haar ogen depte. Ze voelde zich heel erg verantwoordelijk.

'Robbie zei tegen me dat als wij het niet konden zijn, niemand het kon zijn.'

'Ik weet niet zeker of ik je volg,' zei Sarah.

Langzaam keek Martha naar inspecteur Harris, naar mij en toen weer naar Sarah. En op dat moment vertelde ze het ons.

'De dag dat ik onze relatie verbrak, was dezelfde dag dat we weer van *The New York Times* hoorden,' zei ze. 'Ze wilden ons in de rubriek "Geloften".'

BOEK VIJF

Gelijke munt

HOOFDSTUK 95

Een tiental agenten, inspecteur Harris, Sarah en ik. In aantal waren we bijna een klein leger, we waren in elk geval met meer dan het voorgeschreven aantal om iemand op te pakken voor een verhoor. Daar stond tegenover dat dit niet zomaar iemand was.

Er waren geen harde bewijzen, er was geen enkele getuige en er was geen directe link tussen Robert Macintyre en de wittebroodsmoordenaar. We hadden alleen indirecte bewijzen. Het had allemaal toeval kunnen zijn.

Als dat zo was, zou ik de eerste zijn om zijn hand te schudden en me te verontschuldigen.

'Hij ontkomt alleen levend als hij kan vliegen,' zei Harris toen hij terugkwam naar de voorkant van het appartementencomplex in Brooklyn waar Macintyre woonde en waar we ons hadden verzameld. Hij had zojuist samen met twee agenten de achterkant van het gebouw gecontroleerd. Macintyres appartement bevond zich op de vijfde verdieping, de bovenste. 'Er is aan de achterkant een kleine binnenplaats, maar geen nooduitgang.'

Ik wendde me tot Sarah. 'Ben je er klaar voor?'

'Ja,' zei ze.

De buitenkant van Macintyres vooroorlogse gebouw vertoonde absoluut slijtageplekken. Er ontbraken stenen, langs de voegen zaten donkere vlekken en in sommige ruiten zaten zelfs barsten. Ik verwachtte hetzelfde, of erger nog, als we eenmaal binnen waren.

Ik vergiste me. Het was er schoon en modern en eigenlijk best mooi. Brooklyn-hip. Je zou denken dat ik het nu wel zou hebben begrepen.

Schijn kan bedriegen.

We lieten één agent achter in de hal. De rest ging de trappen op. Op de vierde verdieping vervloekten een paar agenten – laten we ze maar stevig noemen – het gebrek aan een lift. Er kwamen ongeveer honderd grappen over agenten en donuts bij me op, maar ik hield ze voor me.

'Daar,' zei ik, en ik wees naar Macintyres deur in het midden van de gang toen we de vijfde verdieping bereikten. Appartement 5B.

Zwijgend nam Sarah de choreografie op zich. Zij en Harris gingen aan één kant van de deur staan, ik aan de andere. Achter ons verspreidden de agenten zich – twee hurkten neer en de rest bleef staan. Pistolen getrokken.

Ik klopte.

Toen we niets hoorden, klopte ik nogmaals.

Nog steeds niets.

Deze keer bracht Sarah haar hand naar de deur. Ze pakte de knop en haalde haar schouders op. Het was het proberen waard.

En wat denk je…

Het goede nieuws? De deur was open.

Het slechte nieuws? De deur was open.

Het mannetje in mijn hoofd dat als taak had met de rode vlag te zwaaien, kreeg het opeens heel erg druk.

Wat stond ons in godsnaam te wachten?

HOOFDSTUK 96

Het was zo stil in de gang dat het piepen van de scharnieren klonk als een vliegtuig dat opsteeg.

De deur ging langzaam open. Niemand verroerde zich.

Ik telde tot vijf. Toen tot tien. Ten slotte riep ik: 'Robert, ben je er?'

Als hij er al was, gaf hij geen antwoord.

De por in mijn zij was van een van de agenten die me de spiegel aan een stok aanreikte, of zoals ik hem graag mag noemen: de kiekeboe. Het was in elk geval beter dan mijn hoofd uitsteken en dat van mijn romp laten schieten. Dat had ik in de hut met Sarah al bijna gedaan. Ik wilde niet te veel risico nemen.

Ik hield de spiegel om de hoek van de deur en zag een smalle gang in het appartement met twee deuropeningen, een eindje van elkaar. Aan het eind van de gang bevond zich zo te zien een kleine woonkamer. Ik zag een bank, een flatscreen en naast een salontafel een lamp.

Maar geen teken van Macintyre. Geen man van 1,80 meter met brede schouders en gemillimeterd, rossig haar en een vierkante kaak, zoals beschreven door Martha Cole.

Ik schudde mijn hoofd naar Sarah, en ze hervatte meteen haar choreografie. Ze wendde zich tot Harris en de agenten, en stak twee vingers uit, waarna ze naar zichzelf en mij wees.

Vertaling: *we gingen per paar naar binnen, zij en ik eerst.*

Die meid ging actie niet bepaald uit de weg.

Drie... twee... één...

Met onze Glocks op de hal gericht gingen Sarah en ik om de deur heen. Ik bleef bij de keuken staan, zij stopte voor de badkamer.

Ik gebaarde naar achteren.

Twee voor twee kwamen ze binnen en ze liepen langs ons heen. Ik ging de keuken in en Sarah nam de badkamer voor haar rekening.

'Leeg!' riep ik.

Ik hoorde Sarah een douchegordijn naar achteren trekken. 'Leeg!' meldde ze.

'Leeg!' hoorde ik uit de woonkamer.

Ik liep terug naar de gang, waar ik Sarah trof. De rest van de mannen was verderop, inclusief Harris. Ik ging ervan uit dat er nog één kamer was, de slaapkamer. Ik nam ook aan dat het daar hetzelfde verhaal zou zijn. Leeg.

In plaats daarvan hoorden we twee agenten in koor roepen: 'Lichaam!'

Hè?

Sarah en ik gingen de hoek om en snelden door de woonkamer naar de slaapkamer. De agenten stonden in een halve cirkel zwijgend naar hem te staren. Het was alsof hij tentoongesteld werd, een ziek, verdorven soort *performance art*. Noem het 'De dode bruidegom'.

Robert Macintyre – rossig haar en een vierkante kaak – was aan een stoel gebonden en droeg wat ooit een mooi pak was geweest. Nu was het doorzeefd met kogels en droop het van het bloed. Als de pistoolschoten hem niet hadden gedood, had het mes dat diep in zijn hart was gedreven dat wel.

En niet zomaar een mes. Ik boog naar voren om het beter te kunnen zien, en het licht door het raam viel precies op het zuiver zilveren heft.

'Is dat wat ik denk dat het is?' vroeg Sarah.

'Nou en of,' zei ik. Een taartmes.

Jezus, het is Martha Cole!

We draaiden ons meteen om naar Harris, die al naar zijn zender greep om een oproep te doen. Hij had dezelfde gestoorde conclusie getrokken als wij.

'Shit, volgens mij hebben we alleen haar telefoonnummer genoteerd,' zei hij. 'Dat kunnen we traceren om het adres te achterhalen, maar…'

Maar hoe groot was de kans dat ze ons haar echte telefoonnummer had gegeven? Ik schatte die ergens in tussen gering en de Cubs die de World Series zouden winnen.

We begrepen nu waarom ze ervoor had bedankt terug naar huis gebracht te worden. Ze zei tegen ons dat ze wilde lopen om 'haar hoofd leeg te maken'. Wie had haar dat destijds kwalijk kunnen nemen?

'Wacht!' zei Sarah.

We draaiden ons allemaal naar haar om. Vervolgens draaiden we ons om naar de plek waar ze naar keek.

Het bed.

We waren allemaal zo gefocust op Macintyre dat niemand de omtrek van iets onder de lakens had opgemerkt. Tot nu toe.

Was het nog een lijk? Nog een moord?

Nee, het was erger. Veel erger.

Het was de moord op ons allemaal.

HOOFDSTUK 97

We gingen in een halve cirkel om het bed staan, ik aan het ene einde, Sarah aan het andere.

'Pak de hoek,' zei ze.

We pakten allebei het bovenste laken, brachten het omhoog en sloegen het terug. Ik wist niet wat ik moest verwachten, maar in elk geval niet wat ik zag.

Krijg nou…

Het zag eruit als zuurstoftanks, het soort dat diepzeeduikers bij zich hadden. Over de lengte van het bed lagen er zes op een rij.

'Wat staat er op de zijkant?' vroeg de agent naast me.

Ik hield mijn hoofd schuin om de kleine lettertjes te kunnen lezen – en werd verblind door een zonnestraal die van de metalen cilinders kaatste.

'Hé, kan iemand het rolgordijn naar beneden doen?' vroeg ik. Dat was helemaal omhooggetrokken en elke vierkante centimeter van de ramen was onbedekt.

'Doe ik,' zei een andere agent, een jonge Italiaan met gitzwart haar dat naar achteren was gekamd. Toen hij zich naar het raam draaide, blokkeerde zijn lichaam even de zon, net lang genoeg voor mij om de tekst op de zuurstoftank te zien die het dichtst bij me lag. Alleen luidde die niet ZUURSTOF.

O nee! Nee! Nee! Nee!

Maar het was al te laat.

Het eerste schot verbrijzelde het raam en trof de jonge officier recht in de borstkas met een explosie die rondspattend bloed en botweefsel tot gevolg had.

Het tweede schot doorkliefde het hoofd van de agent naast Sarah.

'Omlaag! Allemaal omlaag!'

Maar dat was wat ze wilde, iedereen uit de weg ruimen nu ze ons allemaal bij elkaar had. Dit waren geen gewone kogels die ze afvuurde, ze waren van een zwaar kaliber en ontvlamden.

Met andere woorden: uitstekend om een propaantank te laten ontploffen.

Het derde schot zou ons allemaal hebben gedood als een van de agenten niet tegen het bed had gestoten toen hij op de grond viel. Daardoor verschoven de tanks net genoeg. De kogel scheurde door de matras maar raakte geen tank.

Ik greep naar de tweepersoonsmatras. Ik voelde de hechting in mijn schouder losscheuren toen ik hem zo snel en zo hard als ik kon omhoogrukte.

De tanks vlogen weg en kletterden op de hardhouten vloer, waar ze alle kanten op rolden.

'Iedereen naar buiten!' riep ik. 'Nu!'

Het volgende schot weergalmde terwijl we de slaapkamer uit sprintten, maar er was geen ontploffing. Ze had niet een van de rollende tanks geraakt.

De toegang naar de vestibule was een smalle, genadeloze trechter toen we de woonkamer naast de slaapkamer uit probeerden te komen. Voeten verdrongen zich, armen zwaaiden, iedereen rende letterlijk voor zijn leven.

Ik was de laatste, met Sarah voor me. Als we het appartement uit konden komen voordat ze het volgende schot zou lossen, zouden we misschien, heel misschien…

KABOEM!

HOOFDSTUK 98

Door de kracht van de explosie viel ik hard op de vloer en een vuurbal scheerde over mijn rug. De hitte was zo intens dat ik mijn overhemd in mijn huid voelde smelten, en mijn huid smolt ook. Het deed zo zeer dat ik het uit wilde schreeuwen, maar ik had het er te druk mee dankbaar te zijn. Zo'n knal? De enige manier waarop ik geen pijn zou kunnen hebben, was als ik dood was.

'God, dat deed pijn,' kreunde Sarah.

Nog meer goed nieuws. Zij leefde ook nog. Ze was er iets beter aan toe dan ik.

Ik wou dat ik kon zeggen dat ik van plan was geweest haar te beschermen. Ik werd tegen haar aan gesmeten en de zwaartekracht deed de rest. Ze lag met haar gezicht naar boven en ik keek op haar neer. Onze neuzen raakten elkaar bijna.

'Gaat het?' fluisterde ik.

'Ik geloof het wel. Jij?'

'M'n rug is een beetje warm, maar ik overleef het wel.'

Verder zei ze niets. Dat hoefde niet. Ik zag het in haar ogen. *Het was heel belangrijk voor haar dat ik het zou redden.*

In de verte kon ik al sirenes horen. De gordijnen in de woonkamer brandden. Hetzelfde gold voor de bank en het tapijt. Er was een kans dat minstens een van die propaantanks niet was ontploft.

Nog niet.

'Kom op,' zei Harris. 'We moeten hier weg.'

Op de straat voor Macintyres gebouw was het één grote chaos. Brandweerwagens en nog meer politiewagens baanden zich toeterend een weg door het verkeer en overal waren zwaailichten.

Bewoners en buren stroomden het trottoir op, verbijsterd en bang.

Ik keek om me heen en kwam eindelijk op adem. *Ik ademde.* Een oude vrouw in een rode kamerjas had een rozenkrans tussen haar vingers en zegde een gebed op. Naast haar stond een jonge Latijns-Amerikaanse moeder met een jongetje in haar armen.

Sarah bekeek snel een beschrijving van Cole en stuurde een tiental agenten weg om de omstanders aan alle kanten naar achteren te brengen. De rest volgde ons, zodat we de gebouwen achter dat van Macintyre konden doorzoeken.

Intussen riep Harris nog meer agenten op om naar de omliggende metrostations te komen.

'Hier!' riep ik op het eerste dak dat we bereikten. Op de grond bij de richel die uitkeek op Macintyres appartement, omhooggehouden door een drievoet die eraan was bevestigd, lag een FN SPR, een precisiegeweer dat ik bij naam kende omdat het werd gebruikt door het team van de FBI dat gijzelaars bevrijdde. 'Een SPR,' zei Sarah zodra ze hem zag. 'Over ironie gesproken.'

Ze had gelijk. SPR stond voor 'Special Police Rifle'. Zoals hij daar stond, met her en der een paar patroonhulzen, maakte hij ons belachelijk.

'Alle deuren!' riep Harris. 'We kloppen op elke deur!'

We vormden weer een rij, deze keer het dak en de trap af, toen de zender van Harris knetterde. Een agent op straat meldde zich. Hij had een getuige gevonden. Of liever gezegd: de getuige had hem gevonden.

Het was een man die op de bovenste verdieping van een hoger gebouw achter dat van Macintyre woonde. Hij had na de ontploffing volmaakt uitzicht op Martha Cole gehad.

'Wat heeft hij gezien?' vroeg Harris.

De agent zweeg en de zender viel stil.

'Dit gaan jullie niet geloven,' zei hij ten slotte.

HOOFDSTUK 99

Mijn eerste cynische gedachte was: zullen we wedden?

Was er na alles wat ik in de loop der jaren, laat staan de afgelopen dagen tot dit moment had gezien nog iets wat ik niet kon geloven, iets wat me nog kon verrassen?

Maar ik moest toegeven dat dit in de buurt kwam.

Hetzelfde gold voor Harris. 'Zeg dat nog eens,' zei hij in zijn zender.

We luisterden nog een keer toen de agent elk woord herhaalde. Vooral de laatste woorden. 'De getuige zegt dat hij na de explosie een vrouw over het dak zag rennen,' zei hij. 'Ze droeg een trouwjurk.'

Harris bleef daar verder niet bij stilstaan. Ook beschouwde hij niets als vanzelfsprekend. Hij ging dit meedelen aan iedere agent in de wijk en daarbuiten. De details waren belangrijk. 'De trouwjurk,' zei hij. 'De kleur – was hij wit?'

'Ja,' zei de agent met een vleugje New Yorks sarcasme. 'De bruid droeg een witte jurk.'

Wat een vertoning, en hoe meer ik het voor me probeerde te zien, hoe meer alles op zijn plek leek te vallen. Het hele plaatje.

'Jezus, ze vertelde de waarheid, hè? Ze draaide het alleen om,' zei ik.

'Hoe bedoel je?' vroeg Harris.

'Martha Cole heeft de verloving niet verbroken, dat heeft Macintyre gedaan,' zei Sarah. 'Het is haar motief, niet dat van hem.'

Sarah pakte haar mobieltje.

'Wat doe je?' vroeg ik.

'Doet ze al die moeite zonder ergens heen te gaan? Ik betwijfel het,' zei ze.

Ik kende Sarah inmiddels goed genoeg om te weten dat ze afging op haar intuïtie. Het kwam door de blik op haar gezicht, de manier waarop ze op haar onderlip beet. Het probleem was alleen dat ik haar niet volgde.

Tot ze het nummer had gedraaid.

'Emily LaSalle, alsjeblieft,' zei ze. 'Zeg tegen haar dat Brubaker aan de lijn is en dat het dringend is.'

HOOFDSTUK 100

LaSalle hoefde in haar kantoor van *The New York Times* maar een paar toetsen in te drukken om boven water te krijgen wat we nodig hadden. Haar archief was even onberispelijk als alles aan haar.

Sarah zette haar telefoon net op tijd op de speaker.

'Hebbes,' meldde LaSalle.

Het was het artikel dat nooit gepubliceerd zou worden. Het huwelijk van Martha Cole en Robert Macintyre.

Het grootste deel van het bestand was de tekst die Cole oorspronkelijk had opgestuurd naar de huwelijksrubriek van de krant. De rest bestond uit een paar aantekeningen van een redacteur van LaSalle die als taak had de informatie te verifiëren. Feiten checken was van essentieel belang, hoorden we, of het nu om echte stellen ging die goed voor de dag wilden komen of om de vele nepstellen eruit te vissen die werden aangemeld door grappenmakers, zoals de bruiloft van Ben Dover en Ivana Humpalot.

'Waar moet ik naar zoeken?' vroeg LaSalle.

'Maar één ding,' zei Sarah. 'Staat er ook waar Cole en Macintyre van plan waren te gaan trouwen?'

'Bedoel je in welke stad?'

'Nee, in welke kerk.'

'Even kijken.'

Sarah beet weer op haar onderlip. Ze had een voorgevoel. Harris en de andere agenten wisselden intussen blikken alsof ze wilden zeggen: Wauw, kon dit nog gestoorder worden?

Ik zou inzetten op 'ja'.

LaSalle nam vluchtig het bestand over Cole en Macintyre door en las bepaalde dingen hardop voor, alsof het punten in een Power-Pointpresentatie waren.

'Ze wonen in Brooklyn... hebben elkaar leren kennen in het leger... allebei sergeant...'

Harris knipperde met zijn ogen. 'Wacht, dienden ze allebéi in het leger?'

'Logisch,' mompelde ik.

Leren hoe je met dodelijke precisie met een geweer moest schieten was niet echt iets wat je op een avondcursus leerde. Maar waar had Cole in vredesnaam geleerd zo doeltreffend te liegen? Ik zou me er meer voor schamen dat ik was beetgenomen als ze er niet zo verdomd goed in was geweest.

'Oké, hier hebben we het,' zei LaSalle. 'Hier staat dat het huwelijk plaats zou vinden in St. Alexander's in Brooklyn.'

'Shit,' mompelde Harris. 'Denk je...'

'Emily, heb je ook een adres?' vroeg Sarah.

'Nee, alleen de naam.'

'Ik weet waar die kerk is,' hoorde ik iemand zeggen.

Ik draaide me om en zag een van de agenten naar voren komen. Zo te zien was hij een groentje.

'Is het in de buurt?' vroeg ik.

'Misschien zo'n twintig straten verderop,' zei hij. 'Mijn zus gaat naar die kerk.'

Opeens was ons best mogelijke scenario misschien wel ons slechtst mogelijke. Als Sarahs voorgevoel klopte, en Cole was daarnaar op weg... Wat was ze dan van plan?

Het enige dat vaststond, was dat we iedereen die in de kerk was moesten waarschuwen. Hopelijk was er niemand.

Die kans was klein.

Opnieuw kraakte de zender van Harris. Hetzelfde gold voor alle andere zenders van de groep. Een koor van ruis gevolgd door de stem van een vrouwelijke coördinator.

Het was een 4-1-7. Iemand met een wapen. 'Mogelijke gijzelsituatie,' voegde ze er nog aan toe.

Tegen de tijd dat ze het adres had gegeven, renden Sarah, ik en alle anderen al het gebouw uit naar de politiewagens.

HOOFDSTUK 101

Het is heel grappig hoe tien of meer surveillancewagens die met honderd kilometer per uur en gillende sirenes door de stad scheuren het verkeer op gang weten te brengen. Harris reed en Sarah en ik hielden ons vast. Binnen een paar minuten legden we de twintig straten af.

Op het eerste gezicht was het tafereel voor St. Alexander's het toppunt van ironie. Vreemd genoeg zag het eruit als een bruiloft, het einde ervan in elk geval. Een groep gasten drentelde rond op de trap naar de kerk, alsof de bruid en bruidegom elk moment arm in arm door de deur konden komen.

'Jezus, we moeten zorgen dat iedereen hier wegkomt,' zei ik toen Harris met piepende banden tot stilstand kwam langs het trottoir. We wisten allemaal wat er was gebeurd met het laatste gebouw waarop Cole haar oog had laten vallen.

De mensen buiten waren een koud kunstje, een eenvoudig geval van crowdcontrol. De mensen in de kerk zelf vormden het echte probleem. De woorden van de coördinator klonken luid en duidelijk na in mijn hoofd. *Mogelijke gijzelsituatie.*

Ik stapte uit Harris' ongemarkeerde Explorer en werd bijna aangereden door een andere politiewagen die aan kwam rijden. Ze waren nu overal en arriveerden met meerdere wagens tegelijk.

Alle agenten verzamelden zich op het trottoir terwijl Harris, Sarah en ik de treden naar de kerk op liepen. Ik wilde net iets roepen om de aandacht van iedereen te trekken toen een jonge priester met kortgeknipt rood haar en sproeten naar voren stapte.

'Bent u een FBI-agent?' vroeg hij aan mij.

Merkwaardige openingsvraag. Hoe wist hij dat?

'Ja, ik ben agent O'Hara.'

'O, mooi,' zei hij. 'Godzijdank dat jullie hier zijn.'

'Was u binnen?' vroeg ik aan de priester.

'We waren allemaal binnen, maar ze heeft ons allemaal laten gaan,' antwoordde hij. Hij verbeterde zichzelf meteen. 'Ons bijna allemaal laten gaan.'

'Wie is er nog binnen?'

'Een andere priester,' zei hij. 'Pater Reese.'

'Verder nog iemand?'

'Nee, meer niet. We repeteerden met het koor toen de vrouw in de trouwjurk binnen kwam stormen. Ik dacht eerst dat het misschien een grap was. Toen zag ik het pistool.'

'Een gewoon pistool of iets groters?' vroeg Sarah.

'Een gewoon pistool,' zei hij. 'Ze had ook nog iets anders bij zich. Het leek op een grote frisdrankfles. Maar zonder etiket.'

Grote kans dat het geen 7UP was.

'Wat zei ze?' vroeg Sarah.

'Dat iedereen kon gaan, maar dat er één iemand moest blijven.' Hij wendde zich tot Sarah en zei: 'Pater Reese stond erop dat hij dat zou zijn.'

'Was er verder nog iets?'

Hij knikte. 'Ja. Een boodschap.'

'Voor wie?' vroeg ik.

'U,' zei hij. 'En agent Brubaker.' Hij richtte zich weer tot Sarah. 'Ik neem aan dat...'

'Dat ben ik,' zei Sarah.

'O, mooi,' zei hij. 'Jullie zijn er allebei. Ze wil jullie allebei spreken.'

HOOFDSTUK 102

'Niet doen,' zei Harris. 'Niet naar binnen gaan. Dat is een vreselijk idee.'
Hij wees naar de twee steegjes aan weerszijden van St. Alexander's
waardoor het gebouw werd gescheiden van de aangrenzende panden.
'Er moeten andere manieren zijn om binnen te komen zonder dat ze
erachter komt. We kunnen hier binnen tien minuten een bijstandseen-
heid hebben.'

'En als we geen tien minuten hebben?' vroeg Sarah. 'Volgens mij hebben we die niet.'

'Ze heeft al meer dan tien mensen vermoord en ze draagt nu een
trouwjurk en zwaait met een pistool,' zei ik.

Dat legde Harris het zwijgen op. 'En jij?' vroeg ik Sarah. 'Kom je
mee?'

Ze haalde haar Glock uit haar holster en stak hem achter in haar
broek.

'Laten we in elk geval kijken of er andere manieren zijn om binnen te
komen,' zei Harris berustend. 'Voor de zekerheid.'

Twee teams van vier verspreidden zich rechts en links om de kerk
heen. In nog geen minuut hadden we weer van beide teams gehoord.

'Zijdeur, niet op slot,' fluisterde een agent over de zender van Harris.

'Kelderdeur onder aan trap,' fluisterde een agent uit de andere groep.
'Ook niet op slot.'

Harris keek me opnieuw aan. 'Verzin iets anders.'

'Sorry.'

Harris stuurde een bericht terug naar beide teams. Ik merkte onwillekeurig dat hij zacht praatte en tegelijkertijd pisnijdig klonk.

'Blijf daar,' zei hij. 'Tot je schoten hoort.'

Hij draaide zich om en blafte naar de resterende agenten dat ze de menigte toeschouwers verder naar achteren moesten duwen. Verderop zag ik het eerste busje van een nieuwszender aankomen. Binnen een paar minuten zouden er nog veel meer volgen.

'Ben je er klaar voor?' vroeg Sarah.

Ik knikte.

'Even voor de duidelijkheid: jullie zijn gestoord,' zei Harris.

'Hé, het had nog erger gekund,' zei ik.

'Hoezo?' vroeg hij.

'Ze had om ons alle drie kunnen vragen.'

Ik sloeg hem op zijn arm en liep met Sarah de laatste treden naar de kerk op. Voor de deuren bleven we staan.

'Ben jij gelovig?' vroeg ik.

'Luthers,' antwoordde ze. 'En jij?'

'Afvallig katholiek. Maar in mijn jeugd ben ik wel misdienaar geweest,' zei ik. 'Dat moet ergens goed voor zijn, toch?'

We trokken allebei onze pistolen.

'Daar komen we vanzelf achter,' zei ze.

HOOFDSTUK 103

Ik nam de ene kant, Sarah de andere. We waren in korte tijd een goed team geworden, maar dit leek een onmogelijke opgave.

Met onze rug tegen de verschoten rode muur van St. Alexander's reikten we allebei opzij. We grepen een van de deuren en trokken die langzaam open.

Mijn angst verdween weer. Martha Cole schoot niet bij de eerste beweging.

Na een paar seconden riep Sarah naar de moordenaar: 'Martha, ben je daar?'

Door het geroezemoes van de menigte was het moeilijk te horen, maar ik was er vrij zeker van dat er geen antwoord was. Sarah probeerde het nog een keer, luider deze keer.

'Martha, wij zijn agent Brubaker en agent O'Hara,' zei ze. 'Kunnen we binnenkomen?'

Deze keer antwoordde Cole wel en haar stem weergalmde. Ze bevond zich achter in de kerk. 'Jullie kunnen maar beter met zijn tweeën zijn,' waarschuwde ze.

'Ja, Martha!' riep Sarah terug. 'Je hebt mijn woord.'

Ze vroeg ons niet om ongewapend binnen te komen. Niet dat we dat van plan waren. Dat dacht ik tenminste.

'Waar ben je in godsnaam mee bezig?' vroeg ik Sarah, die haar pistool weer wegstopte.

'Ze vertrouwt me,' zei ze. 'Ik moet haar ook vertrouwen.'

'Dat is niet dezelfde vrouw die vanochtend op je schouder huilde,' zei ik. 'Dat was een act.'

'Dat zullen we nog wel zien. Je moet me een beetje vertrouwen.'

'Oké, maar we gaan tegelijk naar binnen,' zei ik.

'Nee hoor, dames eerst.'

Voordat ik nog iets kon zeggen of doen, stapte Sarah achter de deur vandaan, met haar handen in de lucht. Als er al weinig verschil was tussen dapper en dom, was dat nu nog verder vervaagd. Ik was zo kwaad dat ik haar wel kon neerschieten. Dat wilde zeggen: als Martha Cole me niet voor was.

Dat was niet het geval.

Ik liep ook naar binnen en voegde me bij de ingang van de kerk bij Sarah. Helemaal aan het einde van het gangpad zag ik Cole bij het altaar staan, met haar armen opzij. Ze hield haar pistool tegen het hoofd van pater Reese gedrukt.

Langzaam, heel langzaam, liepen we in hun richting.

'Dat is ver genoeg!' riep Cole.

Sarah en ik bleven staan. We waren ongeveer twintig banken van het altaar. Absoluut binnen ons bereik, maar het zou geen gemakkelijk schot zijn.

'Martha, laat ons iets dichterbij komen, dan hoeven we niet naar elkaar te schreeuwen,' zei Sarah. 'Door de echo hier is het heel moeilijk praten. Ik wil horen wat je te zeggen hebt.'

Cole lachte. 'Wie zei dat we gingen praten?'

'Waarom zijn we hier dan?' vroeg Sarah. 'Wat wil je van ons?'

'Dat komt nog wel,' zei ze. 'Ga eerst maar zitten.'

Het had geen zin aan te dringen. Ik deed een stap naar rechts en stond op het punt te gaan zitten.

'NEE!' riep Cole. 'NEE, NEE, NEE!'

Ik wist niet goed wat ik verkeerd had gedaan, maar wat het ook was, ik zou ermee stoppen. Ik verstarde en verroerde geen spier.

Sarah, die nog geen aanstalten had gemaakt om te gaan zitten, stak haar handen in de lucht. 'Ho, ho!' zei ze.

'Wat is er, Martha?'

'Dat is de kant van de bruidegom,' zei Cole boos. 'Je moet aan de linkerkant gaan zitten... de kant van de bruid. Ik ben degene die jullie heeft uitgenodigd.'

O. Als in: *O shit, dat belooft niet veel goeds.*

HOOFDSTUK 104

Sarah en ik glipten in de bank links van ons. De kant van de bruid. Het pluspunt was dat we onze pistolen konden pakken zonder dat Cole ons kon zien, wat we allebei instinctief deden.

Het minpunt was dat we zaten. Makkelijke doelwitten, vreesde ik. Toch was het fijn om een pistool in mijn hand te hebben.

'Martha, we hebben tot nu toe alles gedaan wat je hebt gevraagd,' zei Sarah. 'We zijn naar binnen gekomen en we zijn gaan zitten waar je ons wilde hebben. Nu moet ik je vragen iets voor ons te doen. Je moet pater Reese laten gaan.'

Cole grijnsde. 'Ben je linkshandig of rechtshandig, Brubaker?'

'Waarom vraag je dat?' zei Sarah.

'Omdat ik me afvraag aan welke kant je pistool zich op dit moment bevindt.'

'Je kunt zelf komen kijken. Je zult geen pistool zien.' Sarah loog tegen die gestoorde moordenaar. 'En ook niet bij O'Hara.'

Ik luisterde naar dit gesprek maar tegelijkertijd gaf ik mijn ogen de kost. Voor het eerst kon ik wat langer naar Martha Cole kijken, in haar witte trouwjurk met het vierkante decolleté en kanten mouwen tot aan haar elleboog.

Het was een gloednieuwe jurk en duidelijk een mooie. Nu was hij vies, smoezelig en kletsnat van het zweet. Sterker nog: Cole leek van top tot teen doorweekt. Zelfs haar haar zag eruit alsof ze net onder de douche vandaan kwam.

Wat een contrast met de priester. Die had natuurlijk niet op een hete middag in juni gehuld in tafzijde door twintig straten gerend, maar met een pistool tegen zijn hoofd zou je toch hebben verwacht dat hij zweette. In plaats daarvan leek hij volkomen kalm. Vredig.

Ik kreeg bijna het gevoel dat hij iets wist wat ik niet wist. Dat gevoel had ik natuurlijk altijd bij priesters, maar dit was anders. Meer verbonden met het aardse bestaan.

Hoe dan ook, het was waarschijnlijk maar goed ook, want Martha Cole was niet van plan hem vrij te laten. Nog niet, in elk geval. Hopelijk was ze niet van plan haar ziel te bevrijden.

'Weet je wat Robbie tegen me zei toen hij me ten huwelijk vroeg?' zei ze. 'Hij zei dat we de rest van ons leven samen zouden zijn. *Voor altijd.* Hij klonk heel erg overtuigend.'

'Martha, ik begrijp dat je van streek bent,' zei Sarah, 'maar...'

Cole onderbrak haar. 'Hij heeft mijn hart gebroken, hij heeft het kapotgemaakt,' zei ze. Toen lachte ze even een verdorven glimlach. 'Daarom heb ik een mes in dat van hem gestoken.'

Sarah schudde haar hoofd en haar stem werd luider. 'Het moorden moet ophouden, Martha.'

Maar ze luisterde niet.

'Ik verdiende hetzelfde als die andere stellen. IK VERDIENDE HET!' schreeuwde ze.

Ik kon Sarahs gedachten praktisch lezen. *Kalm blijven, zorg dat de dialoog niet stilvalt, zeg haar naam zo vaak mogelijk om haar vertrouwen te winnen.*

'Dat geloof ik, Martha, maar die stellen verdienden het niet om te sterven,' zei Sarah. 'Ze hebben niets gedaan om je te kwetsen.'

'We gaan allemaal dood, Brubaker. Dat heb ik in de oorlog elke dag gezien. De enige variabele is het moment waarop.'

'Maar daar ga jij niet over, Martha. Jij mag niet de rol van God spelen.'

'Maar dat heb ik wel gedaan, toch?'

Er was iets aan de manier waarop ze het zei, het bewuste gebruik van de voltooid verleden tijd. Het gevoel dat er iets werd afgerond.

Mijn hersens maakten overuren. Zoveel gedachten, vragen, onbekende factoren...

Twee in het bijzonder.

Waar was die merkwaardige groene fles waarover de jonge priester het buiten had gehad? En wat zat erin?

Ik keek op naar het grote gouden kruis dat opdoemde boven het altaar. Opeens schoot het me te binnen. Dit zou geen langdurige gijzelsituatie zijn. Dit was helemaal geen gijzelsituatie.

Mijn blik schoot naar Cole. Ik staarde weer naar haar, van boven tot onder. Ze was inderdaad drijfnat, maar het was geen zweet, of wel?

O jezus, jezus…

Ik rook het nu, de geur legde eindelijk de afstand van haar naar ons af. Isopropanol. Ontsmettingsalcohol.

'Tot ziens,' zei ze.

Ik sprong op van de bank toen Martha het pistool uit één hand liet vallen en onthulde dat ze in de andere een kleine aansteker hield. Haar duim ging heel snel op en neer.

'Nee!' riep ik. 'Is dit nou echt nodig?'

Op dat moment sprak Martha Cole haar laatste woord – het woord dat ze op die plek bij het altaar nooit zou zeggen tegen haar bruidegom.

'Ja.'

We konden niets meer doen. Cole duwde pater Reese opzij en bracht de aansteker naar haar jurk.

Ze ging in vlammen op.

HOOFDSTUK 105

Waarom zou iemand doen wat zij had gedaan? Dat is meestal de eerste vraag als iemand zelfmoord heeft gepleegd. Maar Martha Cole had ons alles verteld wat we wilden weten over haar motieven. Niet alleen waarom ze een einde aan haar leven had gemaakt, maar ook aan dat van mensen die ze nooit had ontmoet.

Het waren die levens, vooral die van de drie pasgetrouwde stellen, waardoor we achterbleven met de echte onbeantwoorde vraag. Hoe? Hoe had ze het in godsnaam gedaan? Hoe was ze het terrein van de Governor's Club op de Turks- en Caicoseilanden op geglipt om Ethan en Abigail Breslow op te sluiten in hun sauna en hen vervolgens te vergiftigen? Hoe was ze langs de beveiliging op JFK Airport gekomen om Scott en Annabelle Pierce te vergiftigen voordat ze op het vliegtuig naar Italië konden stappen?

En ten slotte, alsof ze vergif beu was geworden of de reikwijdte van haar expertise wilde tonen: hoe had ze een bom bevestigd aan de boot die Parker en Samantha Keller hadden afgemeerd in Bermuda?

De antwoorden op al mijn vragen kwamen al snel. Of in elk geval het soort informatie waardoor je knikte en zei: 'Ja, dat zou het wel verklaren...'

Binnen een uur na de dood van Martha Cole belandde haar militaire dossier op het bureau van Dan Driesen, die ons de belangrijkste informatie mailde.

'Hier,' zei Sarah, en ze gaf me de telefoon toen ze het gelezen had.

We hadden net onze 'officiële' verklaringen afgelegd tegenover inspecteur Harris en twee inspecteurs van het dichtstbijzijnde politiebureau in Brooklyn.

Ik had zelfs Warner Breslow gebeld, die voor zaken in Londen was.

Ik deelde hem het nieuws mee, hoe bitterzoet het ook was. De moord op zijn zoon en diens vrouw was nog zinlozer dan hij zich had kunnen inbeelden. Zou hij het door de wetenschap wie het gedaan had af kunnen sluiten, zou het hem een gevoel van rechtvaardigheid bezorgen? Ik vreesde dat het antwoord voor een man als Breslow nee was.

'We spreken elkaar als ik terug ben,' zei hij tegen me. 'Je hebt goed werk geleverd, John. Dank je.'

Toen ik Driesens mail las, moest ik onwillekeurig denken aan alle twijfelaars en aanhangers van complottheorieën die nooit konden bevatten hoe Lee Harvey Oswald erin geslaagd was met een grendelgeweer in ongeveer acht seconden drie schoten af te vuren. *Uitgesloten, te snel! Er moest wel een tweede schutter zijn!* Wat ze natuurlijk altijd leken te vergeten, was dat hij niet de een of andere sukkel was die had geoefend door op blikjes in de achtertuin te schieten. Oswald had de beste opleiding ter wereld gevolgd – op kosten van de Verenigde Staten nog wel. In het korps mariniers van de vs.

Martha Cole was geniesergeant van de commando's in het leger geweest, en had zich allerlei disciplines eigen gemaakt, inclusief het hanteren van geavanceerd wapentuig en explosieven, verkenning en sabotage. Ze was slim, atletisch en een adrenalinejunk. Dat laatste stond in haar psychologische evaluatie.

Een dergelijk profiel maakt van iemand tien van de tien keer een uitstekend lid van de commando's. En tijdens haar uitzending naar Afghanistan was dat precies wat ze was. Het probleem ontstond toen ze naar huis kwam. De officieuze term is 'redlinen', een auto op het maximumtoerental laten rijden: net als een Ferrari die vastzit in de vijfde versnelling kon ze niet terugschakelen naar de alledaagsheid van het gewone leven. New York mag dan wel de stad zijn die nooit slaapt, hij kon niet tippen aan het permanente gevaar van Afghanistan en de talibanstrijders.

Uiteindelijk had haar relatie met Robert Macintyre er de prijs voor betaald. Daarna was haar hele leven ontploft in woede en een verlangen wraak te nemen.

We hadden nu dus het 'waarom' en het 'hoe'. De enige vraag die nog restte was het 'wat'. Als in: *wat nu?*

Cole was er niet meer, maar Ned Sinclair maakte ergens nog plannen voor mijn dood. Morgen zou ik me om hem bekommeren. Vanavond was ik te moe, mijn hersens waren te gaar.

Sarah schudde Harris de hand. Ze bedankte hem en nam afscheid. Zodra hij wegliep, ging ik naar haar toe. Ze lachte. Ik lachte terug. Toen boog ik naar voren en fluisterde in haar oor.

Ze dacht welgeteld een fractie van een seconde na.

'Absoluut,' antwoordde ze.

HOOFDSTUK 106

'Jezus, wat is er met jullie gebeurd?'

De man die de glaasjes met tequila voor ons neerzette, draaide er niet omheen. Ook de andere bezoekers keken ons onomwonden aan. Onze kleren waren gescheurd en hadden schroeiplekken, onze gezichten en handen waren smerig. Al met al zagen we eruit alsof we letterlijk door het slijk waren gesleurd.

Het is maar goed dat het ons weinig kon schelen.

En na nog vijf shots kon het ons helemaal niks meer schelen.

Sarah en ik hadden de laatste twee krukken aan het einde van de bar gepakt in wat zo ongeveer de eerste zaak was die alcohol verkocht die we tegenkwamen toen we van St. Alexander's kwamen. Het was een klein restaurant dat Deuces & Eights heette, zo'n plaatselijk tentje met namen van gerechten op schoolborden geschreven en op een plank een stel softbaltrofeeën.

'Wauw,' zei ik toen Sarah zonder enige moeite nog een shot achteroversloeg. 'Dat wist ik niet.'

'Wat?' vroeg ze. Ze smakte met haar lippen en veegde haar mond af.

'Dat je zo kon drinken. Je bent niet eens Iers.'

Ze lachte. 'Ja, ik weet het, en ik ben ook nog een meisje.'

'Ik ken geen enkel meisje zoals jij.'

'Voorzichtig, O'Hara,' zei ze. 'Dat kwam gevaarlijk dicht in de buurt van een compliment.'

'Dat zal de tequila wel zijn.'

'In dat geval is het tijd voor het volgende rondje.'

Ze gebaarde naar de barkeeper, die de koelkast onder de kassa bijvulde met bier, een bruine en groene verzameling Budweisers en Rolling Rocks.

'Weet je het zeker?' vroeg ik.

Ze sloeg haar armen over elkaar. 'Je fluisterde toch in mijn oor dat we ons moesten bezatten?'

Ik krabde op mijn hoofd. 'Er rinkelt ergens een belletje. Ja, misschien herinner ik me wel iets dergelijks.'

'Goed. Stel je dan niet zo aan. Drink of geef je kruk aan iemand die niet zo moeilijk doet.'

'Oké, nu vraag je erom.'

De barkeeper kwam naar ons toe met de fles Patron al in zijn hand. Hij had deze film eerder gezien 'Drie keer raden,' zei hij. 'Nog een rondje?'

Ik schudde mijn hoofd. 'Maak daar maar twee rondjes van,' zei ik. 'We hebben een paar zware dagen op ons werk achter de rug.'

Hij grinnikte en schonk de glaasjes vol, en ik pakte mijn portemonnee. Ik durf niet te zeggen dat wat er daarna gebeurde al die tijd het plan was geweest, maar net als de ruitenboer tijdens een potje hartenjagen wist ik dat ik een aardige troef in handen had.

'Wat is dat?' vroeg ze. 'Ga je de rekening betalen?'

'Het is geen creditcard.'

'Daar lijkt het anders wel op,' zei ze, en ze pakte hem van me af. Ze bekeek de voor- en de achterkant. 'Er staat niets op.'

Dat klopte. Hij glom zwart en was ongeveer zo dik als een speelpenning. Maar zoals Sarah al zei: er stond niets op. Er stond alleen iets *in*, vermoedde ik.

'Oké, ik geef het op. Waar is hij voor?' vroeg ze.

'Het gaat erom wat hij doet.'

'En wat is dat? Wat doet hij?'

Ik griste hem uit haar hand. 'Er is maar één manier om daar achter te komen,' zei ik.

En met die woorden sloeg ik – *beng beng* – de twee shots die voor me stonden achterover. Ik stak de kaart weer in mijn portemonnee en haalde er wat contant geld uit.

Nú betaalde ik de rekening.

'Laat de rest maar zitten,' zei ik tegen de barkeeper, en ik liet me van mijn kruk glijden.

'Wacht, waar ga je heen?' vroeg Sarah.

Ik was al bijna bij de deur en voelde geen pijn. 'Dezelfde plek waar jij heen gaat,' zei ik.

HOOFDSTUK 107

We namen een taxi terug naar Manhattan en rechtstreeks naar de Upper East Side. Om precies te zijn: 63rd Street en Fifth Avenue. Nog voordat de portier de deur voor ons had geopend, raadde Sarah het al.

'Breslow?' vroeg ze.

'Je analytische vaardigheden zijn uitstekend.'

Eenmaal in de lift vertelde ik haar over Breslows advocaat – ongetwijfeld een van zijn vele advocaten – die me de envelop had gegeven. Op het briefje erin stond eenvoudigweg: 'Als je ooit een slaapplek nodig hebt…'

'De adressen stonden er ook op,' zei ik.

Ze knipperde een paar keer ongelovig. 'Adressen? Als in meervoud?'

'New York, Chicago, LA en Dallas. En nog een stuk of tien in het buitenland. Parijs, Londen, Rome.'

'En met die kaart kom je overal binnen?'

'Kennelijk.' Ik had hem nog niet gebruikt, waardoor Sarah nog meer met haar mond vol tanden stond toen de lift openging op de verdieping met het penthouse. Ik legde uit dat ik geen slaapplek in Manhattan nodig had gehad sinds Breslow me in de arm had genomen. En ook niet in Parijs trouwens.

'Was je niet op zijn minst nieuwsgierig?' vroeg ze.

'Misschien wel, maar toen verscheen er op een ochtend een gestoorde FBI-agente bij me thuis. Ik stond er verder niet meer bij stil,' zei ik. 'Tot nu dan.'

Je hoefde niet te raden welke deur die van het appartement was. Er was er maar één in het kleine halletje voor de lift.

'Wacht,' fluisterde Sarah.

Ik stond op het punt het kaartje langs het kastje bij de deur te halen.

'Wat is er?' vroeg ik.

'En als er iemand is?'

'Zoals?'

'Dat weet ik niet,' zei ze. 'Breslow?'

'Dezelfde Breslow die ik net heb gesproken en die in Londen is?'

'Oké, iemand anders dan. Iemand anders die voor hem werkt. Wie dan ook.'

'Je hebt gelijk,' zei ik met een uitgestreken gezicht. 'We moeten hier weg en naar het hotel van de FBI met gratis HBO.'

'Oké, oké,' zei ze.

Opnieuw stond ik op het punt de deur te openen. Opnieuw hield ze me tegen.

'Wacht!' zei ze. 'We kunnen dit niet doen.'

'Hij heeft me de kaart gegeven, Sarah. Echt, het is oké.'

'Nee, ik bedoel dat we dit niet kunnen doen.'

'Wat niet?'

'Wat ik denk dat we gaan doen.'

Ik hield me van de domme. 'En wat is dat?' Het was beter dat zij het zei. En ja hoor…

'Met elkaar… naar bed gaan,' zei ze.

'Wie had het daarover?'

'Nou, ik. Je bent een man en we hebben gedronken.'

'Hé, dat is seksisme!'

'Je hebt gelijk. Sorry.'

Ik glimlachte. 'Houdt dat in dat we nu met elkaar naar bed gaan?'

Dat leverde me rollende ogen en een stevige rechtse hoek tegen mijn goede schouder op. Ze boog naar voren. 'Je weet wat dit is, hè?'

'Een komische sketch? Best leuk wel.'

'Aantrekkingskracht omdat we een bijna-doodervaring hebben gehad,' zei ze. 'Dat krijg je als twee mensen samen een gevaarlijke situatie het hoofd bieden en die overleven.'

'Je vergeet de tequila.'

'Dat is alleen maar smeerolie.'

'Ik vind het heerlijk als je vieze praatjes uitslaat.'

Ze stootte me nog een keer aan. Mijn goede schouder was niet langer goed. 'Ik zeg alleen maar dat we samenwerken niet moeten verwarren met een relatie,' zei ze.

'Weet je wat? Je hebt gelijk. Dat zou alles echt ingewikkeld maken,' zei ik, alsof ik opeens het licht zag. 'We kunnen maar beter gaan. We moeten niet naar binnen gaan en misschien wel de beste tijd van ons leven hebben.'

Ze staarde me aan en barstte in die sullige lach van haar uit. 'Oké, dat is de sufste poging om omgekeerde psychologie toe te passen die ik ooit heb gehoord. Ik ga je iets voorstellen.'

'Moeten we weer trouwen?'

Zodra ik het had gezegd, hield ik een hand voor mijn schouder. Gelukkig spaarde ze me.

'Nee, ik stel het volgende voor,' zei ze. 'Je moet me zoenen.'

'Moet ik dat?'

'Ja. Als het goed voelt, gaan we naar binnen. Zo niet, dan gaan we weg en hebben we het hier nooit meer over.'

'Wauw, dat is wel heel veel verantwoordelijkheid voor één kus,' zei ik. 'Vooral voor een man die allang niet meer heeft geoefend.'

'Kom je nu al met smoesjes?'

'Nee, ik probeer alleen maar te onderhandelen over betere voorwaarden.'

Ze kwam naar me toe. We waren maar een paar centimeter van elkaar vandaan, haar lippen vlak voor me. Ze speelde met me en ik genoot ervan.

'Graag of niet, O'Hara,' zei ze. 'Kus me nou maar, gek.'

HOOFDSTUK 108

Ik dacht dat de zoemtoon in mijn hoofd de volgende ochtend misschien een nare kater was die zich aandiende. In plaats daarvan bleek het Sarahs telefoon naast het bed. Dan Driesen belde haar bij het krieken van de dag.

Met één oog keek ik vanaf mijn kussen naar Sarah, die tegen het hoofdeinde ging zitten. Het laken bedekte haar lichaam maar amper. Ze hoefde haar wijsvinger niet tegen haar lippen te drukken, wat ze wel deed, maar ik kon haar niet kwalijk nemen dat ze ervoor wilde zorgen dat ik niets zou zeggen of al te luidruchtig adem ging halen.

Ik ging ervan uit dat ik ook niet mijn uitstekende versie van 'Danny Boy' mocht blèren.

Sarah luisterde aandachtig. Ik hoorde niet wat Driesen tegen haar zei, maar het werd al snel duidelijk toen ze een zware zucht slaakte en maar één woord zei.

'Waar?' vroeg ze.

Ned Sinclair had weer toegeslagen.

Krijg de klere. Of misschien had hij geen tv of krant gezien sinds zijn naam en foto de hele wereld over waren gegaan. Misschien ging hij gewoon zijn gang, als een renpaard met oogkleppen op. Geen afleiding. Zonder te beseffen of er bang voor te zijn dat er iemand achter hem aan zit. Er was slechts de taak die uitgevoerd moest worden: mijn moord.

Sarah bestookte Driesen met vragen, ten eerste of er een briefje was, een bericht of wat dan ook op of bij het laatste slachtoffer van Sinclair dat John O'Hara heette. En waren er getuigen? Ook maar enige nieuwe aanwijzingen?

Opnieuw hoefde ik Driesen niet te horen om te weten wat het antwoord was. De manier waarop Sarah haar wenkbrauwen fronste, was de enige vertaling die ik nodig had. Er was geen briefje of bericht gevonden, geen getuigen en geen nieuwe aanwijzingen. Het onderzoek zat muurvast.

Wat het volgende deel van het gesprek voor Sarah een stuk moeilijker maakte.

'Je moet me erheen laten gaan,' smeekte ze Driesen.

Het deed er niet toe waar 'erheen' precies was. Ik zou al snel te horen krijgen waar het nieuwste slachtoffer woonde.

Feit was dat het er niet toe deed of deze John O'Hara uit Spokane of Skokie kwam of uit St. Louis of St. Paul, Sarah zou er niet heen gaan. Dat wist ik, en diep vanbinnen wist zij het ook. Ze kon pleiten wat ze wilde, maar Driesen zou net zomin van gedachten veranderen als Ned Sinclair zou vergeten hoe Sarah eruitzag.

Toen ze een minuut later elke invalshoek had geprobeerd die ze kon bedenken, hees ze eindelijk de witte vlag.

'Laat me weten hoe het gaat,' zei ze nog voordat ze ophing.

Ik kon eindelijk mijn mond opendoen, maar ik wist wel beter. Ze moest afkoelen. Er verstreek misschien een halve minuut voordat ze zich naar me omdraaide.

'Casper in Wyoming,' zei ze. 'Hij is ongeveer drie uur geleden gevonden.'

'Zelfde kaliber?'

'Ja. Eén in het hoofd, één in het hart.'

'Gaat Driesen erheen?'

'Vooral om de media te woord te staan. Het wordt een eersteklas chaos,' zei ze. 'Nog meer reden voor mij om er veilig heen te kunnen gaan.'

'En wat gebeurt er nu?' vroeg ik.

'Het is de bedoeling dat ik vakantie neem,' zei ze. 'Twee weken, verplicht.'

'En ik?'

Maar ik had al een idee wat het antwoord was. Sarahs blik bevestigde het.

'Goh, ik vraag me af wat er vanavond op HBO is,' grapte ik.

Dat leverde in elk geval een flauw glimlachje op. 'Driesen denkt natuurlijk dat jij daar al bent.'

Ik keek naar ons, naakt tussen de lakens. 'Maar goed dat hij niet zo'n fan van Skype of FaceTime is.'

Ze glimlachte weer, maar ik zag dat ze met haar gedachten ergens anders was.

'Wat is er?' vroeg ik.

'Iets wat Driesen zei,' zei ze. 'Iets wat me de hele tijd al dwars heeft gezeten over deze zaak.'

HOOFDSTUK 109

Ik leunde opzij en wachtte tot Sarah zou uitleggen waar ze aan dacht. Maar dat deed ze niet. In plaats daarvan stapte ze het bed uit en trok ze een van de twee kasjmieren kamerjassen aan die perfect opgevouwen op een chaise longue lagen. *Klasse, Breslow. Wat een leven moet jij hebben.*

'Waar ga je heen?' vroeg ik.

'Op zoek naar een atlas.'

Een atlas? Oké, prima.

Ze liep de slaapkamer uit en ik schoot in de andere kamerjas. Ik zou zo wel naar haar toe gaan, maar eerst moest ik wanhopig op zoek naar iets anders. Aspirine.

Daar had Breslow ook aan gedacht. In een la tussen de dubbele toilettafels in de badkamer stond een grote pot pillen van Bayer. Ik nam er twee met een handvol water, en beging toen de fout een glimp van mezelf op te vangen in de spiegel.

Ik liep de slaapkamer uit en bekeek de rest van Breslows appartement, voor het eerst bij daglicht. Grotendeels was het wat ik had verwacht: groot, smaakvol ingericht en met een fantastisch uitzicht op Central Park.

Toch bespeurde ik een soort onderliggende betekenis, alsof Breslow zich enigszins had ingehouden, om duidelijk te maken dat als je dit al mooi vond, je eens moest zien waar hij echt woonde.

Dat had ik natuurlijk gezien. Misschien kreeg ik daardoor wel dat idee.

'Sarah, waar ben je?' riep ik.

'Hier,' zei ze in de bibliotheek naast de woonkamer.

Ze stond achter een mahoniehouten bureau en keek neer op een groot opengeslagen boek dat ze uit de kast had gehaald. Het was een wereldatlas.

'Je bent vast niet bezig je vakantie te plannen,' zei ik.

Ik was dichter bij de waarheid dan ik wist. Sterker nog: op dat moment zat ik er dichter bij dan we allebei beseften.

Sarah keek naar een kaart van de Verenigde Staten, en naar alle plekken waar Ned Sinclair iemand had vermoord. Ze had de steden al omcirkeld met een viltstift.

'Sorry,' zei ze toen ik bij het bureau kwam. 'Ik kon het niet laten. Denk je dat Breslow het me vergeeft?'

Ik keek om me heen naar wat wel duizend boeken moesten zijn. 'Ik gok dat niemand het zal merken,' zei ik. 'Maar vertel, wat is het probleem? Wat zit je dwars?'

'Ik kom er niet uit waarom Sinclair John O'Hara's overslaat die zich dichter bij zijn laatste moord bevinden,' zei ze. 'Dat betekent dat er iets anders moet zijn. Een ander patroon.'

'Was dat het geval met de laatste in Casper?'

'Ja, Driesen had het al gecheckt. Hij zei dat er minstens vier O'Hara's dichter bij zijn laatste slachtoffer waren,' zei ze. 'Waarom reist Sinclair honderden kilometers verder dan nodig is? Alleen om ons van zich af te schudden?'

'Of misschien observeert hij de O'Hara's die dichterbij zijn en besluit hij dat hij hen niet kan afzonderen, dat het te riskant is,' zei ik.

'En dus trekt hij verder?'

'Dat zou zomaar de reden kunnen zijn.'

'Dat weet ik,' zei ze. 'Dat is nou net wat me dwarszit, John. Het is te makkelijk. We zien iets over het hoofd, een patroon in het patroon.'

'Maar dat is het enige dat hij ons tot nu toe heeft laten zien. Het ene patroon na het andere,' zei ik. 'Alle slachtoffers hebben dezelfde naam: een patroon. Hij moordt van het westen naar het oosten: een patroon. Hij laat bij ieder slachtoffer een aanwijzing achter: een patroon.'

Sarahs ogen werden meteen groot. Ze staarde weer naar de kaart.

'O god,' zei ze. 'Dat is het!'

'Wat?'

Ze pakte de viltstift weer. 'Het grotere plaatje' zei ze. 'De reden waarom hij het op deze manier aanpakt.'

'Omdat hij mij wil vermoorden.'

'Ja, maar waarom?'

'Dat heb je me in het begin al verteld, hoe je het allemaal had uitgevogeld,' zei ik. 'Hij houdt mij verantwoordelijk voor de dood van zijn zus.'

'Precies. En elke aanwijzing die hij achterliet bij de slachtoffers was een soort raadsel, toch? Ze hadden allemaal hetzelfde antwoord.'

Mijn mond viel letterlijk open toen Sarah de viltstift op Los Angeles drukte, de locatie van het psychiatrisch ziekenhuis Eagle Mountain en Neds eerste slachtoffer, 'Ace', oftewel verpleger John O'Hara. Vanaf die plek verbond ze de punten met elkaar, de locaties van zijn volgende drie slachtoffers. Winnemucca in Nevada, van daar naar Taylor in Arizona en weer omhoog naar Salt Lake City in Utah.

Het vormde de letter N.

Ned Sinclair spelde de naam Nora.

HOOFDSTUK 110

Sarah veranderde in de taxi naar het vliegveld bijna van gedachten. En nog een keer terwijl we in de rij stonden om in het vliegtuig te stappen.

'Ik kan er nog steeds niet bij dat je me hebt overgehaald,' zei ze ergens boven Pennsylvania – op een hoogte van vijfendertigduizend voet.

'Je hoeft je nergens zorgen over te maken,' zei ik. 'Je kunt altijd tegen Driesen zeggen dat je op vakantie was.'

'In Birdwood in Nebraska?'

Oké, misschien niet. Maar ook al was Birdwood dan geen toeristen-attractie, we moesten er zo snel mogelijk heen. Niet alleen woonde de enige John O'Hara in een straal van honderdvijftig kilometer daar, maar na Candle Lake in New Mexico en Casper in Wyoming lag het ook op een volmaakte plek om de o in Nora af te ronden.

De vraag was of Ned Sinclair er sneller heen was gegaan dan wij. Kennelijk niet.

'Hoe stel je voor dat we dit aanpakken?' vroeg Burt Melvin.

Hij was de politiechef van Birdwood en de enige die we hadden gebeld voordat we vertrokken. Toen we bij het regionale vliegveld bij North Platte een Jeep Grand Cherokee hadden opgepikt, reden we de vijftien kilometer naar zijn bureau.

Zodra Melvin het nieuws over het laatste slachtoffer in Casper had gehoord, regelde hij permanente bescherming voor 'Hara', zoals hij hem noemde. De John O'Hara in Birdwood was een goede vriend van hem en de eigenaar van de plaatselijke ijzerhandel. Daarnaast was hij een veteraan die in Vietnam had gevochten en een fervent jager, wat misschien verklaarde waarom hij zich niet liet overhalen zijn huis te ontvluchten om zich schuil te houden voor de een of andere, en ik citeer, 'gestoorde klootzak met een doodswens'.

'Waar zijn je jongens?' vroeg Sarah aan Melvin.

'Eén voor zijn huis, eentje binnen bij de enige andere ingang – een glazen schuifdeur naar een veranda,' zei hij.

'Die voor het huis, zit die in een politiewagen of in een ongemarkeerde auto?' vroeg Sarah.

'Politiewagen,' antwoordde hij. 'Hoezo?'

Ik wist waarom. Ik wist ook waarom Sarah heel voorzichtig wilde zijn met haar antwoord. We konden niet zomaar de stad binnen denderen en iemand vragen om proefkonijn te zijn.

'We kunnen deze moordenaar niet oppakken door hem af te schrikken,' zei ze.

Melvin knikte en krabde aan de zijkant van zijn dikke snor. Hij had wel iets van Thurman Munson, de geweldige catcher en voormalige aanvoerder van de Yankees.

'Wat stel je voor?' vroeg hij behoedzaam.

'Dat O'Hara en ik in een ongemarkeerde auto de voorkant nemen, en dat jij een van je jongens binnenhoudt.'

Hij grinnikte, maar verontschuldigde zich daar meteen voor. 'Sorry,' zei hij, en hij richtte zich tot mij. 'Ik kan er maar niet over uit dat jij ook John O'Hara heet. Alsof je een tornado in rent in plaats van ervandoor te gaan, vind je niet?'

Je moest eens weten, vriend. Je moest eens weten.

Melvin had geen moeite met Sarahs suggestie, al was het maar omdat die inhield dat nu maar één van zijn mannen toezicht hoefde te houden, in plaats van twee. 'Je bespaart me een aardige duit aan overwerk in een budget waarmee we toch al niet rond kunnen komen,' zei hij. Hij glimlachte. 'Hoe lang kunnen jullie hier blijven?'

'Zolang het nodig is,' zei Sarah.

Maar we wisten allebei dat dat niet waar was. Je kunt er maar een tijdje tussenuit knijpen bij de FBI. We hadden vierentwintig uur, hoog zesendertig.

Hoe het ook zou lopen, we stevenden af op een soort afrekening.

HOOFDSTUK 111

'Als je me nodig hebt, ben ik in de slaapkamer,' grapte ik, en ik klom naar de achterbank van onze huurauto. Met de bank naar beneden en een deken viel het eigenlijk best mee, in elk geval vergeleken met sommige goedkope motels waar ik overnachtte toen ik nog als undercoveragent voor de politie van New York werkte.

Ik wierp een blik op mijn horloge. Al achttien uur...

De nacht was voorbijgevlogen. We stonden schuin tegenover het huis van John O'Hara aan Stillwater Lane geparkeerd. Het 'stille' deel klopte. Niet alleen was er geen enkel teken van Ned Sinclair geweest, maar er was van niemand enig teken geweest.

Op makelaars na dan. Hun bordjes stonden overal. De helft van de huizen in de straat, stuk voor stuk in de stijl van een boerderij met grijze, witte of bruine dakpannen, stond te koop. Het volstond om te zeggen dat veel van de woningen in Stillwater Lane minder waard waren dan de uitstaande hypotheken.

Al met al was het behoorlijk deprimerend, hoewel het wel een probleem voor ons oploste. Dankzij een makelaar die politiechef Melvin kende, konden Sarah en ik een leeg huis verderop in de straat gebruiken om naar het toilet te gaan en ons op te frissen.

Maar slapen deden we in de jeep. Dat sprak voor zich. Als Ned Sinclair van plan was zijn gezicht te laten zien, moesten we dichtbij zijn. Heel dichtbij.

'Probeer niet te snurken, oké?' grapte Sarah achter het stuur.

Ze vond het maar niets dat de vier uur die we die nacht om beurten hadden geslapen niet genoeg voor me waren. Niet dat ik daar iets aan kon doen. Ik was kapot.

Ik rekte me achterin uit. De agent uit Birdwood die de dienst van acht uur 's avonds tot twee uur 's nachts in het huis had, zou over een halfuur aankomen. Hij zou ook ons avondeten meenemen. Een hazenslaapje vooraf was net wat ik nodig had.

Helaas had ik mijn ogen nog maar net dicht toen ik Sarah iets hoorde mompelen. 'Hij is vroeg.'

Ik ging rechtop zitten en keek uit het zijraampje. Een politiewagen reed O'Hara's oprit op.

Politieagent Lohman stapte uit. Ik herinnerde me zijn naam omdat hij ons de avond ervoor Chinees had gebracht, en ik had *lo mein* met varkensvlees gehad.

Voor een volgende keer: bestel nooit lo mein met varkensvlees in Birdwood in Nebraska.

'Shit, waar is onze pizza?' zei ik toen ik zag dat hij lege handen had. Hij was niet alleen vroeg, hij was ook onze grote pizza peperoni met champignons vergeten. Had hij dan geen enkele gêne?

Kennelijk had hij ook geen excuus. Sarah en ik wachtten tot hij naar ons toe zou komen om tekst en uitleg te geven. Op zijn minst moest hij bevestigen welke frequentie we tijdens zijn dienst voor de zenders zouden gebruiken.

Maar hij liep rechtstreeks op O'Hara's huis af. Sarah stapte meteen uit. 'Ik ga wel even kijken,' zei ze.

Ik zag hoe ze de straat overstak en Lohmans naam riep. Toen hij zich omdraaide, keek hij verbaasd, alsof Sarah hem had verrast.

Maar dat was niet logisch, hij wist dat we er waren.

Er klopte iets niet.

HOOFDSTUK 112

Het gebeurde zo snel en toch was het op een vreemde en misselijkmakende manier alsof ik het in slow motion zag gebeuren. Waarschijnlijk omdat ik niets kon doen om haar te redden.

Halverwege de jeep en Lohman greep Sarah wanhopig naar haar pistool. Wanhopig omdat Lohman om onverklaarbare redenen dat van hem al had getrokken.

Hij vuurde één schot af en het bloed spatte meteen uit Sarahs schouder toen ze naar achteren viel. Zijn tweede schot raakte haar in de andere arm. Ze tolde rond en viel met haar gezicht op de stoep.

Ik had de achterdeur van de jeep uit moeten gaan, weg moeten zien te komen uit zijn vuurlinie. Ik kon niets voor haar betekenen als ik ook werd neergeschoten. Maar door de adrenaline, de woede en de pure frustratie om toe te moeten kijken hoe ze werd overrompeld, schoot ik de straat op en rende in volle vaart op hem af.

Hij slaagde erin één schot af te vuren toen ik mijn pistool omhoog bracht, en de kogel scheerde zo dicht langs mijn oor dat ik het briesje voelde.

Nu ben ik aan de beurt, klootzak.

Dat wist hij ook. Terwijl ik de trekker overhaalde, rende hij al weg en dook achter de grille van zijn gestolen politiewagen. Toen hij zich omdraaide om terug te vuren, schoot ik de rest van mijn magazijn zo snel leeg dat hij zijn pistool liet vallen toen hij wegdook.

'Hier,' zei Sarah, en haar stem klonk moeizaam toen ik voor haar neerknielde. Ze kon haar armen nauwelijks bewegen, net genoeg om me haar pistool te geven. 'Schiet hem neer.'

Maar ik zag hem niet meer. En het was uitgesloten dat ik haar alleen zou laten. Ik beschermde haar zo goed mogelijk en wachtte op zijn volgende zet.

In plaats daarvan deed iemand anders een zet.

De voordeur van het huis zwaaide open. Het was de agent die binnen een oogje op O'Hara hield. Hij had zijn pistool getrokken en was duidelijk heel erg in de war.

Waarom schiet de FBI *-agent op mijn collega?*

Alleen was het geen collega.

Zelfs in het uniform, zelfs met de pet ver over zijn ogen getrokken, zelfs in de schaduwen van de ondergaande zon, zelfs na hem alleen maar gezien te hebben op een oude foto, wist ik het.

'Dat is hem!' riep ik. 'Dat is Sinclair!'

Ik kon het de agent niet kwalijk nemen dat hij een fractie van een seconde verstarde terwijl hij in gedachten alles op een rijtje zette, inclusief het vreselijke vooruitzicht voor zijn collega Lohman. Je steelt niet het uniform en de auto van een gewapende politieagent door er netjes om te vragen.

Maar als er al enige twijfel over bestond waar deze agent zijn wapen op moest richten, nam Sinclair die meteen weer weg. Hij sprong als een duveltje-uit-een-doosje op vanachter de politiewagen, loste vlug twee schoten op de agent en dook weer weg. Het tweede schot versplinterde de houten lijst van de voordeur en miste de borstkas van de agent maar net terwijl die het huis weer in dook. Hij riep ongetwijfeld versterking op.

Ongetwijfeld wist Sinclair dat ook.

Het volgende geluid dat ik hoorde, was het portier van de politiewagen dat aan de chauffeurskant werd geopend. Ik kon hem niet zien, en dat was ook de bedoeling. Hij kroop achter het stuur en startte de motor. Ineengedoken achter het dashboard trapte hij het gas in en reed blindelings achteruit de oprit af.

Mijn eerste schot raakte het zijraampje en het glas spatte uiteen. Vervolgens richtte ik lager en schoot de voor- en achterband aan mijn kant leeg.

Maar hij scheurde verder de straat in, waar hij uit zijn achteruit schakelde. Zijn banden piepten op het asfalt toen hij het gaspedaal in trapte.

'Ga!' hoorde ik achter me.

Het was alsof Sarah haar resterende kracht had verzameld om ervoor te zorgen dat ik niet zou doen wat ik van plan was. Ik deed het toch. Ik liet Sinclair wegrijden zonder achter hem aan te gaan, zodat ik haar kon helpen.

Ik deed mijn riem af en bond hem strak om haar rechterarm boven de plek waar het eerste schot haar had geraakt.

'Hier,' klonk een stem achter me. De agent uit het huis overhandigde me zijn riem. 'Er komt een ambulance aan.'

Ik bond de tweede riem boven de tweede wond, die zich onder de biceps bevond. Ze had al veel bloed verloren.

'Het komt allemaal goed,' zei ik tegen haar. 'Echt.'

Ze keek de Grand Cherokee na en haar stem klonk zwak. 'Je had achter hem aan moeten gaan,' zei ze. Het was nauwelijks meer dan een fluistering.

'Wat, en de kans missen om doktertje met je te spelen?'

Ik zag dat ze wilde lachen, maar ze had er de kracht niet voor. 'Sukkel,' zei ze.

Ik tilde haar hoofd op en wiegde het in mijn handen. Haar ademhaling was nu langzamer, moeizamer. *Godsamme, waar blijft die ambulance?*

'Hou vol, oké? Je moet volhouden,' zei ik tegen haar.

Ze knikte flauw, en het kostte haar moeite die prachtige bleekgroene ogen open te houden.

Tot ze dat niet meer kon.

HOOFDSTUK 113

De verpleegster die in het Great Plains Regional Medical Center Sarahs vijfde zak bloed aan de haak hing, had geen flauw idee dat zij en haar roze schort het enige waren dat tussen mij en de uitbrander van Dan Driesen stond, die er geheid aan zat te komen. Hij was net binnengekomen, rechtstreeks uit Casper. Hij droeg geen jas en zijn mouwen waren opgestroopt. Hij zei geen woord tegen me, maar als blikken konden doden, lag ik op dat moment in het lijkenhuis.

Ik kon het hem niet kwalijk nemen dat hij pisnijdig was. Tot dat moment was mijn reputatie me slechts vooruitgegaan. Nu had ik die overtroffen op een manier die me ongetwijfeld weer een schorsing zou opleveren, als ik niet voorgoed werd ontslagen.

Ja, Sarah was een grote meid en had zelf het besluit genomen met me mee te gaan naar Birdwood, maar nu lag ze daar bewusteloos, al zes uur, en ze had meer bloed verloren dan, en ik citeer, 'de meeste mensen kunnen navertellen'.

Dit volgens haar dokter, die het met zo'n uitgestreken gezicht meedeelde dat ik rondkeek of ik ergens een strijkijzer zag.

'Het bezoekuur is over een kwartier voorbij,' zei de verpleegster toen ze wegliep. Ze had net zo goed een bel kunnen luiden langs de boksring in Madison Square Garden.

Heren, een tikje met de handschoenen en vechten maar.

Driesen liep even om me heen om te kijken of ik met een suffe smoes zou komen, of erger nog: zou proberen te beweren dat ik niets verkeerds had gedaan. Maar daarmee zou ik alleen maar een eerste klap uitlokken. Ik wist wel beter.

Ik staarde slechts zwijgend terug en na een tijdje gooide hij het eruit. 'Waar dacht je godverdomme dat je mee bezig was?' vroeg hij.

'Ik...'

'Hou je bek!' zei hij. 'Besef je wel op hoeveel manieren je alles naar de kloten hebt geholpen?'

'Dat weet ik...'

'HOU JE BEK!' riep hij. 'IK WIL HET NIET HOREN!'

Ik stond op en deed een stap naar hem toe. 'HOU DAN GODVERDOMME JE VRAGEN VOOR JE!'

Het was een slechte zet, maar ik kon het niet laten. En wat deed één slechte zet meer of minder er nou toe?

Driesen kwam vlak voor me staan, zo dichtbij dat ik zijn poriën kon tellen. De gedachte dat ik een klap zou uitlokken, werd opeens een realistische. Hij zag eruit alsof hij echt naar me wilde uithalen.

Het was alleen maar toepasselijk dat ik werd gered door de bel, in dit geval dezelfde vrouw die hem al eerder had geluid.

De verpleegster met haar roze schort beende de kamer weer in, en de rubberen zolen van haar orthopedische schoenen piepten over de hardhouten vloer als nagels langs een schoolbord.

'Dat was het dan!' snauwde ze. 'Het bezoekuur is voorbij!'

Driesen keek haar even aan, zijn wenkbrauwen opgetrokken alsof hij bedacht hoe hij zou reageren. Hij koos voor kalm en verontschuldigend. 'Het spijt me vreselijk,' zei hij. 'We zullen zachter praten.'

'Dat zal best,' antwoordde ze. 'Jullie gaan allebei naar buiten... en wel nu!'

Ze wees naar de deur, als Babe Ruth die alvast aankondigde dat hij een homerun zou slaan.

Als expert op het gebied van slechte zetten had ik tegen haar kunnen zeggen dat ze haar kans had moeten grijpen. Driesen liet zijn kalme, verontschuldigende houding meteen varen en ging over op een donderpreek. Met een luidere stem dan ik voor mogelijk hield, ging hij zo snel en woedend tekeer tegen deze kleine, gedrongen vrouw dat het grappig zou zijn geweest als het niet zo beangstigend was.

Op dat moment viel het kwartje bij me. Driesen was meer dan Sarahs baas. Hij was een mentor, haar rabbijn, een vaderfiguur. Voor ons allebei moest het echt goed komen met haar.

Slecht idee dus om als een gek te gaan schreeuwen.

Zodra Driesen even zijn mond hield om op adem te komen, hoorden we het beste geluid ter wereld... Een stem waarvan ik niet zeker had geweten of ik hem ooit nog zou horen.

'Jezus, kan een meisje niet eens even slapen?'

We draaiden ons allemaal tegelijk om naar Sarah in het bed. Haar ogen waren open. Driesen glimlachte. Ik glimlachte. Zelfs de verpleegster glimlachte.

Toen glimlachte Sarah.

Het zou goed komen met haar.

HOOFDSTUK 114

Ik wilde naar haar toe rennen. Haar omhelzen. Haar zoenen. Ik wilde op zijn minst haar hand vasthouden, zodat ik haar huid kon voelen.

Stuk voor stuk dingen die ik niet kon doen.

Met Driesen naast me was ik Sarahs collega van de FBI die heel blij was om te zien dat ze het zou overleven, meer niet. Een en al glimlach en opluchting, alleen van een keurige, platonische afstand.

Sarahs dokter werd opgeroepen. Zodra hij binnenkwam, gebaarde Driesen dat ik naar een hoekje van de kamer naast de deur moest komen. Er werd niet meer geschreeuwd, niet rechtstreeks in mijn gezicht. Schrijf dat maar toe aan de uitstekende sfeer in de kamer. Toch kon er geen misverstand over bestaan: hij was bloedserieus.

'Dit gaat er gebeuren, of het je nou bevalt of niet,' zei hij, en hij legde uit dat ik in het FBI-hotel in New York zou verblijven tot Sinclair was opgepakt. Het kwam neer op huisarrest. 'Begrepen?'

'Begrepen.'

De enige vrijheid die ik had, was opnieuw beslissen of ik de jongens van kamp zou halen om me te vergezellen.

'Denk daar maar even over na terwijl ik een paar telefoontjes pleeg,' zei Driesen, en hij haalde zijn mobieltje uit zijn zak.

Hij liep weg, zodat Sarah en ik eindelijk alleen waren. Ziekenhuizen zijn één grote draaideur, en ik wist niet wanneer er weer een verpleegster of dokter zou binnenkomen, of Driesen, dus ik deed het snel. De kus. De omhelzing. De kans om tegen haar te zeggen dat ze me de stuipen op het lijf had gejaagd. Het enige dat ik haar niet hoefde te vertellen, was dat ik niet zoveel voor een vrouw had gevoeld sinds mijn vrouw was gestorven.

Dat had Sarah al helemaal zelf bedacht.

'Ik herkende hem,' zei ze over Sinclair. 'Maar hij herkende mij eerst.'

'Het was maar een fractie van een seconde,' zei ik.

Ze wierp een blik over haar schouder en vervolgens naar haar andere arm, allebei dik in het verband. 'Meer was er niet voor nodig.'

Ik kneep in haar hand en glimlachte. 'Gelukstreffers.'

En ja hoor, zonder dat er zelfs maar op de deur werd geklopt, kwam er een andere verpleegster binnen kuieren. Snel liet ik Sarahs hand los, hoewel deze verpleegster haar blik zo strak op het boeket gele lelies in haar handen hield dat het er nauwelijks toe leek te doen.

'Deze zijn net voor je bezorgd,' zei ze. Ze zette ze op de vensterbank, maar eerst begroef ze haar neus diep in het boeket en ademde diep in. 'Ze ruiken heerlijk.'

Sarah keek naar de bloemen en toen weer naar mij terwijl de zuster wegliep. Het moesten minstens twee dozijn lelies zijn, prachtig geschikt.

'Niet naar mij kijken, ze zijn niet van mij,' zei ik.

Ze lachte. 'Van Driesen in elk geval ook niet. Bloemen behoren niet tot zijn repertoire.'

'Misschien is het de normale werkwijze in Quantico,' grapte ik. 'Een dozijn voor elke kogel.'

Ik liep naar het boeket en zag dat er een klein envelopje aan de rand van de glazen vaas was bevestigd. Ik trok het kaartje eruit en las het in stilte.

'Van wie zijn ze?' vroeg ze.

Ik gaf niet meteen antwoord. Ik las het kaartje een tweede keer en dacht na. Ik dacht vlug na.

Sarah probeerde het nog een keer. 'John, van wie zijn ze?'

Ik keek naar haar op en schudde mijn hoofd. 'Tot zover mijn theorie over Quantico,' zei ik.

'Wat bedoel je?'

'Ze moeten de namen door elkaar hebben gehaald. Deze zijn voor iemand die Samantha Baker heet,' zei ik. 'Ik zoek het wel uit met de verpleegster.'

Ik liep naar Sarah toe en drukte een kus op haar voorhoofd. Daarna liep ik de kamer uit, een lift in en het ziekenhuis uit. Ik ging niet naar de verpleegster. En ik zorgde ervoor dat Dan Driesen me niet zag.

Ik vond het vreselijk om tegen Sarah te liegen, maar het zou nog erger zijn als ze dacht dat ze moest liegen om mij te beschermen. Ik kon Driesen me al horen vervloeken en aan Sarah vragen waar ik in godsnaam heen was.

Maar dat zou ze hem niet kunnen vertellen. Dat zou niemand kunnen. Niemand wist waar ik heen ging.

Dit voorgevoel was helemaal van mij.

HOOFDSTUK 115

De regen was meedogenloos en geselde mijn raam zo hard dat de ruitenwissers het amper bij konden houden. Als ik reed, zou ik de auto aan de kant moeten zetten. Maar ik reed niet.

De afgelopen twee dagen had ik geparkeerd gestaan op een toegangsweg naar de Kensico-begraafplaats in Valhalla in New York. Om er te komen had ik twee vluchten uit Birdwood in Nebraska genomen, een huurauto opgehaald bij Westchester County Airport en een tussenstop gemaakt bij de plaatselijke Stop & Shop om eten en water in te slaan.

De enige andere boodschap die ik onderweg had gedaan, was bij een Radio Shack om een telefoonoplader te kopen die ik in de aansteker in de auto kon pluggen. De langharige bediende die door de gangpaden zwierf, probeerde me een reservebatterij aan te praten waarmee ik 'driehonderd belminuten' extra had.

'Goed om te weten,' zei ik tegen hem. Met andere woorden: bedankt, maar nee bedankt.

In werkelijkheid had ik de 'belminuten' die ik al had niet eens nodig. Ik kon niet het risico nemen dat ik gevonden zou worden via gps, dus ik zette de telefoon om de paar uur alleen maar even aan om te kijken of ik berichten had.

De berichten van Driesen namen na de eerste vierentwintig uur af. Wat die van Sarah betreft: die verwachtte ik niet en ze kwamen ook niet. Ze was waarschijnlijk verontwaardigd over het feit dat ik iets geheimhield voor haar, maar tegelijkertijd wist ze dat ik zo mijn redenen had. Ze zou snel genoeg horen wat die waren. De enige vraag was of ik gelijk had.

Nadat ik voor de duizendste keer het veld met grafstenen langs was gegaan, pakte ik het kaartje weer dat Ned met de bloemen had meegestuurd. Het was niet nodig het nog een keer te lezen. Ik kende de tekst uit mijn hoofd. Ik kende het hele gedicht uit mijn hoofd sinds de Engelse les van mevrouw Lindstrom in de vierde klas van de middelbare school.

The woods are lovely, dark and deep

Ned had het kaartje natuurlijk niet ondertekend. Dat was niet nodig. Hij ging ervan uit dat we zouden weten dat de bloemen van hem kwamen.

Maar waarom het gedicht? En waarom van alle gedichten 'Stopping by Woods on a Snowy Evening' van Robert Frost?

Welke beloften moet je nakomen, Ned?

Ik was ervan overtuigd dat ik het antwoord in mijn andere hand hield.

Het was de brief die ik achter Nora's foto had gevonden, in het lijstje dat onder in de speelgoedkist onder Neds bed had gelegen. Ik wist nog steeds niet waarom hij al die DeLorean-autootjes had. Maar ik wist waarom hij de brief had bewaard. Hij was van Nora.

Hij begon met 'Lieve broer'.

De toon was die van een liefhebbende grote zus en de hele eerste pagina was gewijd aan vragen over Neds werk en leven in Californië. Er was geen twijfel over mogelijk dat ze veel om hem gaf. 'Ik ben heel erg trots op je,' schreef ze heel vaak.

Toen kwam de tweede pagina.

De aandacht verschoof naar haar leven en de toon was meteen triest. 'Je bent de enige aan wie ik dit kan vertellen, Ned.'

Ze was verliefd geworden op 'de verkeerde man', iemand die niet was wat hij had gezegd. Alles was een leugen. Zijn baan, zijn bedoelingen, zelfs zijn naam.

'Ik ben in gevaar, ik voel het. FBI-agent John O'Hara wordt mijn dood nog, Ned.'

Ze weidde er verder niet over uit en er waren verder geen details. Alleen een verzoek voor het geval haar voorgevoel uit zou komen.

'Beloof me dat je me komt opzoeken. En als je dat doet, breng dan gele lelies voor me mee, zoals na die vreselijke nacht toen we nog kinderen waren, toen we nog maar kleine kinderen waren. Kinderen, meer niet.'

Dat verzoek was de reden waarom ik nog steeds in de stromende regen in die auto zat. Ik wachtte tot Ned zich eindelijk zou vertonen. Om die belofte aan Nora na te komen.

HOOFDSTUK 116

In de verte kwam door de stromende regen langzaam een gele vlek dichterbij. Ik boog naar voren en mijn wimpers streken bijna langs de voorruit terwijl ik knipperend tuurde om beter te kunnen kijken. Het kon iedereen wel zijn – maar het was niet zomaar iemand.

Neds hoofd was gebogen en zijn gezicht ging schuil onder de rand van een honkbalpetje. Toch was het overduidelijk waar hij en die gele lelies heen gingen. Recht op het graf van zijn zus af.

Ik greep de hendel van het portier en deed hem voorzichtig open. Het was tijd om nat te worden.

Snel zijn, O'Hara. En hou je gedeisd. Zorg dat je niet wordt vermoord vanavond.

Het pad van de auto naar de eerste grafsteen was een rechte lijn. Daarna begaf ik me zigzaggend verder – ik had de route al min of meer uitgestippeld en geoefend. De regen was nu mijn bondgenoot en het geluid maskeerde mijn voetstappen. Beter nog: het zorgde ervoor dat Ned met zijn hoofd tussen zijn schouders naar beneden keek.

Na nog één keer zigzaggen zat ik gehurkt achter een grafsteen, met mijn rug zo stevig tegen het graniet gedrukt dat ik de randen van de stukjes kwarts die erop waren aangebracht door mijn doornatte overhemd voelde drukken.

Nora's graf was een meter of zes verderop. Vreemd genoeg kon ik haar gezicht nu voor me zien. Ik herinnerde me heel veel over haar. Over ons tweeën. Na een vlugge blik zag ik dat Ned en de lelies er een kleine tien meter vandaan waren. Mijn pistool kwam tevoorschijn. Ik hoefde maar tot vijf te tellen en hij was binnen schootsafstand. Ik telde en toen...

Ik sprong overeind en riep: 'Blijf staan!'

De lelies glipten uit zijn handen toen hij onder zijn pet naar me opkeek. Zijn ogen werden groot van verbazing en vervolgens nog groter
van angst. Hij had geen idee wat er gebeurde.

En shit! Ik had geen idee wie hij was.

'Handen in de lucht!' blafte ik, en ik liep langzaam naar hem toe, wie
hij ook was.

Je weet pas of iemand een bedreiging vormt aan de hand van zijn of
haar reactie op iemand anders met een wapen. Als ze naar het wapen
kijken, vormen ze geen bedreiging.

Deze man vormde geen bedreiging voor me.

'Wie ben jij?' vroeg ik. Hij staarde zo aandachtig naar mijn pistool
dat ik het hem twee keer moest vragen.

'Ik werk hier,' zei hij ten slotte.

Ik bekeek hem eens goed. Hij droeg inderdaad Timberlands en een
overall met het woord KENSICO boven zijn hart. Een lijkgraver waarschijnlijk.

'Hoe heet je?' vroeg ik.

'Ken. Ik ben Ken.'

'Voor wie zijn de bloemen?'

'Iemand die Nora Sinclair heet. Haar grafsteen is daar,' zei hij, en hij
wees ernaar. 'Wie ben jij?'

Ik bracht mijn pistool naar beneden, liep naar de man toe en liet hem
mijn insigne zien.

'O,' zei hij toen hij het verband legde. 'Jij bent degene in de auto, hè?'

Ik knikte. 'Ja, ik ben degene in de auto.'

'Mijn baas zei tegen me dat ik niet mocht vragen wie je bent,' zei hij.
'Kun je nagaan.'

Nu zijn knieën niet langer beefden, bukte Ken om de lelies op te ra-
pen. Intussen bedacht ik al hoe ik weer een voorsprong op Ned kon be-
halen via de bloemist bij wie hij de bloemen had besteld. Waar had hij
vandaan gebeld? Had hij een gestolen creditcard gebruikt? Zou hij die
nog een keer gebruiken?

'Sorry, wat zei je?' vroeg ik.

Ken had iets gezegd, maar ik had hem niet verstaan. Hij pakte de
laatste lelie op.

'Die man zei tegen me dat hij altijd heel emotioneel wordt als hij bij
het graf staat,' zei hij.

'Wacht even, wat?' *Welke man?*

'Hij gaf me vijftig dollar om deze te bezorgen,' zei hij toen hij weer overeind kwam. 'Zo makkelijk heb ik nog nooit geld…'

'OMLAAG!' riep ik.

HOOFDSTUK 117

Bij het geluid van het schot vloog Kens pet de lucht in. De boodschap kwam over en hij liet zich op de grond vallen. Hij kroop weg en zette het vervolgens op een rennen.

Terwijl ik achter de dichtstbijzijnde grafsteen dook, voelde ik een hete steek in mijn kuit. Ned was niet van plan me twee keer te missen.

'Laat vallen!' hoorde ik opeens.

Ik was nauwelijks op mijn knieën geklauterd voor een ouderwetse confrontatie toen ik me omdraaide en Ned en zijn Browning Hi-Power-pistool zag. Hij moet heel snel op me af zijn gesprint.

Langzaam liet ik mijn Glock op de grond vallen. Nadat Ned hem vlug weg had geschopt over het natte gras, draaide hij zich om en glimlachte.

'Als dat John O'Hara niet is,' zei hij.

Ik veinsde een glimlach terug en spreidde mijn handen open. 'De enige echte.'

Daar moest hij om grinniken. 'Goeie,' zei hij. 'Slim.'

'Helaas niet zo slim als jij.'

'Dat is waar,' zei hij. 'Maar knap dat je zo ver bent gekomen.'

Het vreemde was dat hij dat echt leek te menen. Hoe verblind hij ook was door wraak, het leek alsof hij nog steeds een eerlijk gevecht wilde. Vandaar zijn aanwijzingen, de manier waarop hij Sarah en mij bijna leek te testen.

'Hoe wist je dat ik hier zou zijn?' vroeg ik.

'Ik zou liegen als ik zei dat ik dat zeker wist. Maar ik denk dat ik het op dezelfde manier wist als jij. Wiskunde.'

Ik volgde hem niet.

'Het heet de rij van Fibonacci,' vervolgde hij. 'Daarbij is het volgende cijfer in een reeks altijd de som van de twee voorafgaande cijfers. Vijf, acht, dertien, eenentwintig, vierendertig. In zekere zin is het de basis voor elke deductieve redenering.'

Ik keek omhoog naar Ned en luisterde naar elk woord. Haal het pistool weg dat op mijn borst was gericht en het zou zo een lezing op de universiteit van Los Angeles kunnen zijn. Waar was de woede? De haat die hij voor me voelde? Hij was rustig. Ik kon geen ingang vinden.

'Het is echt jammer,' zei ik hoofdschuddend. 'Hoe het zou kunnen zijn.'

Hij rolde met zijn ogen. 'Oké, ik hap wel,' zei hij. 'Wat bedoel je?'

'Ik weet wat er is gebeurd toen jij en Nora kinderen waren, het hele vreselijke verhaal. Zelfs hoe je moeder voor jou de schuld op zich nam.'

'En?' vroeg hij, met zijn eerste zenuwtrekje. Vlug knipperen met de ogen, waardoor ik wist dat de tijd niet alle wonden heelde.

'Nou, stel je eens voor hoe het zou kunnen zijn als je vader geen monster was geweest,' zei ik. 'Hoe anders jouw en Nora's leven dan geweest zouden zijn.'

'En vergeet jouw leven niet,' zei hij. 'Of wat er nog van over is.' Hij gebaarde naar het bloederige gat onder mijn knie. 'Hoe gaat het met je been?'

'Maak je geen zorgen, ik overleef het wel,' antwoordde ik.

Hij gniffelde opnieuw. 'Alweer een goeie,' zei hij. 'Mijn zus moest vast ook om je lachen. Voordat je haar vermoordde.'

HOOFDSTUK 118

Ned staarde op me neer. Zijn kaak verstrakte en zijn arm verstijfde achter zijn pistool.

'Ik heb haar niet vermoord,' zei ik. 'Wat je ook denkt, ik was het niet.'

'Je liegt!' riep hij terug. 'Wie het ook was, jij bent er verantwoordelijk voor. Als jij er niet was geweest, zou ze nog leven.'

Daar had hij misschien wel gelijk in.

Ik keek naar zijn Browning. De regen glinsterde op de zwarte lak. 'Goed, waarom heb je me dan nog niet doodgeschoten?' vroeg ik. 'Aangezien ik dat verdien.'

'Dit verdien je ook!' Ned bracht zijn rechterbeen naar voren en zijn wreef trof me vol in de ribben. Ik viel van mijn knieën op de grond, kronkelend van de pijn, en ik kon maar één ding denken: tot nu toe gaat het goed. Het is beter om geschopt te worden dan doodgeschoten.

'O, sorry,' zei Ned sarcastisch. 'Deed dat pijn?'

Ik duwde me overeind zodat ik hem in de ogen kon kijken. Ik forceerde een glimlach. 'Is dat alles wat je in huis hebt?'

Ik wist vrij zeker dat ik een rib hoorde kraken toen Ned me opnieuw schopte met alles wat hij in zich had. En dat was niet weinig. Hij was sterker dan hij eruitzag. En kwader.

Maar ik smeekte om meer. 'Kom op, moederskindje, laat maar zien wat je in huis hebt! Nora heeft je verleid, hè? Dat heeft ze met mij ook gedaan.'

Ned richtte deze keer hoger, en zijn voet ramde in vliegende vaart tegen mijn gezicht. *Knal!* Ik lag weer op de grond, ineengerold in de foetushouding. Mijn handen bevonden zich een paar centimeter van mijn enkels.

Ik voelde hoe mijn linkeroog dichtviel en opzwol.

Met mijn rechteroog zag ik dat Ned naar achteren liep om opnieuw op me af te rennen. Het was alsof hij een potje voetbal speelde en ik de bal was. Hij was er volledig op gericht me nog meer pijn te doen.

Goed zo, Ned, laat alles maar gaan. De woede, de haat…

Je handen.

Ze hingen langs zijn zij, met zijn pistool bij zijn middel. Het wees omlaag in plaats van naar mij. Hoewel het maar een fractie van een seconde was, was er eindelijk een doorbraak.

Nu was ik degene die een stapje voor had, met mijn eigen wiskundige vergelijking.

Twee min één is nog steeds één.

Sneller dan ik me ooit had bewogen, greep ik naar mijn reservewapen, de 9 mm-Beretta in mijn scheenholster. Ik greep hem en vuurde zonder echt te richten.

Het schot raakte Ned onder zijn schouder, niet ver van waar hij Sarah had geraakt. Hij stommelde naar achteren, onvast op zijn voeten, en de realiteit drong tot hem door. Hij probeerde zijn arm op te tillen om te vuren, maar ik was klaar voor hem. En drie keer raden: ik was nog kwader dan hij.

BAM!

Dit schot was beter, de kogel scheurde door zijn borst, en door de kracht viel hij bijna achterover. Maar hij bleef overeind.

Hij struikelde naar achteren met bloed dat langs zijn lichaam gutste en in de regen van kleur veranderde. Donkerrood, lichtrood, bijna roze.

Hij bracht zijn pistool weer omhoog en opende zijn mond om iets te zeggen, maar wat mij betreft had hij wel genoeg gepraat. Hij had al veel te veel gezegd, die gestoorde, moordlustige klootzak.

BAM!

Het schot weergalmde tussen de omringende eiken terwijl ik op mijn rug viel. Ik staarde omhoog naar de wervelende wolken. Ik probeerde op adem te komen.

Langzaam begaf ik me naar de plek waar hij was gesneuveld. Mijn laatste kogel had hem in het hart geraakt.

Ned Sinclair was dood.

Nog geen twee meter van het graf van zijn zus Nora. En weet je – ze verdienden elkaar.

HOOFDSTUK 119

Door laten we het de nasleep van Ned Sinclairs dood noemen, loste een van mijn meest urgente problemen zich vanzelf op. In mijn jacht op de wittebroodsmoordenaar had ik de helft van de regels in het handboek van de FBI overtreden en me de woede van meer dan een paar van mijn meerderen op de hals gehaald, met name die van Dan Driesen. Maar terwijl ik dat deed, had ik ook een moordenaar verslagen die iedere man in het land die John O'Hara heette de stuipen op het lijf had gejaagd, inclusief eentje die toevallig de zwager van de president was.

In één enkele beweging.

Ik werd niet ontslagen. Ik werd niet eens opnieuw geschorst. Jack Walsh wilde nog steeds dat ik naar dokter Adam Kline ging, maar toen die beste man, nadat ik een paar dagen had hersteld in Riverside, hoorde over mijn uitstapje, besloot hij dat zijn werk met mij erop zat.

'Dat was heel moedig,' zei hij tegen me tijdens wat mijn laatste bezoek aan zijn praktijk zou zijn. 'Je hebt gedaan wat nodig was. Wat mij betreft ben je genezen.'

Ik wist niet of ik het met hem eens was dat het moedig was geweest, maar nog voordat ik aanbelde bij Stephen McMillan wist ik dat wat ik op dat moment ging doen nodig was.

Dit was zo'n probleem dat zich niet vanzelf zou oplossen.

Ik zat in de woonkamer van McMillan en luisterde hoe hij zich oprecht verontschuldigde voor het feit dat hij verantwoordelijk was voor de dood van Susan. Ik twijfelde er niet aan dat elk woord net zo gemeend was als de tranen die over zijn wangen stroomden.

'Ik weet dat het geen troost biedt, maar ik heb sinds het ongeluk geen druppel alcohol meer aangeraakt,' zei hij tegen me.

'Je hebt gelijk,' zei ik. 'Dat biedt mij en mijn kinderen geen troost.

Maar het betekent vast heel veel voor je familie.'

McMillan keek naar een foto op een tafeltje naast zijn stoel van zijn tienerzoon en zijn dochter. Hij knikte.

We praatten welgeteld nog een minuut, en hij was slim of bang genoeg om niet te vragen of ik het hem kon vergeven. Dat was iets wat nooit zou gebeuren.

Het enige dat ik hem kon bieden, was acceptatie van wat er was gebeurd.

Ik zei tegen hem dat ik accepteerde dat hij begreep wat een fout hij had begaan, en wat een vreselijk verlies het voor mij en mijn jongens was. Dat had hij meer dan duidelijk gemaakt en ik geloofde hem.

'Bedankt,' zei hij zacht.

Toen we opstonden, deed ik iets waarvan ik dacht dat ik het nooit zou doen. Nog in geen duizend jaar. Of langer nog.

Ik schudde zijn hand.

'Waardoor ben je van gedachten veranderd?' vroeg Harold Cornish toen we het huis uit waren. McMillans advocaat had als tussenpersoon gefungeerd en me opgewacht in de gang. 'Waarom heb je er eindelijk mee ingestemd mijn cliënt te ontmoeten?'

Ik zou Cornish een lang verhaal kunnen vertellen over wat ik allemaal had meegemaakt sinds ik hem voor het laatst had gezien toen hij me was komen opzoeken in mijn achtertuin. Martha Cole. Ned Sinclair. En het enige dat we alle drie met elkaar gemeen hadden, één enkel verlangen.

In plaats daarvan vatte ik het hele verhaal voor hem samen. 'Van wraak komt nooit iets goeds,' zei ik.

EPILOOG

HOOFDSTUK 120

'Oké, voor de laatste keer,' zei Sarah, en ze glimlachte naar me vanaf de boeg. 'Hoe zijn we op deze boot terechtgekomen?'

'Zoals ik al zei: ik heb hier een man op een jetski ontmoet en die was me nog iets verschuldigd.'

Sarah sloeg haar armen over elkaar en wachtte tot ik verder zou gaan. Dat duurde niet lang. Je kunt niet heel lang doen alsof je verlegen bent bij een mooi meisje in een zwarte bikini.

Ik vertelde Sarah over mijn reis naar de Turks- en Caicoseilanden die het begin van deze dollemansrit was geweest. En wat de oplichter in een Speedo betrof, Pierre Simone, bedoelde ik dat letterlijk.

Nadat commissaris Joseph Eldridge nog even had aangedrongen, maakte Pierre het echter in één klap helemaal goed. 'Ik heb hem gewonnen tijdens een potje pokeren,' zei Pierre met zijn Franse accent tegen me over de telefoon. Het was niet bekend waar hij op dat moment precies was. 'Die man had een flush, en ik had een *full boat*.'

Ik wist niet of Pierre eenvoudigweg een grapje maakte, maar dat kon me ook niet schelen. Eén heerlijke week lang hadden we een zeiljacht van twaalf meter tot onze beschikking, en ik kon de oude schippersvaardigheden ophalen die ik had opgedaan tijdens drie zomers op het zeilkamp van mijn plaatselijke jongensvereniging.

Om nog maar te zwijgen over mijn geweldige eerste stuurvrouw. Zelfs de littekens van haar schotwonden waren ongelooflijk sexy, voor mij in elk geval.

'Ik ga een biertje halen,' zei Sarah, die naar de kombuis liep. 'Wil jij er ook een?'

'Absoluut,' zei ik vanaf het roer.

Toen ik weer in Riverside was gekomen, was iedereen al een paar weken thuis. Max en John junior waren vol van hun verblijf in Camp Wilderlocke, en Judy en Marshall over hun cruise op de Middellandse Zee. Toch was het ondanks hun geweldige verhalen mijn verhaal over twee seriemoordenaars waar ze geen genoeg van konden krijgen.

'Een dubbele klapper!' noemde Max het van onder zijn Yankees-pet. En dat ik het uiteindelijke doelwit van Ned Sinclair was geweest, daarvoor had Max de ultieme oplossing. 'Je had gewoon van naam moeten veranderen, pa!'

Daar moest iedereen om de eettafel die avond hartelijk om lachen. Wat mij betreft was dat het zoveelste bewijs dat ik me rijk mocht rekenen met een familie als die van mij.

Het geld van Warner Breslow op mijn bankrekening mocht er natuurlijk ook zijn. Tweehonderdvijftigduizend dollar voor bewezen diensten.

En in mijn kluis thuis lag de ondertekende overeenkomst voor mijn bonus.

Breslow had me gevraagd of Max en John junior goede leerlingen waren. *Doen ze hun huiswerk?* Nu hadden ze nog meer reden om op school hun best te doen. Breslow zou hun studie betalen.

'Ethan en Abigail waren gek op kinderen,' zei hij tegen me. 'Zolang ik leef, zal ik daar aan terugdenken als ik aan jouw twee jongens denk.'

De tabloids zouden nog steeds nare dingen over Warner Breslow schrijven, en een deel ervan zou zelfs waar zijn, maar ik mag graag denken dat ik een glimp heb opgevangen van de man die maar weinig mensen ooit te zien krijgen. Wat ik zag, was een vader die zielsveel van zijn zoon hield.

'Alsjeblieft,' zei Sarah, die weer aan dek was gekomen.

Ze overhandigde me een ijskoude Turks Head. We tikten met de blikjes tegen elkaar en dronken op onze zonovergoten middag in het paradijs.

We hadden geen van beiden een glazen bol en er was nog veel over elkaar te leren in de weken, maanden en hopelijk jaren die voor ons lagen. Maar wat ik zeker wist, was dat ik met niemand anders op die boot zou willen zijn. En ik was er vrij zeker van dat voor Sarah hetzelfde gold.

'Welke kant gaan we op?' vroeg ze.

Ik glimlachte. 'Goeie vraag.'

We keken allebei om ons heen. Blauwe lucht, blauw water en eindeloze mogelijkheden die voor ons in het verschiet lagen, meer was er niet.

Sarah kwam achter me bij het roer staan en sloeg haar armen om mijn middel. Vervolgens fluisterde ze iets in mijn oor.

'Laten we gewoon kijken waar de wind ons heen brengt, John O'Hara.'